Le Livre de Poche Jeunesse

FLEURS DE FER

Tracy Banghart

Tracy Banghart a grandi dans le Maryland. Après des études de langue anglaise, elle suit un master d'édition à l'université Oxford Brookes, en Angleterre. Elle a d'abord travaillé comme éditrice, avant de se consacrer à plein temps à l'écriture. *Grace and Fury* est son premier roman publié en France.

TRACY BANGHART

FLEURS DE FER

I

GRACE AND FURY

Traduit de l'anglais (États-Unis)
par Alice Delarbre

Couverture : Hachette Romans Studio / Illustrations : Antoine Deman
Traduit de l'anglais (États-Unis) par Alice Delarbre

L'édition originale de cet ouvrage a paru en langue anglaise chez Little, Brown Books for Young Readers sous le même titre.

Pour toutes celles à qui on a dit
de s'asseoir et de se taire…
et qui sont restées debout.

I - SERINA

Serina Tessaro se trouvait sur les marches de la fontaine au centre de la grand-place de Lanos, parmi neuf autres jeunes filles de son âge toutes vêtues de leur plus belle robe. Son sourire éclatant semblait inaltérable, alors même que le crépuscule étouffant, accompagné d'une brume charbonneuse, pesait sur elle.

Signor Pietro jaugea chacune des candidates, les yeux mi-clos. Il les connaissait toutes depuis leur naissance, les observait, les évaluait, jugeait leur potentiel. Sa moustache poivre et sel frémit lorsqu'il pinça les lèvres.

La silhouette sombre et imposante des montagnes dominait la ville couverte de suie, ne laissant passer que les ultimes lueurs du jour. La famille de Serina se tenait un peu en retrait de la foule, dans l'ombre. Seules les joues rougies de Nomi étaient visibles. Même à cette distance, Serina percevait la fureur dans le regard de sa sœur. Leur frère, Renzo, laissait une main sur le bras de celle-ci, comme pour la retenir. Serina ne pouvait pas déchiffrer son expression, cependant elle était convaincue qu'il ne partageait pas l'excitation qu'affichaient leurs parents.

Signor Pietro se détourna des jeunes filles sur les marches de la fontaine pour s'adresser à l'assemblée réunie pour l'occasion. Il allait rendre son verdict. Serina sentait son cœur battre dans sa gorge, mais elle dissimulait son impatience derrière une apparente sérénité. Sa mère lui avait appris l'importance des masques.

— Cette année, pour la première fois, l'Héritier reprendra la tradition et se choisira trois Grâces. Chaque province est autorisée à envoyer une concurrente dans l'espoir d'accéder à cet honneur. En tant que gouverneur de Lanos, il m'incombe de choisir celle de nos filles qui entreprendra le voyage jusqu'à Bellaqua.

Peut-être marqua-t-il un silence. Peut-être chercha-t-il à faire durer le suspense. Et pourtant, contrairement à ce que Serina s'était imaginé, le temps ne ralentit pas. Le gouverneur continuait à égrener les mots de sa voix égale et dépassionnée, et ces mots étaient :

— J'ai choisi Serina Tessaro.

La foule applaudit. Une lueur d'espoir éclaira le regard de Mamma Tessaro. Nomi se décomposa.

Hébétée, Serina fit un pas en avant puis exécuta une révérence. Elle n'en revenait pas. Elle irait à Bellaqua. Elle quitterait la ville sale et étouffante de Lanos.

Elle en avait si souvent rêvé. Elle prendrait le train pour la première fois et traverserait les paysages luxuriants du Viridia. Elle découvrirait la ville du Supérieur, avec ses canaux et son immense palais de marbre. Elle rencontrerait l'Héritier. Il serait aussi beau qu'un prince de conte de fées.

Et, s'il la choisissait, elle vivrait dans son beau *palazzo* jusqu'à la fin de ses jours. Elle n'aurait jamais à travailler dans une usine de textile comme sa mère ou à devenir servante comme sa cousine. Pas plus qu'elle ne serait forcée d'épouser l'homme prêt à débourser le plus pour obtenir sa main. Elle assisterait à des bals somptueux et ne manquerait de rien. Sa famille ne connaîtrait pas non plus le besoin. Et même Nomi, en dépit de ses réticences, vivrait une vie meilleure : elle quitterait Lanos, elle aussi, puisqu'elle serait au service de sa sœur.

Signor Pietro serra la main du père de Serina pendant qu'elle descendait les marches. La foule se dispersa lentement. Les autres filles ne lui dirent pas un seul mot au moment de rejoindre leur famille. Le temps que Serina retrouve les siens, Mamma Tessaro tremblait d'émotion. À une époque, elle était aussi grande que Serina, mais, après des décennies penchée sur une machine à coudre à l'usine, elle avait le dos voûté.

— Ma fleur, je suis si fière de toi, dit-elle en serrant Serina de toutes ses forces. Tu as couvert notre famille d'honneurs.

Un son guttural échappa à Nomi, et Serina lui jeta un regard noir. Si Signor Pietro l'entendait dénigrer l'Héritier ou le Supérieur, il la ferait flageller. Il avait déjà agité une telle menace lors d'un examen de santé de Serina, le mois précédent, quand Nomi avait marmonné « C'est ridicule » pendant qu'un médecin auscultait sa sœur.

— Merci, Signor, lui dit Papa Tessaro en s'inclinant.

Le gouverneur regagna sa calèche, sa petite cape écarlate jouant avec la lumière jaunâtre du réverbère.

— Allons-y, dit le père de famille. Nous n'avons que deux jours pour préparer ton voyage.

Il ouvrit la marche, prenant la direction opposée à celle du gouverneur. Ils ne vivaient qu'à quelques pâtés de maisons de la place. Serina aspira l'air vicié de Lanos avant d'emboîter le pas à son père. Il ne lui avait pas accordé un seul regard. Elle tenta de jauger son humeur à la raideur de ses épaules. Était-il fier d'elle, comme sa mère ? Elle n'en savait rien. On ne savait jamais avec lui.

Renzo lui donna un petit coup dans le bras.

— Tu es très belle, lui dit-il. L'Héritier serait fou de ne pas te choisir.

Elle lui adressa un sourire reconnaissant. Renzo avait conscience, lui, de l'importance que tout cela revêtait pour elle. Pour eux tous. Il était si grand et si robuste qu'on oubliait facilement qu'il avait près de deux ans de moins que Serina. Nomi et lui étaient jumeaux mais ils ne se ressemblaient pas, exception faite de leurs yeux d'un brun ambré, bien plus clairs que ceux de Serina.

Nomi se laissait distancer par son frère et sa sœur, traînant les pieds comme un enfant boudeur. Serina ralentit pour se retrouver à sa hauteur.

— C'est une bonne nouvelle, tu sais, lui murmura-t-elle, suffisamment bas pour que leurs parents ne puissent pas entendre.

Les rues étaient désertes à présent : tout le monde était déjà rentré chez soi après la grande annonce. L'éclairage vacillant des réverbères éclaboussait les murs rugueux des maisons qu'ils longeaient. Les pavés sales étaient irréguliers sous leurs semelles, pourtant Serina ne trébuchait jamais. Sa robe cuivrée bruissait sur la pierre.

— Je n'ai pas envie de parler pour le moment, grogna Nomi, qui ne cherchait visiblement pas à être aussi discrète que sa sœur.

Serina avait envie de l'étrangler.

— Je ne comprends pas que tu ne te réjouisses pas ! Vraiment, ça dépasse l'entendement. Nous allons pouvoir quitter cette ville affreuse. Et peut-être même nous installer au palais. Tu auras moins de travail en étant ma suivante qu'en t'occupant de toute la famille comme tu le fais aujourd'hui. Et nous n'aurons plus à nous inquiéter de ne pas avoir assez à manger. Mamma n'ira plus à l'usine…

Nomi pressait le pas, on aurait dit qu'elle tentait d'échapper aux paroles de Serina.

— C'est la différence entre toi et moi, dit-elle en serrant les poings le long de ses flancs et en prenant une teinte de plus en plus violacée. Je ne trouve pas cette ville affreuse. Et je ne crois pas aux contes de fées. Je ne rêve pas de…

— Tous tes rêves sont hors de notre atteinte, l'interrompit Serina, lassée de l'aigreur de sa sœur. Tu ne pourras jamais choisir ton métier ou ton mari, ni… ni rien d'autre. Ça ne marche pas ainsi.

Ce n'était quand même pas la faute de Serina si le Viridia n'accordait que très peu de libertés aux femmes. Elle avait appris il y avait bien longtemps que s'y opposer ne servait à rien. Elle préférait donc tirer le meilleur parti de ce qu'elle avait. Et elle avait une chance de devenir l'une des femmes les plus vénérées de tout le pays. Si l'Héritier la choisissait, elle pourrait, qui sait, donner le jour au futur Supérieur.

— Rien ne devrait être hors de notre atteinte, voilà ce que je pense, dit Nomi.

Elles étaient toujours absorbées par leur dispute houleuse quand elles atteignirent la porte grinçante du petit appartement familial. Renzo la leur tenait ; son expression moqueuse leur apprit qu'il les avait entendues.

— Nomi, Papa veut que tu lances le dîner.

Celle-ci s'engouffra dans le minuscule salon sans répondre. Serina la suivit, rabattant les pans de sa robe sur ses jambes pour qu'ils ne s'accrochent pas au cadre de la porte. Elle remarqua que le regard de Nomi s'attardait sur les manuels scolaires de Renzo, ouverts sur la table à manger en bois mal dégrossi. Elle lui donna un petit coup de coude, en guise d'avertissement. Voyant que sa sœur ne réagissait pas, Serina se racla la gorge.

Nomi releva les yeux vers elle, mais il lui fallut un quart de seconde pour chasser le vague de son regard. Elle secoua alors la tête pour sortir de sa torpeur et se précipita vers l'évier.

Serina se tourna vers ses parents, qui discutaient à voix basse près du petit poêle ventru. L'échange entre les deux jeunes filles leur avait échappé. Comme beaucoup de choses, d'ailleurs.

Serina et Nomi ressemblaient à toutes les sœurs de la ville froide et industrielle de Lanos.

Sauf que Serina avait pour elle sa beauté.

Et Nomi, son secret.

Serina priait pour réussir à retenir l'attention de l'Héritier, aussi bien pour son avenir que pour celui de sa sœur. Pourtant, lorsque Renzo referma la porte de l'appartement, le bruit sourd résonna au plus profond de son être. Serina frissonna, soudain emplie de peurs qu'elle aurait été incapable de nommer.

2 - NOMI

Le conducteur de pousse-pousse pédalait comme un fou, sans se laisser impressionner ni par les cahots des pavés irréguliers, ni par les yeux écarquillés des piétons. Chaque soubresaut, chaque secousse soulevait le cœur de Nomi. À moins que ce ne soit l'air pesant et humide, chargé d'effluves de poisson pourri.

Non. Elle savait bien ce qui tétanisait chacun de ses muscles et vidait ses poumons de tout oxygène : plus ils approchaient du palais, plus son désir de s'éloigner dans la direction opposée était ardent. Moins de quinze jours s'étaient écoulés depuis que Signor Pietro avait choisi Serina, et les jours avaient filé aussi rapidement, et douloureusement, que ce trajet bringuebalant.

Nomi grimaça lorsque Serina crispa les doigts sur son bras, puis y planta ses ongles : le véhicule fonçait vers un petit pont en en frôlant le bord de façon inquiétante. Renzo pâlit. Il occupait l'intégralité de la banquette face à celle de ses sœurs, et ses longues jambes repliées à cause du manque d'espace évoquaient les pattes d'une araignée.

Bien trop tôt, le pousse-pousse s'arrêta brusquement à l'entrée de la place principale, qui grouillait de monde. Nomi en eut un haut-le-cœur. À l'autre extrémité, un large canal scintillait au soleil ; il était parsemé d'une flotte de longues embarcations noires. Au-delà, sur une île, le *palazzo* du Supérieur se dressait dans le ciel tel un lever de soleil doré. Nomi prit plusieurs inspirations profondes. Dans d'autres circonstances, elle se serait réjouie de découvrir Bellaqua. Mais pas comme ça. Pas aujourd'hui.

Renzo fourra le montant de la course dans la paume du chauffeur avant d'aider ses sœurs à descendre. Les genoux de Nomi continuèrent à trembler, même quand elle eut rejoint la terre ferme.

— L'heure des adieux est arrivée, dit Renzo.

Il voulait paraître fort, pourtant sa voix tremblait. Serina garda bien sûr la tête baissée, en sœur bien élevée et obéissante, lorsqu'il la serra brièvement, et sans la moindre effusion, dans ses bras.

Nomi refusait de jouer ce jeu. Elle pressa son frère contre elle, enfouit son visage dans sa veste, respira son odeur familière et rassurante. Ses jambes et son estomac s'apaisèrent momentanément. Il resterait à Bellaqua jusqu'à ce que l'annonce ait lieu. Elle le reverrait peut-être d'ici quelques heures… ou plus jamais. Elle ne supportait pas cette incertitude.

— Est-ce que je dois prévoir de vous enlever toutes les deux si Serina est choisie ? murmura-t-il d'un ton qui se voulait badin mais trahissait une certaine tension.

Si seulement… Nomi s'agrippa encore plus à lui avant de le lâcher. Ils échangèrent un regard déchirant.

— Viens, Nomi, lui chuchota Serina.

Un gondolier en livrée noir et or lui tendait la main. Elle inclina la tête et posa les doigts sur son bras.

Nomi en eut la respiration coupée : elle n'était pas prête. Renzo parut s'en rendre compte. Se forçant à sourire, il déposa un baiser sur sa joue et s'éloigna pour lui épargner la difficulté d'être celle qui partait. Ces adieux lui transperçaient le cœur.

— Viens, Nomi, répéta Serina toujours aussi bas.

Celle-ci tourna les talons à contrecœur pour traverser la foule à la suite de sa sœur. Le batelier aux vêtements noir et or les conduisit à l'autre bout de la place jusqu'au grand canal, où sa gondole dansait doucement parmi les autres. Il aida Serina, puis Nomi, à s'embarquer, les fit asseoir sur des coussins moelleux et tissés d'or. Tout autour d'elles, une multitude d'autres jeunes filles glissaient sur l'eau dans leurs embarcations, leurs robes colorées les désignant comme des concurrentes de Serina.

La foule qui assistait à la procession de candidates riait de joie et les acclamait. Un enfant lança des poignées de fleurs vers le ciel au moment où la gondole de Nomi et Serina larguait les amarres. Cette dernière sourit devant cette manifestation enthousiaste, devant les pétales roses qui s'élevaient au-dessus de sa tête.

Nomi était perturbée par l'expression sereine de sa sœur, si différente des remous qui agitaient son ventre. Elle avait envie de sauter sur le quai, de courir vers Renzo et de fuir la ville. Tout plutôt que voguer vers le palais du Supérieur telle une victime réticente, sacrifiée au nom d'un dieu antique. Et tout le problème était bien là : Serina n'avait aucune réticence, elle.

Nomi s'essuya les yeux pour tenter de retenir ses larmes. De son autre main, elle empoignait de toutes ses forces le petit sac contenant leurs affaires.

— Et si on ne revoyait jamais Renzo ?

— Ce serait une bénédiction, répondit Serina d'une voix pourtant frémissante.

Nomi remarqua le pli qui se formait entre les sourcils de sa sœur alors qu'elle scrutait le palais qui se rapprochait, le soupçon de tension aux commissures de ses lèvres. Peut-être n'était-elle pas aussi calme qu'elle en donnait l'impression…

— Tu sais bien que c'est une chance à saisir, ajouta-t-elle plus doucement.

— Mais ça ne m'empêche pas de regretter qu'il n'en soit pas autrement, marmonna Nomi au moment où la gondole heurtait le quai.

Certaines jeunes filles avaient déjà débarqué au pied des marches menant au palais du Supérieur. Les cyprès bordant le canal étaient décorés de minuscules cloches qui tintaient dans la brise.

Tandis que Nomi gravissait le gigantesque escalier conduisant au *palazzo*, fermant une longue file de filles dans leurs robes éclatantes, elle maudit l'Héritier qui les attendait au sommet des marches. Il ne lui accorderait pas la moindre attention – ni à aucune autre suivante –, et néanmoins son avenir tout entier était suspendu à cette question : remarquerait-il la présence de sa sœur ?

Devant Nomi, Serina semblait flotter au-dessus des marches. Sa longue chevelure châtain dénouée, brillante, lui balayait la taille. Sa robe, constituée d'un assemblage sophistiqué de différents tissus et que leur mère avait minutieusement confectionnée, ondulait. Elle ne donnait pas le moindre signe de fatigue, personne n'aurait suspecté qu'elle venait de passer sept longues journées à bord d'un train agité de vibrations, une nuit dans une chambre d'hôtel défraîchie et une dernière journée à se préparer, avec frénésie, au bal de l'Héritier.

Nomi se cramponnait toujours à son sac. Elle s'efforça de ne pas trébucher sur les marches de marbre lorsqu'elle jeta un coup d'œil au Supérieur, d'une maigreur maladive et à l'air implacable, flanqué de ses deux fils. Malachi, l'Héritier, arborait un uniforme blanc brodé d'or qui soulignait sa musculature. Ses larges pommettes et ses cheveux bruns coupés court donnaient à son visage un aspect anguleux, même si ses lèvres charnues en adoucissaient la sévérité. Nomi fut bien obligée de reconnaître qu'il était beau, bien que terrifiant. Il observait ses potentielles Grâces avec attention, rivant ses yeux noirs sur le sommet de leurs têtes tandis qu'elles défilaient devant lui.

Le fils cadet, Asa, avait le regard perdu vers le canal. Ses cheveux sombres étaient plus longs que ceux de son frère, et ébouriffés – on aurait dit qu'il y passait souvent la main.

Nomi aurait dû incliner la tête quand elle passa devant les hommes, pourtant elle ne se donna pas cette peine. Ainsi qu'elle l'avait anticipé, personne ne lui prêta la moindre attention. Les trois hommes étaient trop accaparés par la chevelure luisante de Serina et par le balancement de ses hanches. Parfois, Nomi était vexée de constater que Serina attirait toujours les regards. Cette fois, cependant, elle se félicitait d'être invisible. Elle n'aurait pas voulu être à la place de sa sœur, ni retenir l'attention glaçante du Supérieur.

Dès qu'elle atteignit le péristyle, et son ombre qui la cachait aux yeux des hommes, Nomi se détendit légèrement. Les Grâces potentielles et leurs suivantes pénétrèrent dans une galerie richement ornée qui conduisait à de lourdes portes en bois sculpté.

Nomi et Serina se placèrent le long d'un mur.

— Laisse-moi vérifier ton maquillage une dernière fois, dit Nomi.

Même si elle aurait préféré être ailleurs, elle avait une mission à remplir. Comme sa sœur.

— Quelles sont nos chances, à ton avis ? s'enquit Serina tout bas en coulant un regard discret à la fille la plus proche, dont la suivante arrangeait la robe orange vif.

Nomi était tentée de livrer à Serina le fond de sa pensée : elles feraient mieux de partir, tout de suite, sans rien dire. Pour retourner à Lanos ou, mieux encore, pour partir ailleurs, dans un endroit où elles pourraient décider de leur vie et de la façon d'occuper leurs journées, sans une ribambelle de corvées pour Nomi et sans heures de cours de protocole et de danse pour Serina. Cependant elles connaissaient la vérité toutes les deux : un tel endroit n'existait pas. Peu importait où elles iraient, leur choix se résumerait toujours à cela : devenir ouvrière, servante ou épouse. À moins que Serina ne soit choisie par l'Héritier.

Au Viridia, les Grâces étaient des modèles de beauté, d'élégance et de soumission. Toutes les petites filles devaient aspirer à en devenir une. Si Serina accédait à son rêve, les portes d'une nouvelle existence s'ouvriraient pour Nomi et elle. Pourtant, les deux sœurs étaient en désaccord : Serina était convaincue que cette autre vie serait meilleure, pas Nomi.

— Je crois, moi, qu'on sera perdantes, d'une façon ou d'une autre, dit-elle en effaçant une petite trace de khôl au coin de l'œil de Serina.

— Ne dis pas ça, la mit en garde celle-ci. Ne…

— Quoi ? Tu ne veux pas que je dise qu'en te voyant défiler devant l'Héritier, j'ai eu l'impression qu'il te considérait comme un bien à sa disposition ?

Les mains tremblantes, Nomi lissa une mèche de cheveux de sa grande sœur. Toutes deux avaient les cheveux châtains, le teint mat et les hautes pommettes de leur mère. Or, pour une raison mystérieuse, ces traits communs faisaient de Serina une jeune fille belle et désirable, et de Nomi une jeune fille maigre et disgracieuse. Bref, Serina était exceptionnelle, Nomi pas du tout.

— Il ne s'agit pas de devenir son bien, mais au contraire de susciter chez lui admiration et désir, rétorqua l'aînée avec un sourire forcé destiné aux autres candidates, qui jetaient des coups d'œil dans leur direction. Nous tenons enfin notre chance d'accéder à une vie meilleure.

— En quoi le sera-t-elle ? insista Nomi en secouant la tête.

Une colère vaine enflait dans sa poitrine.

— Serina, on ne devrait pas avoir…

Celle-ci se rapprocha de sa petite sœur.

— Souris-moi d'un air joyeux. Fais comme toutes les autres.

Nomi plongea ses yeux au fond de ceux de sa sœur. Serina était si belle ainsi, les joues colorées par l'exaspération. Elle était tellement plus intéressante quand elle n'était pas prisonnière d'un corset et d'un sourire de façade.

Les messes basses des concurrentes et de leurs suivantes se turent brusquement, au moment où une femme montait sur une petite estrade à l'extrémité de la galerie. Sa robe en soie crème soulignait sa beauté sculpturale et raffinée.

— Je m'appelle Ines et je suis la Première Grâce, dit-elle d'une voix mélodieuse. L'Héritier est honoré que vous ayez entrepris ce si long voyage. Il regrette de ne pouvoir sélectionner que trois d'entre vous, mais soyez bien certaines que vous êtes toutes des élues.

Nomi avait toujours trouvé étrange que les Supérieurs, et leurs Héritiers, choisissent trois Grâces tous les trois ans plutôt qu'une chaque année. D'un autre côté, le processus de sélection paralysait la totalité du pays : les gouverneurs passaient des mois à recevoir les candidates de leur province, puis le Supérieur organisait des bals et autres événements mondains pour exhiber les nouvelles Grâces.

Le Supérieur actuel avait près de quarante Grâces à présent. Les rumeurs enflaient néanmoins sur sa santé et, cette année, il avait annoncé qu'il ne participerait pas à la sélection : ce serait la première pour son fils, l'Héritier. Beaucoup en concluaient que le Supérieur ne tarderait pas à renoncer à son rôle de dirigeant pour laisser son successeur prendre les rênes du Viridia.

— Le bal va commencer, annonça Ines en levant les mains, ce qui fit cliqueter les épais joncs d'or à ses poignets. Mesdemoiselles, l'heure est venue.

Serina serra Nomi dans ses bras.

— Sois sage, lui intima-t-elle.

— Ce n'est pas pour moi que je m'en fais, répondit Nomi en lui rendant son étreinte.

Une par une, les jeunes filles furent annoncées : les portes de la salle de bal s'ouvraient et se refermaient après chacune d'entre elles. Lorsque le tour de Serina arriva, deux hommes écartèrent les énormes battants, dévoilant les tourbillons de lumière qu'ils cachaient. Une voix grave clama :

— Serina Tessaro, de Lanos.

Sans un regard en arrière, Serina se dirigea vers la lumière. Le cœur de Nomi se serra douloureusement quand sa sœur disparut.

Elle déposa son sac contre le mur, à l'endroit où les autres suivantes avaient laissé leurs affaires, et patienta, mal à l'aise, dans un coin. Certaines filles sortirent discuter sur un balcon. D'autres s'affalèrent sur des chaises ou déambulèrent, s'émerveillant de la richesse du décor.

Les murs oppressaient Nomi, le cristal et les dorures lui paraissaient aussi lourds que du plomb. Tout était si différent de chez eux. Elle n'était partie que depuis une semaine, mais déjà cela lui manquait de ne plus être réveillée par Renzo rassemblant ses manuels avant d'entreprendre la longue marche jusqu'à l'école. Comme lui manquaient ces instants volés, une fois qu'elle s'était acquittée de ses corvées, quand elle pouvait s'asseoir et se reposer sans s'attirer les réprimandes de Mamma. Elle regrettait aussi le goût du vent tranchant, annonciateur de neige au crépuscule, et la certitude que le monde serait transformé au matin. Elle était même nostalgique de la tuyauterie gémissante et des minuscules fenêtres incrustées de suie de l'appartement familial, dans l'allée de l'Industrie.

Une part d'elle espérait désespérément qu'elles rentreraient. Qu'elles pourraient retrouver leur tout petit logement miteux. Elle savait néanmoins que cela ne ferait que retarder l'inévitable : la séparation avec sa famille.

Elle fut soudain frappée par une prise de conscience terrible : jusqu'à la fin de son existence, ses journées s'écouleraient ainsi. Prisonnière entre quatre murs fastueux, elle attendrait le retour de Serina. Sa propre vie se réduirait à une note de bas de page. Une vie commune. Invisible. Oubliée.

Des larmes lui brûlèrent les yeux. Elle jeta un coup d'œil alentour, gênée, mais personne ne s'intéressait à elle. Peut-être que, si elle s'aspergeait le visage avec de l'eau froide et qu'elle s'isolait un instant, elle se sentirait mieux. Elle sortit de la galerie pour se mettre en quête des toilettes. À chaque pas, l'étau dans sa poitrine se desserrait.

Au moment où Nomi s'engageait dans un nouveau couloir, une pièce retint son attention : de profonds fauteuils capitonnés, un délicat tapis à motifs. Ainsi que de vertigineuses bibliothèques d'acajou, remplies d'ouvrages reliés et dorés sur tranche. Des livres. Plus de livres qu'elle n'en avait jamais vu de toute sa vie. Avant qu'elle ne puisse se rendre compte de ce qu'elle était en train de faire, Nomi s'approcha de la porte entrouverte. Elle s'arrêta sur le seuil, à l'affût des signes d'une présence. Puis, après avoir pris une profonde inspiration, elle se glissa à l'intérieur.

Le monde entier s'ouvrait à elle. Des rangées de livres qui montaient jusqu'au plafond. Une puissante odeur de pipe embaumait l'atmosphère. Nomi ouvrit grand les narines, laissant la sérénité de la bibliothèque, les promesses qu'elle contenait, déferler sur elle. Sur des jambes tremblantes, elle se rendit devant les rayonnages et fit courir des doigts frémissants sur les épais dos en cuir. Les titres dorés à l'or fin brillaient dans la lumière tamisée. Elle suivit le contour des mots, dont un si grand nombre lui étaient inconnus. Sa main s'arrêta sur un mince volume presque englouti par deux gros livres noirs. Elle retint un cri de surprise en le reconnaissant : *Les Légendes du Viridia*.

Aussitôt, un souvenir remonta à la surface. L'automne de leurs douze ans, à Renzo et à elle, celui-ci avait étudié cet ouvrage. Nomi avait voulu savoir de quoi il retournait.

La loi interdisait aux femmes de lire. La loi leur interdisait presque tout, en réalité, à part enfanter, se tuer à la tâche dans des usines et nettoyer les maisons d'hommes riches.

Nomi refusait de se soumettre, pourtant. Et Renzo ne résistait pas à la vanité d'étaler ses connaissances. Lentement mais sûrement, il lui avait appris à lire.

Ces quelques mois avaient été les meilleurs de la vie de Nomi. Ils passaient leurs soirées blottis près d'une bougie dégoulinante, à la lueur de laquelle elle ânonnait en boucle l'histoire de la lune et de son amant, celle des monstres des profondeurs et celle – sa préférée – des deux frères séparés par une mystérieuse femme tatouée qui avait un œil en or. Seule Serina connaissait leur secret. Renzo lui avait proposé de lui apprendre, à elle aussi. Elle avait néanmoins préféré les écouter lui raconter, encore et encore, les mêmes histoires, pendant qu'elle s'entraînait à la broderie. Au printemps, lorsque Renzo avait échangé à l'école le recueil de légendes contre un ouvrage d'arithmétique, Nomi et Serina avaient continué à se réciter les histoires de mémoire. Des histoires qui n'étaient jamais tout à fait les mêmes.

Nomi sortit l'ouvrage de l'étagère, caressa les lettres en relief sur la couverture. Elle était faite du même cuir lisse que celle du livre de Renzo, mais ses coins n'étaient pas abîmés et le dos ne présentait aucun pli. Nomi serra le livre contre son cœur, se remémorant chacune des soirées où son frère et elle avaient étudié les mots, les uns après les autres, pour en maîtriser la prononciation et la signification.

À ses yeux, ce livre symbolisait sa maison, bien plus que ce palais et son beau mobilier ne pourraient jamais le faire.

L'idée d'abandonner le livre lui était insupportable. De toute façon, à qui ce petit recueil d'histoires pourrait bien manquer ? Il se glissa si aisément, si rapidement, dans la ceinture de sa jupe qu'elle put presque se convaincre que le livre agissait en suivant sa propre volonté. Elle se précipita dans le couloir, les bras croisés comme pour se protéger.

Elle avait presque rejoint la galerie quand deux hommes surgirent juste devant elle. L'Héritier et son frère. Nomi inclina la tête à leur passage, les mains pressées sur le livre caché.

— … devrait être ma décision, pas celle des gouverneurs, disait Malachi, d'une voix où transparaissait l'irritation.

Il s'interrompit dès qu'il aperçut Nomi. Elle aurait dû faire la révérence. Elle aurait dû garder l'échine courbée, en bonne suivante. Mais elle avait été prise au dépourvu et, sans le vouloir, elle croisa son regard.

Il avait des yeux brun sombre d'une grande intensité. Il la dévisagea, semblant vouloir connaître son passé, ses espoirs secrets, tout. D'un seul regard, il la mit à nu.

Les joues brûlantes, elle finit par se détourner.

— Qui es-tu ? lui demanda Malachi.

— Nomi Tessaro, murmura-t-elle.

— Et que fais-tu ici, Nomi Tessaro ? ajouta-t-il, suspicieux.

Nomi inclina la tête.

— Je suis… je suis une suivante. Je voulais juste…

La fin de sa phrase se perdit dans le silence. Elle ne se rappelait pas ce qu'elle était venue faire ici. Le livre était devenu brûlant.

— Viens, Malachi, nous sommes en retard, intervint Asa en passant une main nerveuse dans ses cheveux.

Son costume noir éclipsait celui de Malachi, blanc jusque dans les broderies, mais l'impression d'insouciance qui émanait de lui confinait presque à la négligence. Malachi ignora son frère et fit un pas en direction de Nomi, l'acculant contre le mur avec sa carrure imposante.

— Tu voulais juste quoi ?

Sa tentative d'intimidation eut l'effet inverse. Hérissée, Nomi sentit une rage familière, et instinctive, écraser momentanément sa panique.

Elle redressa la colonne vertébrale. Leva le menton et opposa au regard d'acier de l'Héritier le sien. Elle exsudait l'insolence par tous les pores.

— J'avais besoin d'aller me rafraîchir, énonça-t-elle distinctement. C'est tout près, là, poursuivit-elle en indiquant l'extrémité du couloir, si vous souhaitez aussi vous y rendre.

Asa étouffa un ricanement. L'Héritier, lui, ne semblait pas trouver la pique amusante. Le rouge de la colère lui monta aux joues.

L'effroi monta dans la gorge de Nomi et lui laissa un goût amer. Elle baissa les yeux. Serina lui avait demandé de bien se tenir. Et elle en avait été incapable, pas même pendant dix minutes. L'impertinence de sa dernière sortie… L'expression que l'Héritier avait, sans le moindre doute, surprise dans ses yeux…

— Tu peux y aller, finit par dire Malachi.

Son ton laissait pourtant davantage penser à une condamnation qu'à un sursis. Alors que les jeunes hommes poursuivaient leur route, Nomi s'engouffra dans la galerie. Son cœur battait frénétiquement et les coins aigus du livre dérobé s'enfonçaient dans sa chair.

Elle s'empressa de regagner l'endroit où elle avait abandonné son sac et glissa l'ouvrage parmi ses affaires. Elle était presque certaine que l'Héritier n'avait rien vu. Elle avait réussi à l'indisposer par sa seule effronterie.

Tout le reste de la soirée, elle garda les yeux rivés sur le couloir en se demandant quand sa vie allait être détruite.

3 - SERINA

Le premier bal de Serina se déroula presque exactement comme elle l'avait imaginé. L'immense salle étincelante était en effervescence, les candidates se mouvant tel un banc de poissons luisants et colorés. Les miroirs aux murs et les arabesques dorées réfléchissaient la lumière d'une douzaine de lustres en cristal. Des musiciens assis dans un coin, près d'une enfilade d'arcades donnant sur une terrasse, faisaient courir si vite leurs doigts sur leurs instruments que Serina n'arrivait pas à suivre leurs mouvements.

On était bien loin de la pièce exiguë où elle avait appris à danser – Renzo lui servait de partenaire, et ils n'avaient pas de musique, seulement le rythme obstiné que le professeur faisait en tapant dans ses mains.

Ici, la musique pétillante sautillait et s'envolait, tandis que Serina tournoyait en souriant dans les bras des dignitaires élégamment vêtus, folle de joie de se retrouver au cœur de cet événement, d'être l'un de ces poissons exotiques.

Le conte de fées ne se déroulait pourtant pas tout à fait comme prévu. L'Héritier ne venait pas.

Lorsque les musiciens s'accordèrent une brève pause, Serina se réfugia dans un coin pour reprendre son souffle. Son corset lui comprimait tellement les poumons qu'elle suffoquait. Elle profita de ce moment de répit pour observer la salle. Elle n'eut aucun mal à identifier les Grâces du Supérieur. Contrairement aux candidates, elles semblaient se sentir chez elles et étaient habituées à attirer les regards. Plusieurs avaient pris la pose sur de grandes estrades circulaires, drapées dans du satin violet. Elles étaient littéralement montrées en exemple, incarnations de la perfection féminine. Serina les observa, émerveillée par leur capacité à rester aussi immobiles que des statues.

Elle avait elle-même été élevée à cette fin, sa formation ayant commencé avant qu'elle ne soit assez grande pour prendre toute la mesure du rôle d'une Grâce. Du jour où elle avait fait ses premiers pas de danse sur le parquet poussiéreux du salon avec Renzo, le poids des espérances familiales avait reposé sur ses épaules. Déjà alors elle savait que le destin des Tessaro dépendait d'elle, qu'être choisie pour postuler au rang de Grâce était le plus grand honneur possible pour une fille du Viridia, que cela permettrait à sa mère – presque aveugle à force de s'esquinter les yeux depuis des années sur ses travaux de couture à l'usine – de prendre enfin sa retraite. Que cela permettrait à son frère, un jour, de se marier.

Et surtout qu'elle pourrait garder sa petite sœur, si opiniâtre, à ses côtés. Nomi était intelligente. Trop intelligente : elle défiait l'autorité et les règles. Elle était idéaliste, et Serina réaliste. Ainsi, elle ferait tout ce qui était en son pouvoir pour protéger sa cadette si impétueuse. Rien ne la terrifiait davantage que de penser que celle-ci pourrait, un jour, prendre un risque trop grand et être, peut-être, arrêtée.

Nomi ne comprenait pas que cette opportunité était un don du ciel pour eux tous. Serina, si. Elle voulait plus que tout devenir une Grâce et garder sa sœur à ses côtés, en tant que suivante.

Une autre candidate s'arrêta près d'elle, dans le frou-frou délicat de sa robe à fleurs.

— C'est incroyable, non ?

Serina jaugea sa concurrente d'un rapide coup d'œil : des traits doux, de jolis yeux bleus, des cheveux d'un étrange blond qui semblait presque prendre un éclat argenté sous l'éclairage tamisé.

— Je n'ai jamais rien vu de comparable, lui répondit-elle.

Elle étudia à nouveau la salle de bal. L'Héritier n'allait sans doute pas tarder à faire son entrée.

— Et moi, je n'ai jamais rien vu de comparable à ta robe, ajouta la jeune fille. C'est ta mère qui te l'a faite ?

Serina mit quelques secondes à déceler la moquerie à peine voilée sous un ton doucereux. Elle lui adressa un sourire faussement chaleureux. Hors de question qu'elle admette que c'était le cas.

— Elle est si… originale, reprit la jeune fille. À Bellaqua, personne n'a porté de bleu depuis des années.

Serina observa la salle de bal. C'était vrai : sous ses yeux se déployait une mer de roses, de violets et de jaunes. Et la plupart des robes étaient longues, pour certaines taillées dans un lourd brocart. Toutes les candidates étaient plus élégantes que Serina, avec sa jupe corolle qui s'arrêtait à mi-mollet et ses sandales dorées.

Elle leva pourtant le menton et dit en haussant les épaules d'un air détaché :

— C'est sans doute une chance pour moi, étant donné que le bleu est la couleur préférée de l'Héritier.

Il s'agissait d'un mensonge, bien sûr : Serina ignorait tout des goûts de ce dernier. Toutefois, l'expression sidérée de la candidate valait le coup d'œil. Serina s'éloigna, la laissant bouche bée.

Un frémissement d'émoi parcourut soudain l'assemblée. Serina se retourna à temps pour voir l'Héritier faire, enfin, son entrée, flanqué de son frère.

Malachi posa les yeux sur chacune des candidates. Serina avait baissé le regard bien avant que ceux-ci ne l'atteignent. Une poignée de concurrentes se rapprochèrent de lui, et Ines surgit soudain à ses côtés. Serina resta où elle se trouvait, alors que la fille avec qui elle venait de discuter se précipitait dans leur direction. Serina ne voulait pas prendre le risque d'être noyée dans la foule. Elle préféra se diriger vers la terrasse pour admirer les derniers feux du soleil couchant dans le ciel. La lumière était magnifique, d'un beau doré, et elle savait que celle-ci flatterait son teint.

À ses pieds, les canaux étincelaient, en dégradé de roses et d'orange déclinants. Toute sa vie, Serina avait entendu des histoires au sujet de Bellaqua. Sise à la pointe méridionale du Viridia, la capitale était le bastion de la famille régnante et sa plus belle réussite. Le premier Supérieur l'avait conçue en s'inspirant d'une vieille cité septentrionale qui avait été détruite lors des

Inondations. Serina, qui la découvrait pour la première fois de ses propres yeux, ne pouvait nier sa beauté… Elle possédait néanmoins une certaine froideur, se révélait distante, intouchable.

Ines finit par atteindre la terrasse.

— Malachi, voici Serina Tessaro, de Lanos.

Celle-ci lâcha la balustrade pour exécuter une ample révérence des plus charmantes. En se redressant, elle posa les yeux sur les lèvres de l'Héritier, pleines et douces par contraste avec les lignes anguleuses de sa mâchoire. Il aurait été grossier de croiser son regard.

— Je suis honorée d'être ici et impatiente de vous servir, Votre Éminence, dit-elle avec un sourire.

— Serina Tessaro ? C'est bien ton nom ? s'enquit-il avec une rudesse à laquelle elle ne s'était pas attendue.

Elle inclina légèrement la tête, ainsi qu'on le lui avait appris, telle une fleur agitée par la brise.

— Oui, Votre Éminence, répondit-elle avant de changer légèrement de position pour que la lumière mette en valeur ses pommettes hautes.

— Danse avec moi, lui ordonna-t-il.

Un éclair de nervosité brûlante la transperça.

— J'en serai très honorée, Votre Éminence.

Il lui emprisonna la main dans la sienne et l'entraîna sur la piste de danse, où les musiciens entamaient un air vif et frénétique. Elle s'éloignait de lui en tournoyant, puis revenait dans ses bras. Serina avait beau virevolter, les regards envieux des autres candidates ne lui échappaient pas. Ses pieds exécutaient les pas de danse en touchant à peine terre, et son corps la picotait à tous les endroits où l'Héritier posait ses mains.

— Tu es de Lanos ? lui demanda-t-il lorsque la musique ralentit.

Contrairement à ce qu'elle avait imaginé, il ne changea pas de cavalière et l'attira plus près de lui. Il sentait délicieusement bon, un mélange de sucre filé et de vin chaud.

— En effet, Votre Éminence, répondit-elle. C'est dans les montagnes. Il y fait encore froid à cette période de l'année.

— Tu vis avec tes parents ? Des frères ? Des sœurs ?

À présent, ils ne bougeaient presque plus, adoptant un très léger balancement au rythme de la musique. Il tenait Serina par les hanches, et la chaleur qui se dégageait de ses mains transperçait les épaisseurs vaporeuses de sa robe.

— Avec mes parents, oui. J'ai un frère et une sœur, plus jeunes. Celle-ci m'a accompagnée ici, Votre Éminence, en tant que suivante.

La chanson se conclut et, cette fois, il la libéra. Elle conserva longtemps après la sensation de ce contact, comme imprimée sur sa peau. Elle exécuta une nouvelle révérence, incapable de contenir un sourire.

— Merci pour la danse, Votre Éminence.

— Ce fut un plaisir, répondit-il avant de se frayer un chemin à travers la foule de danseurs et de disparaître.

Tout en retournant sur la terrasse, Serina se remémora la moindre phrase, le moindre effleurement pour juger sa prestation. L'Héritier avait donné l'impression de s'intéresser à elle. Il l'avait serrée contre lui. Elle avait veillé à rester sous un éclairage flatteur. Pour la première fois en une semaine, depuis qu'ils avaient, Nomi, Renzo et elle, entrepris le long voyage de Lanos, Serina sentit ses épaules se détendre. Elle avait rempli sa mission. Et avec brio, même. Peut-être serait-elle choisie… Qu'arriverait-il alors ?

Un sourire étira lentement ses lèvres. Malachi était aussi beau qu'elle se l'était figuré.

Le frémissement qui parcourait la salle de bal la tira de ses pensées. Elle fouilla la piste de danse du regard, à la recherche de l'Héritier. Mais il n'y avait plus que les dignitaires et les Grâces. La veste blanche de Malachi n'était nulle part en vue. Et quelques candidates considéraient Serina avec hargne.

La prise de conscience fut si soudaine qu'elle eut l'impression d'être transpercée par les derniers rayons du soleil : le prince s'était retiré, et elle était la seule qu'il avait invitée à danser.

****

Les candidates regagnèrent la galerie. Serina eut à peine le temps de reprendre son souffle que Nomi se jetait déjà sur elle. Empoignant sa grande sœur par le bras, elle l'entraîna dans un coin, derrière une immense plante dans un pot orné. Elle avait l'air nerveuse, presque paniquée.

Serina lui serra les deux mains dans l'espoir de l'apaiser.

— Tout va bien, lui dit-elle, hors d'haleine. Ça s'est bien passé, même mieux que je ne l'espérais. On n'a aucun souci à se faire.

Nomi parut plus peinée que soulagée par cette nouvelle. Avant que Serina n'ait pu lui demander ce qui n'allait pas, Ines pénétra dans la galerie et le silence se fit aussitôt.

— Mes fleurs, commença-t-elle. L'Héritier était enchanté de vous avoir toutes rencontrées. Face à tant de beauté et d'élégance, il a eu beaucoup de mal à arrêter son choix, mais, après avoir consulté les gouverneurs de vos provinces et pris le temps de réfléchir, il est parvenu à une décision. Une fois que j'aurai fait l'annonce, je conduirai les élues à leurs appartements. Les autres patienteront ici, le temps que nous organisions leur retour sur la place principale de Bellaqua, où elles seront attendues par leur famille. Quant à celles qui resteront avec nous, leurs proches seront informés de cette bonne fortune. Vous pourrez, naturellement, leur envoyer un message dès que vous le souhaiterez, avec l'aide des scribes du palais.

Serina serra la main de sa sœur. L'heure était venue. Son ancienne vie se terminait, et sa nouvelle allait débuter. Les autres candidates s'agitaient et murmuraient à l'oreille de leurs suivantes. Le pouls de Serina palpitait dans son cou.

— Maris Azaria, l'Héritier t'a choisie.

Serina scruta la foule et n'eut aucun mal à identifier Maris : elle éclata en sanglots, les bras croisés sur sa robe rose à paillettes. Ses longs cheveux noirs qui lui arrivaient à la taille formaient un rideau autour de son visage. Serina ignorait s'il s'agissait de larmes de joie… ou de détresse.

— Encore deux, murmura-t-elle à Nomi.

Deux chances supplémentaires.

Ines attendit que le calme revienne.

— Cassia Runetti, tu as été choisie, toi aussi.

Elle inclina la tête en direction d'une fille près de l'estrade. C'était celle qui avait engagé la discussion avec Serina. Sa bouche délicate et ses yeux s'arrondirent sous l'effet de la surprise, puis elle éclata de rire et ses cheveux d'un blond argenté ondulèrent. Serina voyait bien que sa robe était d'une qualité remarquable, à l'instar de ses chaussures aux talons vertigineux. Elle venait sans doute de l'une des villes de l'est du pays, les plus riches, comme Sola ou Île Dorée.

Les autres candidates ne tenaient plus en place. Il ne restait qu'un seul nom. Lorsque Ines s'éclaircit la voix, Serina retint son souffle.

— Et la troisième Grâce de l'Héritier sera… Nomi Tessaro.

Les épaules de Serina s'allégèrent aussitôt d'un poids. *J'ai réussi !* Cette pensée l'emplit de soulagement et de joie. Elle se rendit alors compte qu'ils avaient commis une erreur. Elle sourit à Ines.

— Je m'appelle *Serina* Tessaro.

La femme secoua la tête.

— Non, ma fleur. Tu n'as pas été retenue.

Ces mots résonnèrent dans un silence intrigué. Tous les regards se tournèrent vers Nomi. Des taches se mirent à danser dans le champ de vision de Serina ; elle retenait à nouveau son souffle. Les yeux rivés droit dans les siens, Ines lui asséna :

— C'est ta suivante qui l'a été. Ta sœur. *Nomi* Tessaro.

Une éruption de perplexité et de colère déferla aussitôt dans la pièce.

Serina dévisagea Ines, puis sa sœur, le cœur battant un rythme frénétique. Les yeux de Nomi étaient exorbités, ses cheveux s'échappaient de sa longue tresse. Sa robe marron, toute simple, remontait sur l'une de ses hanches et donnait l'impression que l'ourlet était de travers. Même dans ce décor, vêtue de ses plus beaux vêtements, Nomi semblait plus indomptable que jamais. Une fille qui méprisait les Grâces, tout ce qu'elles représentaient… Et qui, pourtant, était désormais l'une d'elles.

4 - NOMI

Nomi chancela, incapable de respirer. Il s'agissait d'une erreur. Comment pouvait-il en être autrement ?

Tout autour d'elle, on remuait. Certaines candidates avaient fondu en larmes. D'autres la foudroyaient du regard. Ines se dirigea vers la porte, talonnée par les nouvelles Grâces et leurs suivantes.

Ines se retourna pour lancer un regard impatient à Nomi. D'un mouvement raide, celle-ci ramassa son sac. Serina le lui arracha des mains.

— Mais je…

— Nomi, tu es une Grâce maintenant, lui souffla-t-elle avant de se tourner vers la porte.

Nomi la suivit : elle avait les idées si embrouillées qu'elle était incapable de faire autre chose. *Je ne suis pas une Grâce.* Elle était victime d'une hallucination. D'un rêve provoqué par la fièvre.

Un cauchemar.

Ines prit le couloir dans la direction opposée à la bibliothèque.

— Qu'est-ce qui s'est passé ? chuchota Serina, les joues teintées d'un rouge très vif.

— Je ne sais pas.

Nomi se frictionna la nuque. Elle avait l'impression que sa peau était parcourue d'un picotement de la tête aux pieds. Qu'elle étouffait.

— Est-ce que c'est autorisé par la loi ? s'enquit-elle. C'est toi que Signor Pietro a choisie, pas moi.

— La volonté de l'Héritier prime sur tout le reste, lança Ines d'une voix cinglante, qui réduisit les deux sœurs au silence.

Nomi vacilla et faillit trébucher. Elle avait été impolie avec l'Héritier. Frondeuse. Il savait qu'elle était une simple suivante et pourtant, après s'être retrouvé dans une salle de bal remplie de belles jeunes filles, il l'avait choisie, elle.

Nomi n'était pas flattée, elle était terrifiée.

Ines leur fit traverser des couloirs interminables et monter plusieurs escaliers ; Nomi en avait les oreilles qui bourdonnaient et elle respirait par râles. Serina finit par lui prendre le bras, peut-être pour la soutenir.

Enfin, elles s'arrêtèrent devant une double porte où étaient gravées d'immenses pivoines et des volutes de vigne vierge, gardée par un homme en uniforme noir. Il l'ouvrit en grand, le visage impassible.

Derrière se trouvait une pièce circulaire baignée d'une lumière ambrée, avec un décor d'or et d'ivoire. Des arcades en marbre ouvraient sur un dédale qui se laissait à peine deviner. Chacun de ces arcs était bordé de fougères filiformes, plantées dans des pots peints. Au centre de la salle, sur des divans crème s'amoncelaient des coussins en velours pourpre. L'une des jeunes Grâces, Cassia, poussa un soupir en pressant ses mains sur sa poitrine.

— Nous nous retrouverons ici avant les cérémonies ou les fêtes, les informa Ines. Et ce sera ici aussi que vous attendra l'émissaire de l'Héritier, si l'une de vous a été convoquée à un entretien particulier.

Nomi avait une boule dans la gorge. La mission des Grâces ne consistait pas seulement à mettre leur élégance au service des réceptions officielles : elles se devaient aussi de satisfaire les désirs de l'Héritier dans son intimité.

Nomi retint une vague de nausée. Elle était là pour servir Serina, pas le prince. Elle s'était préparée à cette tâche, tout le temps où sa sœur, elle, apprenait à danser et à jouer de la harpe.

Elle n'était pas préparée à ça. Elle ne le voulait pas.

— Nous avons chacune de vastes appartements, poursuivit Ines. Vous serez autorisées à jouir des jardins et des plages du palais, mais vous ne devez pas quitter ces quartiers sans escorte. Je pourrai organiser ces sorties pour vous. De temps en temps, nous nous aventurons dans Bellaqua. Il s'agit d'excursions exceptionnelles, décidées par l'Héritier ou le Supérieur. En tant que Grâces, notre principale mission consiste à leur plaire. Et nous devons nous soutenir entre nous. Nous avons besoin les unes des autres, vous le comprendrez rapidement.

Les mots d'Ines contenaient, en filigrane, une étrange mise en garde, cependant Nomi était trop bouleversée pour s'attacher à déchiffrer un message crypté.

Ines les conduisit à travers un labyrinthe de salons dans les roses et jaunes pâles, où se trouvaient d'épais rideaux damassés et un mobilier délicat. Des portes arquées menaient à des bains carrelés, il y avait de larges balcons avec des balustrades en marbre, une gigantesque salle à manger, des pièces remplies de robes et de déshabillés confectionnés par les tisserands les plus chevronnés de Lanos. Nomi connaissait la valeur de ces vêtements : sa mère et d'autres ouvrières s'étaient tuées à la tâche pour les fabriquer. Serina lui avait dit que les Grâces menaient une vie luxueuse, mais jamais elle n'aurait imaginé un tel faste.

Dans chaque pièce, des Grâces jouaient aux cartes ou brodaient, sous la surveillance silencieuse d'hommes en livrée blanche. Nomi ne se faisait pas la moindre illusion : ceux-ci écoutaient et observaient pour rendre des comptes au Supérieur. Certaines Grâces se promenaient sur les terrasses ou discutaient tout bas autour de minuscules tasses de café fumant. En dépit des dizaines de femmes qui y évoluaient, les pièces qui se succédaient à l'infini demeuraient calmes et paisibles, il n'y résonnait pas le moindre éclat de rire ou de voix.

Nomi détesta aussitôt cette atmosphère. L'excès de silence. Les sourires factices sur tous les visages, même ici. Elle aurait pu survivre dans ce monde en tant que suivante – l'invisibilité s'apparentait à une forme de liberté –, en revanche elle n'atteindrait jamais un tel niveau de discipline. Contrairement à Serina.

Quand Ines eut fini d'installer chaque Grâce et sa suivante dans leurs chambres, Nomi tremblait d'épuisement ; elle s'efforçait de contenir la marée de questions qui menaçait de faire voler en éclats son vernis de politesse.

— Vous trouverez des rafraîchissements dans vos appartements, leur avait dit Ines. On viendra vous réveiller pour le petit déjeuner. Suivantes, je vous présenterai la gouvernante en chef demain matin. Elle vous expliquera ce que l'on attend de vous.

Puis, dardant ses yeux sur Nomi, elle avait ajouté :

— Je suppose que votre sœur deviendra votre suivante ? Le *palazzo* peut vous en attribuer une autre, sinon.

La langue de Nomi était collée à son palais, aussi sèche que du sable. Elle avait pourtant réussi à articuler trois mots étranglés :

— Je veux Serina.

Enfin, les sœurs restèrent seules. La chambre était fraîche, une brise constante y pénétrait par la fenêtre ouverte. Une banquette avait été placée dessous, et ses épaisses draperies dorées reprenaient les motifs des rideaux. Des bougies vacillaient sur la coiffeuse, diffusant des parfums de rose et de vanille. Une assiette de fruits frais et de pain se trouvait près des bougies. Dehors, le croissant de lune était très bas, tout près de la ligne d'horizon, son reflet dansait à la surface de l'océan agité. De ce côté du palais, il n'y avait que de l'eau à perte de vue, et non les lueurs de la ville.

Nomi se tourna vers sa sœur. Elle aurait voulu lui dire tant de choses… Mais la boule dans sa gorge prenait tout au piège. Elle se laissa tomber au pied du lit.

— Que s'est-il passé ?

Serina se baissa pour retirer ses sandales, tirant d'un geste sec sur les lanières. Les yeux de Nomi s'embuèrent de larmes.

— J'étais dans le couloir… L'Héritier et son frère ont soudain surgi. Ils étaient là, juste devant moi, et…

Elle s'interrompit, inspira profondément, puis poursuivit d'un ton plus hésitant :

— J'ai été prise au dépourvu et je… je ne voulais pas… j'ai dit quelque chose que je n'aurais pas dû.

— Oh, Nomi ! Comment as-tu pu ?

Le ton de Serina n'avait rien de bienveillant. Elle était en colère, naturellement. Nomi n'était jamais allée aussi loin. Pour la première fois, elle les mettait réellement en danger. De rage, elle planta son poing dans la couverture moelleuse du lit.

— Je regrette tellement de l'avoir croisé… J'étais en état de choc. Surtout que… eh bien…

À contrecœur, elle sortit le recueil de légendes de leur sac. Serina serait folle de rage, mais mieux valait jouer cartes sur table tout de suite pour démêler la situation ensemble. Et mettre au point un plan.

— Il y a aussi ça.

Serina se figea d'un bloc. Ses sandales se balançaient au bout de ses doigts : elle les avait oubliées.

— Où est-ce que tu l'as trouvé ?

— Il y avait une bibliothèque près des toilettes. Je l'ai vue et j'ai simplement… Je suis entrée. C'était incroyable. Il y avait tellement de livres, du sol au plafond…

À ce souvenir, Nomi eut des étoiles plein les yeux.

— Et ? Tu t'es dit que tu en prendrais un pour toi ?

La voix de Serina tremblait de rage :

— Tu ne t'étais jamais aussi mal conduite. Donner ton avis sans qu'on te le demande, sortir en douce… C'était déjà grave, mais là… Te promener dans les couloirs du palais avec un livre comme si tu ne courais pas un terrible risque… L'Héritier l'a vu ?

La colère de Serina virait à la panique.

— Non ! Je l'avais caché.

Nomi tenta à nouveau de ravaler la boule dans sa gorge, la honte bouillonnait dans ses veines.

— Mon impertinence a suffi à l'énerver, ajouta-t-elle. Je m'attendais à une punition, pas… pas à ça…

— On se fiche de ce à quoi tu t'attendais !

Serina ouvrit la minuscule armoire près du petit lit étroit réservé à la suivante et y jeta ses chaussures. Elles heurtèrent le bois avec un bruit sourd. Nomi grimaça.

— Tu as réussi à retenir son attention, lui asséna Serina. Tu es une Grâce, maintenant. Félicitations.

Les larmes de Nomi débordèrent, lui brûlant les joues.

— Je ne veux pas de cette situation ! Ce n'est pas une récompense, Serina, on devrait nous laisser le choix !

— C'était celui que j'avais fait ! rugit sa sœur.

— Non, protesta Nomi, le cœur serré. Ce n'est pas un choix quand on n'a pas la possibilité de dire non. Un *oui* n'a pas la même valeur quand c'est la seule réponse à laquelle on est autorisé !

— Tu es si naïve…

La lueur de rage s'éteignit dans les yeux de Serina. Elle glissa les mains dans son dos pour se débattre avec les attaches de sa robe. Nomi se précipita pour l'aider à desserrer les lacets de son corset. Serina se déshabilla et enfila l'une des chemises de nuit élimées qui se trouvaient dans le sac de Nomi. Puis elle s'affala sur le petit lit.

— Je n'en reviens toujours pas…

— Si ça t'est trop insupportable, rentre à la maison.

Nomi avait de la peine pour sa sœur, ce qui ne signifiait pas qu'elle la comprenait. Pourquoi n'était-elle pas soulagée ? Nomi retira sa robe et revêtit la seconde chemise de nuit.

— Rien ne te force à être ma suivante.

À l'idée que Serina pourrait partir, des lances glaciales de terreur transpercèrent Nomi. Elle voulait que sa grande sœur reste. Elle avait besoin d'elle pour survivre dans ce palais.

— Pour une fois, tu as le choix.

— Pour toi, c'est un choix ? lui lança Serina avec un rire amer. Je t'aime, ma sœur, même si tu m'exaspères. Je ne te laisserai jamais affronter cette nouvelle vie seule.

— Notre père te trouverait un époux riche, insista Nomi. Tu pourrais avoir des enfants…

Serina s'étira sur son lit inconfortable et ferma les yeux.

— Je ne te quitterai pas, trancha-t-elle d'un ton sans appel.

La peur et le remords serrèrent le cœur de Nomi. Elle jeta un coup d'œil au lit près de la fenêtre, puis à sa sœur. Elle aurait tout donné pour qu'elles soient encore dans leur petite chambre de Lanos, blotties l'une contre l'autre, sous le même drap.

— Tu veux dormir avec moi ? Il y a largement la place…

Pour toute réponse, Serina roula sur le côté et lui tourna le dos. Le message était limpide : elle n'abandonnerait pas sa sœur, mais elle ne lui pardonnait pas pour autant.

Nomi se glissa entre ses draps, seule.

Toute la nuit, ses poumons poussèrent des râles, comme si sa poitrine était prisonnière d'un étau.

Je suis une Grâce.

5 - SERINA

Le temps que l'aube se lève, Serina était déjà habillée. Les yeux embrumés et l'estomac vide, elle écoutait la gouvernante en chef leur expliquer la vie au palais : ce qu'elle était autorisée à prendre à la cuisine pour sa sœur, où déposer la vaisselle sale et où trouver les produits ménagers pour nettoyer la chambre. Chaque suivante se voyait aussi assigner des tâches dans les espaces communs : époussetage, balayage, envoi des vêtements au blanchissage… La liste était interminable. Serina passa tout le temps de cet exposé à contenir sa panique. Elle avait toujours été une bonne élève. Elle apprendrait à devenir suivante comme elle avait appris à devenir Grâce.

La gouvernante conduisit Serina et les autres domestiques dans une immense pièce où étaient entreposées des centaines de robes, mais aussi des chaussures sur des étagères et de la lingerie fine dans des coffres.

— Choisissez les vêtements qui siéront à votre Grâce, leur ordonna-t-elle. Il y a différentes tailles. Si des retouches sont nécessaires, prévenez-moi, j'organiserai un essayage avec une de nos couturières.

La gouvernante ouvrit une porte à l'extrémité de la pièce, derrière laquelle se cachait un réduit tapissé d'étagères.

— Ici, vous trouverez vos uniformes. Vous avez chacune droit à trois tenues complètes. Une fois par semaine, vous pourrez les faire nettoyer.

Serina longea les rangées de splendides vêtements, laissant ses doigts courir sur la soie et la dentelle. Elle choisit une robe vert tendre qui flatterait le teint de Nomi et une robe noire striée de filaments argentés. Elle empilait les robes sur son bras, serrait contre elle les beaux tissus qui lui rappelaient sa mère.

Du jour où elle avait compris que Serina serait une beauté, Mamma Tessaro l'avait poussée de toutes ses forces. Elle ne l'avait jamais autorisée à douter d'elle-même ou de sa capacité à réussir ce que l'on attendait d'une Grâce. Elle ne l'avait jamais autorisée à baisser la garde, à soutenir les regards, à être autre chose qu'élégante, docile et posée. Mamma s'était tellement focalisée sur Serina qu'elle n'avait pas vu ce que Nomi était devenue.

Elle n'avait pas remarqué l'indignation de Nomi lorsqu'elle n'avait pas pu accompagner Renzo à l'école. Elle n'avait pas remarqué sa fibre rebelle, elle qui était convaincue de mériter le même traitement et les mêmes droits que son frère, né quelques minutes après elle. Nomi aspirait à être Renzo, elle enviait les libertés dont il jouissait. Si Mamma s'en était rendu compte, qu'aurait-elle fait ? Serina l'ignorait. Aurait-elle discrètement puni Nomi, à la maison, ou alors l'aurait-elle dénoncée ? Mamma Tessaro n'avait vu que ce qu'elle voulait voir : la beauté de Serina, l'utilité de Nomi.

Serina, elle, n'était pas aveugle. Elle savait que sa sœur ne s'était pas contentée de se former à son futur rôle de suivante. Pour autant, elle n'avait pas appris à devenir une Grâce. Et cela ne se limitait pas à savoir danser, broder ou jouer de la harpe. Nomi ne s'était pas forgé un tempérament soumis.

Contrairement à Serina.

Il aurait dû me choisir, moi.

Elle récupéra trois uniformes dans la pièce du fond et empila plusieurs paires de chaussures dessus. De retour dans la chambre, elle suspendit soigneusement les robes dans l'armoire, puis en disposa une au pied du lit de Nomi, dans un tissu fluide et fleuri. Elle secoua ensuite sa sœur par l'épaule.

Nomi sortit lentement du sommeil. Quand elle s'assit dans le lit, Serina remarqua les traces de larmes séchées sur ses joues. Elle savait que sa petite sœur avait veillé une bonne partie de la nuit : elle l'avait entendue s'agiter et soupirer. Une part d'elle était tentée de la prendre dans ses bras, de la serrer contre son cœur et de lui dire que tout irait bien. Mais elle était encore trop furieuse, et son orgueil, lui, trop blessé.

— Il faut qu'on te débarbouille, dit-elle d'un ton un peu sec.

Elle disparut dans leur petite salle d'eau et en revint avec un linge humide, chaud, pour nettoyer le visage de sa sœur.

— Je n'ai pas rêvé, alors, lâcha Nomi.

Ce n'était pas une question, pourtant ses grands yeux fouillèrent le visage de Serina, la suppliant de la contredire. Celle-ci secoua la tête.

— Non, en effet.

Les yeux de Nomi rougirent aussitôt, comme si elle risquait de fondre à nouveau en larmes. Serina la poussa vers la salle d'eau.

— Tu es attendue pour le petit déjeuner sur la terrasse dans quinze minutes. Puis ce sera l'heure des essayages.

— J'ai besoin d'un instant, répondit Nomi en se frottant le front. Je… je ne crois pas être en état de manger.

— Tu n'as pas le choix.

Serina glissa la robe à fleurs dans ses mains. C'est toujours Nomi qui avait aidé sa grande sœur à revêtir de belles robes, qui l'avait maquillée, coiffée. Tout était si déstabilisant… Serina ne pouvait pas se permettre de s'attarder sur cette réalité. Nomi ne quittait pas la robe des yeux.

— Je ne peux pas porter ça, elle est quasiment transparente.

— Pas du tout. Elle est très raffinée, protesta Serina, les mains sur les hanches. Tu n'es plus une suivante. Tu te dois de séduire. Tu dois…

— Je n'ai aucune envie de séduire, protesta Nomi. Cette robe n'est pas mon genre.

— Ce n'est peut-être pas le tien, mais c'est le mien, décréta Serina d'un ton catégorique.

La tension fut palpable un instant ; avec un lourd soupir, Nomi accepta enfin de se soumettre. Le vêtement était un peu grand, et Serina lui enroula un ruban autour de la taille, qu'elle fit ensuite passer sous sa poitrine et noua enfin dans sa nuque. Cette solution de fortune soulignait les formes de Nomi.

— Je peux à peine respirer, se plaignit-elle.

— Je n'ai pas pu prendre une vraie inspiration depuis des années, lui rétorqua Serina. Tu t'habitueras.

Elle revêtit sa propre robe, taillée dans une toile brune, et un tablier blanc. Le tissu la grattait, et la couleur était immonde.

Elle installa Nomi devant la coiffeuse et ouvrit la trousse de maquillage ; celle-ci s'empara d'un morceau de khôl.

— Je vais m'en charger, lui dit-elle. Tu ne sais pas comment faire.

Des années durant, Nomi l'avait maquillée.

— Il faut que tu m'apprennes.

Serina ne pouvait s'empêcher de scruter le reflet de sa cadette et de le comparer au sien, se demandant ce qui avait fait pencher la balance en sa faveur. Si le regard ambre de Nomi avait plus de fougue que celui de Serina, celle-ci avait un teint parfait et une épaisse chevelure brillante. Les joues de Nomi étaient rougeaudes et elle pinçait la bouche, ce qui amincissait ses lèvres. Elle semblait fatiguée, nerveuse, et si jeune surtout.

— Mets tes yeux en valeur, lui ordonna Serina. C'est ton point fort.

Elle s'assit au bord du matelas. Elle aurait sans doute dû refaire les lits, ranger la chambre… Au lieu de quoi, elle regarda Nomi se maquiller. Quand celle-ci eut terminé, elle fit une grimace à Serina dans le miroir.

— J'ai l'air ridicule avec autant de fard…

— Pas du tout.

Serina se leva pour lui brosser les cheveux. Ils manquaient d'éclat et les pointes étaient sèches. Au moins étaient-ils épais, comme les siens. Elle aida Nomi à les attacher en chignon discret sur sa nuque. Puis celle-ci insista pour tresser la chevelure de Serina.

À présent, elles avaient l'apparence de leurs fonctions respectives : Serina la suivante, Nomi la Grâce. Et elles affichaient toutes deux le même air renfrogné.

— File, maintenant, je dois ranger.

Nomi ne bougeait pas.

— Je suis vraiment, vraiment désolée, Serina.

Cette dernière eut le cœur brisé ; la peur se lisait dans les yeux de sa petite sœur. Elle aurait dû lui dire des paroles rassurantes, elle aurait dû cesser de se montrer aussi froide. Mais elle devait également s'habituer à cette nouvelle réalité.

— Je sais, soupira-t-elle.

Les yeux de Nomi se rivèrent sur un objet qui apparaissait dans l'un des coins supérieurs du miroir. Elle se retourna, livide. Serina suivit son regard et comprit. Le livre trônait sur la table de chevet, à la vue de n'importe qui. Elle se précipita pour le récupérer, avant de considérer sa petite sœur avec sévérité.

— Tu dois le cacher. Ou le jeter par la fenêtre. C'est dangereux, Nomi.

Serina brandit le recueil et, en découvrant la couverture, marqua une hésitation. Pourquoi lui semblait-elle si familière ? Elle se laissa tomber sur le lit et suivit les lettres du doigt. Nomi vint s'asseoir à côté d'elle.

— C'est le livre des légendes. Renzo avait le même. Je n'ai pas pu résister en le voyant. Tout est si différent ici… Quand j'ai posé les yeux dessus, j'ai eu l'impression d'avoir retrouvé un bout de Lanos.

Bien malgré elle, Serina se radoucit. Elle se remémorait ces nuits secrètes où Nomi et Renzo lui faisaient la lecture, leurs voix aussi lumineuses qu'une flamme de bougie repoussant l'obscurité. Serina ouvrit le livre au premier récit.

— « Les Tourtereaux », c'est bien ça ? Ça a toujours été mon histoire préférée.

Nomi lui sourit.

— Tu m'as demandé de te la lire un si grand nombre de fois que tu la connaissais par cœur à la fin.

La tristesse se peignit sur les traits de Serina, qui fixait les mots qu'elle ne pouvait lire. Le passé revenait l'assaillir, était un poids sur son cœur.

— Je me demande si je me la rappelle encore.

Nomi lui sourit à nouveau.

— Essaie.

Serina ferma les yeux et se transporta dans un coin de la chambre de Renzo, éclairée à la chandelle.

— « Bien avant la naissance des aïeux de nos aïeux, il n'y avait pas de terre ici, murmura-t-elle, ravivant le souvenir de ces mots, toujours présents dans sa mémoire. Le Viridia n'existait pas, et l'océan balayait sans relâche le vaste vide, sans rivage où déferler, sans falaises à assaillir… »

La porte de la chambre s'entrebâilla. Serina rouvrit aussitôt les yeux, alors que les mots continuaient à s'écouler de ses lèvres :

— « … pour s'y engouffrer. »

— Nomi, tu es attendue…

Ines s'interrompit brusquement, fixant Serina et le livre entre ses mains. L'un des hommes en livrée blanche se dressait juste derrière elle.

— Que fais-tu ?

— Nous étions…

La voix de Serina faiblit aussitôt. Quelle explication pouvait-elle donner ? Le garde fit un pas en avant.

— Suis-moi, Serina, lui dit Ines alors que ses traits se durcissaient.

La jeune fille se releva, le livre pendant au bout de son bras. L'homme le lui arracha.

— Attendez ! s'écria Nomi. Vous vous trompez, c'est…

Mais elle ne put terminer sa phrase : le garde entraînait déjà sa sœur aînée hors de la chambre et Nomi refermait les mains sur le vide. Serina se dévissa le cou pour la regarder. Elle se débattit contre la poigne d'acier qui lui enserrait le bras. Elle se débattit pour jeter un dernier coup d'œil à sa sœur.

Des larmes coulaient sur les joues de Nomi, recroquevillée. Elle semblait si petite dans cette chambre trop grande, écrasée par l'immense lit à baldaquin. Serina se rendit soudain compte qu'elle n'avait jamais vu Nomi seule – sans Renzo, Mamma ou elle-même. Nomi n'avait jamais eu à affronter la solitude, et l'inéluctable douleur qui l'accompagne.

Dans un grondement de tonnerre, la porte de la chambre se referma pour les séparer.

****

Serina attendit de connaître sa punition dans une petite pièce mal éclairée, dans les profondeurs du palais. Elle avait peu de chances, estimait-elle, de rester la suivante de Nomi. Mais peut-être qu'après une période d'essai, qui prendrait une forme ou une autre, le Supérieur accepterait de la réintégrer dans les rangs du personnel du palais.

À moins qu'il ne la fasse flageller et la laisse reprendre aussitôt ses fonctions de domestique.

Serina n'aurait jamais imaginé qu'un châtiment corporel lui semblerait le plus doux des sorts.

Elle n'avait pas dit que c'était Nomi qui avait pris le livre, ni que celle-ci savait lire. Ines avait trouvé Serina dans une situation compromettante. Dénoncer sa sœur n'aurait servi qu'à causer leur perte à toutes les deux.

Si j'avais eu la présence d'esprit de cacher aussitôt le livre… Si Nomi n'avait pas eu la mauvaise idée de le voler…

Les hypothèses les plus vaines tournaient sans relâche dans son esprit, la tracassaient alors qu'elle faisait les cent pas dans l'espace exigu.

— Serina Tessaro, lança un grand homme vêtu en vert après avoir déverrouillé la porte. Le Supérieur va te recevoir.

Le cœur de la jeune fille s'arrêta de battre un instant puis s'emballa.

Elle suivit l'émissaire dans une partie du palais éloignée des quartiers des Grâces, pourtant elle ne pouvait s'empêcher de jeter des coups d'œil par les portes ouvertes, et au détour des couloirs, à la recherche de Nomi.

Enfin l'homme ralentit. Serina s'attendait à un salon de réception, quelque chose d'imposant. Au lieu de quoi, il l'introduisit dans une petite pièce aux murs tapissés de livres.

La bibliothèque.

Le Supérieur occupait un fauteuil en cuir près de la fenêtre. Il avait le teint grisâtre, et il était si maigre que ses os semblaient vouloir transpercer sa peau. Mais un feu brûlait dans son regard.

— Serina Tessaro, tonna-t-il d'une voix pareille à un vent glacial.

La jeune fille en eut la chair de poule.

— Ma Première Grâce me dit que tu sais lire.

Serina baissa les yeux vers le dallage. Elle ne pouvait ni bouger ni répondre. Elle pouvait à peine respirer. Il n'avait émis aucune menace – pour le moment –, toutefois il la considérait avec un regard de faucon. Comme si elle était une proie.

— Qui t'a appris ? demanda-t-il alors qu'une petite flamme transparaissait à travers la glace.

— Personne, murmura Serina.

Le Supérieur s'agita sur son fauteuil, et elle entendit ses os craquer. Elle ravala la bile qui montait dans sa gorge.

— Ton père ? Un cousin ?

Oh, Nomi ! Qu'as-tu fait ?

Serina secoua la tête piteusement. Elle devait répondre quelque chose. Elle devait mentir. Elle ne pouvait pas le laisser punir sa famille tout entière.

— Je… j'ai appris toute seule, bredouilla-t-elle. J'ai volé des livres.

L'espace d'un instant, la pièce fut plongée dans le silence. Seul le lointain fracas des vagues, qui leur parvenait par la fenêtre ouverte, troublait celui-ci. Le cuir grinça lorsque le Supérieur se carra dans le fauteuil.

— Comme tu as volé le mien.

Serina baissa à nouveau la tête, terrifiée. Chacune des inspirations du Supérieur lui faisait l'effet d'une flèche. Dont elle était la cible.

— Et ta sœur ? Possède-t-elle la même… inclination ? Les sœurs partagent beaucoup de choses, à ce que j'ai cru comprendre.

Serina secoua la tête sans dire un mot. Une part d'elle voulait répondre oui et laisser Nomi affronter elle-même les conséquences de ses choix. Mais elle ne pouvait pas faire ça à sa sœur. Cela ne servirait qu'à leur valoir à toutes les deux une punition.

— Elle ne sait pas lire, Votre Éminence. Elle ne savait même pas que j'en étais capable jusqu'à aujourd'hui. S'il vous plaît… s'il vous plaît. Elle est innocente.

— Mmmh…

Durant quelques minutes, le Supérieur ne dit rien. Serina n'osait pas relever la tête ; il avait une respiration régulière et sifflante qui la mettait au supplice. Inspiration, expiration. Inspiration, expiration. Elle priait.

Une flagellation, par pitié, condamnez-moi à une flagellation.

Et pourtant, avant que le Supérieur n'ait livré son verdict, Serina sentait d'instinct qu'il serait bien plus sévère.

6 - NOMI

Nomi ramassa son sac et, de rage, le lança à l'autre bout de sa chambre. Le bruit écœurant qu'il produisit en heurtant le mur redoubla ses sanglots. Elle était consumée par la peur, pour elle et pour sa sœur. Un gargouillis montait de son estomac vide. Elle s'allongea sur le lit, à l'endroit précis où le corps de Serina avait laissé sa marque dans l'édredon aussi léger qu'un nuage. Elle se roula en boule et ferma les paupières de toutes ses forces pour tenter de se rendre hermétique à la moindre lueur éclatante du soleil matinal, à la moindre pensée. Au moindre regret.

Au lieu de quoi, elle fut assaillie par la voix de sa sœur. *Bien avant la naissance des aïeux de nos aïeux, il n'y avait pas de terre ici…*

Un ou deux ans auparavant, Serina avait raconté cette histoire rien que pour le plaisir de la partager. Elle s'était emmitouflée avec Nomi dans l'un des patchworks de Mamma, sur le parquet de leur petite chambre. Renzo était censé réviser son arithmétique, pourtant il l'avait aussi écoutée, en appui sur les coudes, touchant le mur avec ses longues jambes.

— « Un soir », avait récité Serina de mémoire, ses dernières leçons de chant imprimant à sa voix des intonations mielleuses, tandis que le soleil descendait vers l'horizon et que la lune sortait de son sommeil, « deux oiseaux survolèrent le chemin dessiné à la surface de l'eau par le crépuscule. Ils plongeaient et défaillaient, leurs ailes fatiguées peinant à les maintenir dans le ciel. De temps à autre, l'un d'eux faiblissait et tombait vers l'eau, privé de toutes ses forces. L'autre piquait pour prendre son compagnon sur le dos et le soulager un temps.

» Les deux oiseaux voyagèrent ainsi sur bien des lieues, jusqu'à ce que le chemin du soleil s'estompe complètement et que la route argentée de la lune apparaisse. L'eau s'agitait et dansait sous les oiseaux, intriguée par un amour si évident. L'océan n'avait jamais rien aimé à ce point, il n'avait jamais supporté le poids d'un être cher pour le sauver. Il ne comprenait pas pourquoi les oiseaux ne se battaient pas, chacun, pour leur propre survie : le plus fort aurait dû abandonner le plus faible et poursuivre sa route.

» Il fallut à l'océan un certain temps pour comprendre la vérité : séparément, les oiseaux ne seraient pas allés aussi loin, avait poursuivi Serina en prenant sa petite sœur par les épaules. Leur amour et leurs sacrifices leur donnaient à tous deux de la force. Quand, enfin, les deux petits oiseaux, aux plumes rouges et vertes autrefois éclatantes mais ternies par ce si long périple, ne purent plus se tenir loin de l'étendue infinie d'eau, l'océan eut pitié d'eux. Pour récompenser leur ténacité, il fit jaillir la terre de ses profondeurs : d'immenses collines verdoyantes où coulait de l'eau fraîche et limpide, des cyprès imposants, sans oublier tous les fruits, toutes les baies et toutes les graines qu'ils pourraient désirer. Les tourtereaux se posèrent sur les branches ombragées d'un olivier, s'étreignirent de leurs ailes éreintées et plongèrent, chacun, leur bec dans le plumage de l'autre. Enfin, ils pouvaient se reposer. »

À l'époque, ce n'était qu'une histoire, pourtant aujourd'hui Nomi en était touchée au plus profond de son âme. Serina l'aimait à ce point, au point de se sacrifier. Elle aurait pu dire que ce n'était pas son livre. Elle aurait pu dire que c'était Nomi qui savait lire. Or elle n'en avait rien fait. Autrement, des gardes seraient venus chercher Nomi aussi.

Elle ignorait ce qu'il était arrivé à Serina, ou si celle-ci allait revenir. Mais elle savait que sa grande sœur l'avait protégée, comme toujours. Nomi commettait des erreurs. Et Serina payait les pots cassés.

Elle pressa les bras sur son ventre pour contenir sa tristesse et sa culpabilité.

Elle finit par se rendormir ; sous sa joue, l'édredon était humide de larmes. Elle rêva qu'elle était dans les bras de sa sœur. Lorsqu'elle rouvrit les yeux, quelqu'un était penché au-dessus d'elle.

— Serina ? murmura-t-elle d'une voix rauque.

— Il est temps de te lever, lui répondit-on avec douceur. Tu as dormi toute la journée…

Nomi se redressa d'un mouvement brusque, sortant de sa torpeur. La jeune fille recula pour la laisser reprendre ses esprits.

— Je suis désolée, je ne voulais pas te faire peur.

Elle devait avoir l'âge de Nomi. Menue, elle avait le teint légèrement hâlé et un petit minois pointu. Ses cheveux d'un châtain roux étaient ramenés en une longue tresse dans son dos, et elle se tenait bien droite, les mains croisées devant elle. Elle n'avait aucun trait particulier, rien de remarquable, sinon qu'elle n'était pas Serina.

— Je m'appelle Angeline, je suis ta nouvelle suivante, l'informa-t-elle en s'inclinant discrètement. Je t'ai apporté à manger, l'heure du déjeuner est passée depuis longtemps.

Elle lui indiqua une assiette de viennoiseries sur la coiffeuse.

— Les roulés aux amandes sont mes préférés. Tu les as déjà goûtés ? C'est une spécialité de Bellaqua.

Nomi promena son regard autour d'elle : les rayons obliques du soleil de fin d'après-midi qui pénétraient dans la chambre la déboussolaient. Son sac avait été vidé, les vêtements avaient été pliés et soigneusement placés sur un fauteuil capitonné dans un coin. La fenêtre ouverte laissait passer une brise légère. Le clapotis régulier des vagues faisait une musique de fond.

Tout cela lui donnait la nausée : la belle chambre, le lit confortable et même le temps délicieux. L'absence de Serina lui était aussi douloureuse que si on l'avait amputée d'un membre. Comment survivrait-elle ici, seule ?

— Où est ma sœur ? demanda-t-elle.

Angeline secoua la tête.

— Je ne sais pas, je suis désolée…

Nomi se releva d'un bond, bien décidée à trouver Ines, ou quelqu'un qui aurait la réponse à cette question, mais le mouvement brusque provoqua une explosion de couleurs devant ses yeux. Elle chancela.

— Tu devrais manger, lui dit Angeline.

Elle posa une main hésitante sur le bras de Nomi pour la conduire vers la coiffeuse.

— Ines m'a dit que tu n'avais pas petit-déjeuné non plus. Tu dois être affamée.

Nomi se laissa tomber sur la délicate chaise en fer forgé. Elle voulait repousser les viennoiseries, le jus rose pâle dans son verre en cristal glacé, cependant elle n'avait rien avalé depuis la veille au matin. Nomi mordit dans le roulé aux amandes, et la pâte feuilletée fondit sur sa langue. Angeline sortit l'attendre dans le couloir, derrière la porte entrouverte de la chambre, pour lui laisser un semblant d'intimité. L'espace d'un instant, Nomi eut l'impression que la suivante était un garde, et la chambre, une prison.

La viennoiserie se transforma alors en poussière dans sa bouche et elle eut du mal à avaler sa bouchée. Elle devait découvrir l'endroit où ils avaient emmené Serina et le sort qui lui était réservé. Nomi n'avait jamais entendu parler d'une femme surprise en train de lire, et elle ignorait de quel châtiment ce crime était puni. Quelqu'un devait bien le savoir. Serina serait peut-être envoyée dans un camp de travail, ou dans une usine. Dans le meilleur des cas, elle se verrait assignée à un poste ingrat au sein du palais. Mais au moins Nomi pourrait-elle rester près d'elle.

Elle se releva tranquillement pour éviter un nouveau vertige et s'approcha de la porte.

— Angeline ? J'aimerais parler à Ines.

La jeune fille baissa les yeux.

— Je suis désolée. Je suis censée te conduire aux bains.

Nomi ouvrit la bouche pour protester… et la referma aussitôt. Elle pouvait difficilement se ruer dans les couloirs et exiger des explications sur sa sœur. Ça ne lui rendrait pas service… Non, Nomi devait attendre le bon moment.

— Très bien, finit-elle par dire.

Angeline la guida à travers plusieurs salons déserts, puis sur une terrasse, avant de pénétrer dans une vaste salle au plafond voûté, fait de carreaux de verre ceints de délicates volutes métalliques qui luisaient dans la lumière de la fin d'après-midi. Un grand bassin d'eau fumante était creusé dans le carrelage d'ardoise. Face à une telle débauche de luxe, Nomi fut soudain obnubilée par une image, celle de la petite baignoire tachée de ses parents, avec sa tuyauterie récalcitrante et ses deux minutes d'eau chaude par jour. Serina s'était toujours baignée en premier : ces deux minutes lui étaient réservées.

Nomi dut se retenir de pleurer.

Les deux autres jeunes Grâces étaient plongées jusqu'au cou dans l'eau. Quant à leurs suivantes, elles étaient agenouillées au bord pour brosser et laver leurs longs cheveux. Dans un coin, près de la porte, un homme du Supérieur leur tournait le dos – pour entretenir un sentiment illusoire d'intimité.

Après avoir retiré sa robe chiffonnée avec l'aide d'Angeline, Nomi s'immergea dans le bassin peu profond, laissant échapper un soupir quand l'eau chaude l'enveloppa. Pendant que les suivantes réunissaient une quantité étourdissante de savons et de lotions, Nomi se mouilla les cheveux.

— Voilà notre petite recluse, observa Cassia, la blonde, lorsqu'elle remonta à la surface. Tu rates les repas et l'entraînement dès le premier jour ? Tu n'as pas peur que l'Héritier en soit informé ?

— Non, répondit Nomi d'un ton abrupt.

Quelle importance si l'Héritier en prenait ombrage ? Elle avait des sujets d'inquiétude bien plus graves.

— Ma sœur, Serina, a été convoquée ce matin. Vous l'avez vue ? Vous savez quelque chose ?

Cassia prit un air faussement soucieux et écarquilla ses yeux d'un bleu myosotis.

— On a entendu parler d'un… incident. Quelqu'un a dit qu'elle avait été éloignée du palais.

Éloignée…

Avaient-ils renvoyé Serina à Lanos ? Nomi imagina son retour dans leur ville natale, couverte de déshonneur. Mamma et Papa Tessaro lui battraient froid. Ses perspectives d'union avec un homme riche s'envoleraient. Elle devrait sans doute prendre un poste à l'usine textile. Seul Renzo serait là pour la réconforter, mais même lui, il serait impuissant.

— Qui te l'a dit ? insista Nomi.

Cassia haussa les épaules, et la surface du bassin se rida.

— L'une des Grâces du Supérieur, Rosario. Elle a l'air au courant des secrets de tout le monde.

— Pas de tout le monde, marmonna Maris.

Sa chevelure noire, coiffée en arrière, dévoilait ses hautes pommettes, son teint d'ivoire et ses beaux yeux bruns lumineux. Remarquant que Nomi la regardait, elle ajouta plus distinctement :

— Rosario ignorait si ta sœur était malade ou si elle avait fait quelque chose de mal. Elle va bien ?

Une douleur fulgurante transperça le ventre de Nomi. Elle aurait aimé connaître la réponse à cette question. Au moins, Maris semblait sincèrement inquiète, contrairement à Cassia.

— Serina n'est pas malade, fut tout ce que Nomi parvint à articuler.

Angeline lui lava en silence les cheveux. Sa présence lui rappelait que Serina, où qu'elle soit, ne reviendrait pas. Pas dans l'immédiat en tout cas.

— Quel soulagement ! dit Cassia gentiment.

Elle secoua la tête et des gouttes jaillirent de ses cheveux blond argenté pour venir mouiller le visage de Nomi. En sortant du bassin, elle ajouta, comme si elle venait seulement d'y penser :

— Mais alors ça veut dire qu'elle a fait quelque chose de mal, non ?

Nomi ne lui répondit pas, contenant sa colère à grand-peine. Cassia lui sourit d'un air satisfait lorsque sa suivante lui posa son peignoir sur les épaules.

Quand elle eut quitté la pièce, Nomi se pencha en avant et se prit le visage à deux mains pour gémir :

— Pourquoi est-ce que ça a l'air de lui faire autant plaisir ?

— Elle est convaincue qu'elle pourra tirer profit de ce scandale, lui répondit Maris. Elle espère que l'Héritier fera d'elle sa favorite. Elle a la ferme intention de devenir Première Grâce.

— Tu veux dire qu'elle compte enfanter le prochain Héritier ?

Nomi réprima un frisson. Comment pouvait-on avoir cet objectif-là dans la vie ?

— Je lui laisse ce soin bien volontiers.

Les yeux sombres de Maris jetèrent un éclair, mais Nomi ne lui laissa pas le temps de répondre : elle avait aperçu Ines dans le couloir et sortit précipitamment du bassin, éclaboussant Maris à cette occasion. Angeline se précipita derrière elle avec son peignoir.

— Ines, attendez !

La voix de Nomi résonnait trop fort dans le couloir.

La Première Grâce fit halte et se renfrogna.

— Vous devez me dire…

Ines l'empoigna par le bras et l'entraîna dans un salon désert. Les derniers rais de lumière y pénétraient par les fenêtres ouvertes, qu'elle s'empressa de fermer.

— Tu n'as aucun droit de m'interpeller de la sorte, lui dit-elle d'un ton sévère. Tu n'as pas à crier mon nom, ni à me poser de questions. Surtout dans des lieux où les hommes du Supérieur peuvent t'entendre. Tu me comprends ?

— Qu'est-il arrivé à ma sœur ? insista Nomi sans se démonter.

— Tourne la page. Tu as de la chance que le Supérieur ne t'ait pas punie, toi aussi.

C'est Nomi qui aurait dû être punie. C'était son vol. Son crime.

— Le livre… il n'était pas… débuta-t-elle, le corps envahi de tremblements.

— Ta sœur a assumé la responsabilité de ses actes, l'interrompit Ines. Rien de ce que tu diras ne pourra changer son destin.

— Mais…

— Rien. C'est terminé.

Les yeux d'Ines exprimaient une menace muette. Si Nomi disait la vérité, Serina apparaîtrait comme une menteuse, ce qui risquait d'aggraver son châtiment.

— Il ne te reste plus qu'une chose à faire, maintenant : arrêter de poser des questions et suivre les règles. C'est ta vie à présent, qu'elle te plaise ou non.

Puis Ines quitta la pièce et abandonna Nomi, dévastée.

7 - SERINA

L'embarcation tangua, projetant violemment Serina et les autres prisonnières contre la rambarde métallique glissante. La pression constante sur les poignets entravés de Serina, fixés à un anneau rouillé, l'élançait. Des larmes se mêlèrent au film d'eau de mer sur ses joues lorsqu'elle se retourna pour regarder les lueurs de Bellaqua diminuer derrière elle.

Elle s'était attendue à ce que le Supérieur la punisse : pour une femme, lire constituait une grave infraction. Mais elle ne s'était pas attendue à cela.

Rien ne lui semblait réel, sinon la douleur dans ses bras et les embruns glacés qui lui brûlaient le visage. Toute sa vie, elle avait redouté les conséquences du tempérament rebelle de Nomi. Une entorse à la loi, une punition implacable.

Serina n'avait jamais soupçonné, pas une seule fois, qu'elle serait celle qui se retrouverait enchaînée.

Le crime de Nomi lui avait tout pris.

Les sanglots de la fille assise à côté de Serina étaient si violents qu'on aurait cru qu'elle s'étouffait. L'un des gardes, qui faisait justement une ronde, s'arrêta à côté d'elle.

— Tais-toi ou je te jette par-dessus bord.

Elle s'efforça de pleurer en silence, sans y parvenir. L'homme l'empoigna. Serina tendit ses mains menottées vers elle, comme si elle espérait empêcher, par miracle, ce qui allait suivre.

— Quoi ? Tu ne supportes pas quelques larmes ? lui lança une autre captive d'une voix tranchante. Elle est terrifiée, ça saute aux yeux. Et c'est ce que vous voulez, non ? Nous faire peur ? Nous punir ?

Le garde s'élança sur le pont glissant, grognant :

— Tu ne perds rien pour attendre, je vais te punir à sa place !

Au moment où il l'atteignait, il perdit l'équilibre et atterrit lourdement sur le dos. Se dévissant le cou, Serina aperçut une peau mate et un regard plein de défi.

— Essaie un peu ! lança la fille à l'homme à terre. Tu ne serais pas le premier. Mais je n'ai pas courbé l'échine jusqu'à maintenant, et je ne le ferai pas aujourd'hui.

Elle ne se démonta pas, même lorsqu'il se releva sur des jambes chancelantes et la gifla du revers de la main. Serina et les autres captives suivaient la scène avec effroi. Les femmes ne parlaient pas sur ce ton aux hommes. Elles ne leur tenaient pas tête. *Sinon… elles finissaient ici*, songea Serina, le ventre serré. Les sanglots de sa voisine montèrent à nouveau, les bruits d'étranglement étaient plus prononcés cette fois. Le garde jeta à nouveau un regard dans sa direction.

De désespoir, Serina lui donna un coup de coude.

— Hep ! Comment tu t'appelles ?

La jeune fille secoua la tête et essuya son visage sale sur son épaule.

— Parle-moi, insista Serina d'une voix caressante tout en surveillant le garde du coin de l'œil. Ça te changera les idées.

— Jacana, répondit-elle si bas qu'on l'entendait à peine avec le sifflement assourdissant de la chaudière à vapeur.

— Joli nom… C'est une espèce d'oiseau, non ?

La fille hocha la tête, ses cheveux emmêlés fouettaient ses joues livides. Sa respiration restait saccadée, néanmoins ses sanglots s'étaient apaisés.

— Je suis Serina.

La fille hocha à nouveau la tête, retrouvant légèrement des couleurs.

Le regard de Serina fut attiré par une forme à l'horizon, au-delà du bateau. Une vague silhouette au début, enveloppée dans les nuages. Puis ils s'approchèrent et l'île finit par émerger, grise et accidentée. Une masse noire se dressait en son centre et disparaissait dans une brume rosée. Un volcan.

Comme tous les enfants du Viridia, Serina connaissait l'histoire du Mont Destruction. Il y a bien longtemps, l'île s'appelait Isola Rossa. Ses côtes accueillaient les résidences secondaires luxueuses des plus riches, conçues pour ressembler aux bâtiments royaux détruits lors des Inondations. L'éruption du volcan, qui avait déversé des vagues incessantes de lave et des jets de gaz toxiques sur les constructions opulentes du front de mer, avait fait des milliers de victimes. La plupart étaient mortes sur le coup, enfouies sous la lave et les cendres, étouffées par l'air empoisonné ou noyées dans les flots implacables.

Isola Rossa était devenue le Mont Destruction.

L'île avait été désertée, mémorial calciné de tant d'existences fauchées, jusqu'à ce que le père du Supérieur actuel décide d'y installer une prison pour femmes. Serina avait toujours cru qu'on y envoyait les citoyennes les plus dépravées du Viridia. Elle n'avait jamais imaginé, même dans ses pires cauchemars, qu'elle pourrait un jour figurer parmi celles-ci.

Le bateau heurta une jetée en pierres irrégulières ; sous l'effet du choc, les captives tombèrent à genoux. Jacana poussa un cri. La voix de Serina restait prisonnière de sa poitrine, coincée entre ses poumons qui peinaient et son cœur qui tambourinait.

Les gardes remontèrent les deux rangées de détenues, détachant leurs chaînes des anneaux rouillés. Les mains de Serina, encore alourdies par les fers, tombèrent le long de ses flancs, aussi lourdes que des pierres. Elle fixait ses poignets, qui lui semblaient appartenir à une étrangère. Une semaine plus tôt, elle était convaincue de pouvoir réussir à séduire l'Héritier, faire la fierté de sa mère et leur garantir, à Nomi et elle, un avenir au palais. Rien ne s'était déroulé selon ses prévisions. Combien de coups serait-elle encore capable d'encaisser ?

— On avance en file indienne ! aboya l'un des gardes.

Les deux autres chargèrent plusieurs sacs en toile de jute sur une brouette rouillée qui protesta lorsqu'ils la poussèrent sur la jetée.

Serina posa un pied chancelant sur le rivage avant de relever la tête pour observer les environs. Il n'y avait pas de plage, rien que des falaises déchiquetées et un chemin dangereux taillé dans la roche. Sur un promontoire, une vilaine bâtisse en pierre montait la garde, entourée de barbelés.

— Avance !

Un garde bouscula Serina et elle trébucha sur le sol irrégulier. Celui-ci paraissait constitué d'étranges vagues noires figées, comme si la montagne avait fondu. Le bâtiment vers lequel ils se dirigeaient était constitué de blocs de cette pierre singulière, et pourvu d'épaisses fenêtres au verre déformé et aux larges barreaux d'acier.

Même le vent était différent ici : au lieu de gémir, il hurlait.

Le garde poussa à nouveau Serina pour la forcer à franchir le seuil de la prison. Le hall d'entrée empestait l'urine et la fumée. Devant elle, Jacana, qui pleurait toujours, s'arrêta. Le garde leva le bras pour la frapper, et Serina l'encouragea à avancer. Elle n'avait que cela à faire : poser un pied devant l'autre. Et prier pour que son cœur ne la lâche pas.

Enfin, elles pénétrèrent d'un pas traînant dans une salle aveugle. Les gardes alignèrent les femmes le long du mur du fond. Une collection d'outils rouillés était suspendue au mur de droite. Celui de gauche disparaissait sous des étagères remplies de vêtements et de caisses tachées d'eau.

Les gardes remirent des documents administratifs à une petite troupe de gardiens de prison en uniforme noir. Un homme grand et musclé fit son entrée, et les gardes le saluèrent d'un signe de tête.

— Bonsoir, commandant Ricci, lui dirent-ils tous avec révérence avant de prendre congé.

Avec son visage buriné et sa stature imposante, le commandant semblait aussi inébranlable que les falaises dehors. Il désigna d'un mouvement du bras la file de femmes. Un jeune gardien, aux traits anguleux renfrognés, se précipita pour les libérer de leurs chaînes, une par une.

Serina retint son souffle lorsque les lourdes menottes s'ouvrirent avec un cliquetis. Elle frictionna ses poignets endoloris ; sa peau lisse conservait des marques rouges.

Quand toutes les captives furent détachées, le commandant Ricci leur ordonna de se déshabiller.

— Posez vos vêtements en tas devant vous. Vos chaussures aussi.

D'une main tremblante, Serina entreprit de baisser la fermeture Éclair de son uniforme de suivante, froissé maintenant qu'elle l'avait gardé toute la nuit – enfermée dans une petite pièce près des quais le temps que le bateau-prison vienne la chercher. Sa robe glissa sur le sol.

Serina n'avait jamais été nue devant un homme avant. Elle frissonna, son corps exposé lui semblait vulnérable.

Le gardien aux traits anguleux passa à nouveau devant les prisonnières pour ramasser leurs vêtements pendant que le commandant Ricci les inspectait l'une après l'autre. Serina ignorait ce qu'il cherchait. Lorsqu'il arriva devant elle, il lui demanda d'ouvrir la bouche, de lever les bras et de décrire un tour sur elle-même. Elle était incapable du moindre mouvement.

Il l'agrippa par le poignet et l'attira vers lui, plantant ses doigts dans la chair tendre.

— Tu es sourde ? Ouvre la bouche, lève les bras et fais un tour sur toi-même.

Serina se redressa et réussit, par elle ne savait quel miracle, à lui obéir. Elle ne put, en revanche, retenir les larmes qui coulaient en silence sur ses joues.

Nomi avait-elle idée du châtiment qu'elle risquait quand elle avait demandé à Renzo de lui apprendre à lire ? Et quand elle avait volé ce livre ? Serina en doutait. Nomi pensait sans doute à une flagellation… ou peut-être à une amende.

Elle avait été si inconséquente…

À présent, la plupart des autres captives pleuraient également. Jacana se rapprocha de Serina. Celle-ci remarqua soudain la présence de la fille qui avait tenu tête au garde, sur le bateau, à quelques mètres d'elle. Elle semblait avoir un ou deux ans de plus qu'elle, et elle était beaucoup plus mince, avec un corps bronzé particulièrement musclé. Elle ne quittait pas les gardiens des yeux – des yeux noirs qui lançaient des éclairs. Serina s'attendait à ce que quelqu'un lui fasse payer son insolence ou la punisse pour son attitude à bord, pourtant personne ne lui prêtait attention. Peut-être les gardiens n'avaient-ils rien remarqué…

L'homme au visage étroit remit des serviettes rêches et des vêtements aux détenues. Serina enfila le plus vite possible les sous-vêtements, le pantalon bleu décoloré et la chemise élimée. On s'habillait beaucoup plus rapidement lorsqu'on n'avait pas à se débattre avec un corset, une multitude de boutons, des dentelles fragiles ou des talons hauts.

— Je vous appellerai à tour de rôle pour prendre vos mensurations, les informa le commandant Ricci, qui ne laissait transparaître qu'une indifférence lasse.

Son regard trahissait néanmoins quelque chose d'autre, et un mouvement régulier de sa tête, très vif, laissait penser que rien ne lui échappait en réalité.

— Anika Atzo.

La fille musclée s'avança. Son nom lui allait comme un gant, avec ses sonorités abruptes. Cette fois, elle tenait sa langue.

Quand ce fut le tour de Serina d'être mesurée et pesée, le gardien en charge de la balance laissa échapper un sifflement appréciateur.

— Il va te falloir un moment avant de mourir de faim, ma jolie.

Serina gardait les yeux rivés sur le sol, les bras croisés sur la poitrine. Sa mère s'était donné beaucoup de mal pour que sa fille aînée soit plantureuse, ainsi qu'une Grâce se devait de l'être. Même Renzo et leur père avaient des assiettes moins remplies que la sienne. Le gardien donna un coup de coude à l'un de ses collègues.

— À ton avis, elle tiendra combien de temps ? Je te parie un sachet de chips que…

— Je ne parie pas sur les condamnées, l'interrompit son compagnon, plus jeune.

Il semblait à la fois si sûr de son fait et si indifférent au sort de Serina qu'elle releva les yeux. Il avait le teint hâlé et les yeux clairs, des cheveux foncés qui bouclaient tant sous sa casquette qu'ils semblaient chercher à s'en échapper. Elle sentit, sans avoir à croiser son regard, qu'il la jaugeait froidement.

— Envoie-la à la Caverne. Ça sera intéressant.

— Pas à l'Hôtel ? s'étonna l'autre.

Le plus jeune haussa les épaules. Serina ignorait de quoi ils parlaient, mais leurs paroles l'emplirent d'inquiétude. Le garde chargé de la balance cocha une case sur un papier.

— Alors ce sera la Caverne, dit-il en congédiant Serina d'un revers de la main.

Tandis qu'elle emboîtait le pas aux autres détenues pour quitter la pièce, elle entendit le jeune gardien murmurer d'une voix grave, presque tendre :

— Bienvenue au Mont Destruction, la condamnée.

8 - NOMI

Le lendemain du jour de l'arrestation de Serina, Nomi se réveilla bien avant le lever du soleil. L'absence de sa sœur pesait trop lourd sur sa conscience. Allongée dans l'obscurité silencieuse, elle imagina qu'elle était à Lanos, dans leur chambre commune. Leurs deux lits étroits presque collés, les tuyaux qui sifflaient doucement au plafond, les robes de Serina qui évoquaient les silhouettes indistinctes de danseuses dans un coin – Mamma les avait suspendues à un fil de fer parce qu'il n'y avait pas de penderie. L'illusion ne dura pas longtemps. Les formes tapies dans les ombres de cette chambre-ci ne coïncidaient pas avec celles des souvenirs de Nomi. Et Angeline, qui dormait sur le petit lit près de la porte, ne prenait pas régulièrement une inspiration plus profonde, pas plus qu'elle ne roulait sur le flanc en soupirant comme Serina. Elle ne se glisserait pas dans le lit de Nomi quand il ferait froid, elle ne la rassurerait pas quand celle-ci serait réveillée par un cauchemar.

La question du lieu où se trouvait Serina, et de la sentence à laquelle elle avait été condamnée, était un poids sur le cœur de Nomi, aussi lourd qu'un bloc de roche. À chaque heure écoulée, il menaçait de l'écraser. Si elle avait eu des réponses à ces interrogations, Nomi aurait pu rêver de fuite et de retrouvailles.

Elle s'agita dans son lit. Ines lui avait dit de ne plus poser de questions et de respecter les règles. Mais Nomi avait toujours été curieuse, et elle n'avait jamais voulu suivre les règles. C'était d'ailleurs pour cette raison qu'elle avait appris à lire. Et c'était sans doute aussi pour cela qu'elle avait retenu l'attention de l'Héritier.

Il devait bien savoir, lui, ce qui était arrivé à Serina, s'avisa-t-elle soudain. Peut-être que, si Nomi attendait la bonne occasion, elle pourrait le convaincre de le lui dire. Elle trouverait le moyen de l'impressionner, de se rendre précieuse à ses yeux.

Elle déglutit pour ravaler la panique qui montait. Il y avait un moyen évident de parvenir à ses fins. Pourtant, elle ne pouvait supporter d'y penser. Serina avait peut-être été préparée à l'idée de *séduire* l'Héritier, pas Nomi. Elle avait grandi en pensant devenir ouvrière ou suivante, attachée à un poste plutôt qu'à un maître. C'était déjà terrible de ne pas pouvoir choisir son avenir, mais être en plus forcée de satisfaire les désirs d'un homme…

Elle avait commis l'erreur de s'imaginer qu'elle échapperait à ce destin-là au moins.

Nomi était décidée à garder au maximum ses distances avec l'Héritier. À ne mettre aucune bonne volonté à rien.

À se préserver. Cassia voulait, elle, l'attention de l'Héritier et son affection. Nomi était résolue à lui laisser le champ libre. Et, néanmoins, si en se soumettant aux désirs de l'Héritier elle pouvait découvrir ce qui était arrivé à sa sœur ? En serait-elle capable ?

La question tournait en boucle dans l'esprit de Nomi sans qu'elle puisse y apporter de réponse.

Quand les premiers rayons de soleil se faufilèrent par la fenêtre, Angeline sortit du sommeil et leur journée débuta. Nomi laissa sa suivante l'aider à revêtir une robe légère avec des lys. Elle resta sagement assise pendant qu'Angeline lui brossait les cheveux puis les tressait avant de les relever et d'ajouter des rubans ainsi que des papillons argentés. Observant son reflet dans le miroir, Nomi se renfrogna : elle avait l'impression d'être face à une inconnue.

Elle avait passé trop de temps à regarder le visage de Serina – et pas assez le sien. Nomi mesurait soudain, avec une lucidité violente, combien Serina avait été façonnée pour cette vie, contrairement à elle. Ses cheveux étaient ternes en comparaison de ceux de sa grande sœur. Et ses grands yeux bordés de cils noirs exprimaient la pugnacité bien plus que la modestie.

Sa place n'était pas ici.

Lorsque Nomi fut aussi élégante que possible, Angeline l'accompagna jusque sur une terrasse qui donnait sur l'océan. Maris et Cassia étaient déjà assises à l'extrémité d'une longue table en rotin et piochaient avec délicatesse dans leurs assiettes, remplies de fruits colorés et de fromages frais. Plusieurs panières de viennoiseries étaient posées devant elles.

Les Grâces du Supérieur occupaient les autres places autour de l'immense table. Celui-ci ne semblait pas avoir de critères très précis en matière de beauté. Certaines Grâces avaient le teint mat, quand d'autres étaient d'une pâleur fantomatique. Elles avaient les cheveux châtains, blonds ou bruns. Bouclés ou raides. Les plus jeunes de ces femmes avaient un ou deux ans de plus que Maris et Cassia, et les plus âgées la quarantaine. Le Supérieur collectionnait les Grâces depuis longtemps.

Du haut de ses dix-sept ans, Nomi était sans le moindre doute la plus jeune. Il fallait en avoir dix-huit pour prétendre accéder au rang de Grâce. Du moins, d'après les règles du Supérieur. Apparemment, son fils pouvait s'en affranchir.

Si seulement j'avais le même droit, moi aussi, s'emporta-t-elle intérieurement en s'asseyant sur la chaise vide à côté de Maris. Elle prit une viennoiserie sans appétit. Cassia leur tournait le dos, écoutant avec intérêt les commérages des Grâces sur le Supérieur.

— Et les massages de pieds, Rosario ! protestait l'une des plus jeunes femmes.

Une brune à la peau très sombre et aux cheveux très frisés, sans doute Rosario, réprima un frisson.

— C'est comme frictionner des blocs de glace emballés dans du papier de riz.

Nomi l'observa avec prudence. Rosario connaissait les secrets de tout le monde, à en croire Cassia.

— Le Supérieur est très malade ? demanda-t-elle justement, se mêlant à la conversation.

Rosario haussa les épaules d'un mouvement raffiné.

— Il n'est pas bien en point, mais il est très têtu. Je dirais qu'il n'est pas encore au bout de ses réserves.

— Que deviendrez-vous, toutes, à sa mort ? lança Maris d'une voix dépourvue d'émotion.

Rosario lui jeta un regard stupéfait.

— Tu es gaie, toi…

La question de Maris, peut-être malvenue, n'avait rien d'absurde. Le Supérieur précédent était mort avant la naissance de Nomi et personne ne parlait jamais du sort réservé à ses Grâces.

— Vous le savez ? insista Maris. Resterez-vous au palais ou serez-vous renvoyées chez vous ?

Rosario fit mine de ne pas s'en soucier, pourtant une ombre passa sur son visage.

— La décision appartient à l'Héritier. À la mort de son père, il décidera de notre sort.

Nomi écarquilla les yeux : il y avait tant d'aspects de ce monde qu'elle ignorait… Rosario remarqua son expression d'étonnement et retrouva visiblement sa bonne humeur. Donnant un coup de coude à sa voisine, elle dit avec un sourire narquois :

— Est-ce qu'on avait un air aussi ahuri à nos débuts, nous aussi ?

Gênée, Nomi baissa les yeux vers son assiette. Elle planta sa fourchette dans un morceau de melon.

— Ne t'inquiète pas, ma fleur, lui dit Rosario d'un ton mielleux et néanmoins provocateur. Tu as le temps de t'habituer à la vie ici. Elle se composera essentiellement d'essayages de robes et de leçons de danse jusqu'à l'anniversaire de l'Héritier. C'est à ce moment-là que les choses sérieuses débuteront. Je me demande laquelle de vous trois il choisira pour l'occasion…

— Et pourquoi pas les trois ? suggéra une Grâce en riant.

Cassia avala une gorgée de café, un petit sourire entendu aux lèvres, tandis que Maris perdait son regard vers le large.

— Pourquoi est-ce que les choses sérieuses commencent le jour de son anniversaire ? s'enquit Nomi.

Cassia haussa un sourcil.

— Tu n'es pas au courant ? C'est ce jour-là que nous prendrons officiellement nos fonctions. Il y aura une cérémonie, et tout. L'Héritier ne consommera (elle prononça ce mot en ronronnant) pas son union avec nous jusqu'à cette date. Celle qui aura sa faveur ce soir-là tiendra une occasion de devenir Première Grâce. Regardez Ines. C'est elle qui a retenu l'attention du Supérieur au tout début.

Nomi piqua un fard. Elle savait qu'à sa place Serina serait entrée en compétition avec Cassia pour porter le premier garçon de l'Héritier et accéder au titre de Première Grâce. Cette perspective lui nouait l'estomac. Néanmoins, elle voyait l'intérêt d'obtenir cette position. À la mort du Supérieur, Ines aurait au moins le réconfort de savoir que son destin reposait entre les mains de son fils.

Rosario se pencha vers les trois jeunes filles :

— Ines n'est pas seulement la mère de l'Héritier ; elle est aussi celle de son frère cadet. C'est une légende.

Le regard de Cassia devint vague, elle rêvait sans doute d'une destinée semblable.

— Les Grâces élèvent-elles leurs propres enfants ? demanda Nomi.

Elle n'avait aucun souvenir d'une leçon sur le sujet ; d'un autre côté, elle n'avait pas été très attentive lors de la formation de sa sœur. Elle était en train de faire la lessive, de l'eau jusqu'aux coudes, lorsqu'elle ne se brûlait pas en chargeant le poêle. Rosario la dévisagea comme si une deuxième tête venait de lui pousser à côté de la première.

— Élever des enfants ? Tu vois des enfants ici ?

Cassia leva les yeux au ciel.

— C'est à ça que servent les nourrices.

Nomi n'avait pas encore éprouvé le désir d'avoir des enfants, pourtant un étrange accès de tristesse s'empara d'elle à l'idée que, si elle mettait au monde un bébé, on le lui enlèverait. Ines n'éprouvait-elle aucun regret quand elle posait les yeux sur ses fils dans une salle de bal bondée ? Quand elle pensait à toutes ces années perdues ?

— J'ai entendu dire que Malachi organiserait un bal masqué pour son anniversaire, reprit Rosario.

La femme assise en face d'elle lui sourit avec enthousiasme :

— Ah oui, vraiment ? C'est toujours si charmant…

Les Grâces échangèrent des souvenirs d'anciens bals masqués, ainsi que d'autres cérémonies ; Nomi, elle, fixait son assiette de fruits et de viennoiseries, perdue dans ses pensées. Serina occupait tout son esprit, chacune de ses craintes et de ses peurs la ramenait à elle. Allait-elle bien ? Souffrait-elle ? En voulait-elle à Nomi d'avoir volé le livre ?

Elle ravala la boule dans sa gorge. Évidemment que Serina lui en voulait ! Tout était sa faute.

Ines les rejoignit sur la terrasse.

— Bonjour, mes Grâces.

Sa robe mouchetée d'or étincelait au soleil de la fin de matinée.

— Le Supérieur a requis la présence d'Eva, d'Aster et de Rosario pour le déjeuner. Il y aura un concert ce soir, en l'honneur d'une délégation de l'Azura. Son Éminence ne convie que les Grâces ayant le plus d'ancienneté. Ysabel, tu joueras de la harpe.

À l'autre extrémité de la table, une femme, la trentaine, avec des cheveux d'un rouge cuivré, hocha la tête. Ines se tourna vers Nomi, Maris et Cassia.

— L'Héritier souhaite s'entretenir avec chacune de vous aujourd'hui. Pendant que vous attendrez votre tour, j'aimerais que vous passiez en revue vos robes avec vos suivantes, pour mettre de côté celles qui nécessitent des retouches.

Elle posa les yeux sur chacune des trois jeunes filles, en terminant par Nomi.

— Tu es la première.

Elle dut déglutir pour faire passer le morceau de pain qui s'était logé dans sa gorge.

— Avec plaisir, réussit-elle à articuler.

Le regard envieux de Cassia ne lui échappa pas lorsqu'elle se leva pour suivre Ines à l'intérieur. Elles remontèrent un long couloir carrelé jusqu'à une porte en bois sculpté représentant des vagues déchaînées et des poissons qui bondissaient.

— Ne lui parle pas de ta sœur, dit-elle avant d'ouvrir. Ce n'est pas un sujet bienvenu.

Nomi acquiesça en silence puis sentit croître en elle le feu de la provocation.

— Que dois-je faire, alors ?

Ines la regarda comme si la réponse était évidente :

— Tout ce qu'il te demande.

Elle poussa Nomi dans les appartements de Malachi. L'immense salon donnait sur un large balcon. À travers la porte ouverte sur sa droite, la jeune fille aperçut un immense lit. Elle se sentit rougir.

— Bonjour, Nomi, la salua-t-il en se levant de l'un des deux fauteuils en cuir disposés au centre de la pièce.

Avec sa carrure imposante, il emplissait l'espace. Il n'était pas assez près d'elle pour la toucher, pourtant elle percevait sa présence, qui lui semblait l'envelopper et aspirer tout l'oxygène alentour.

— Bonjour, Votre Éminence, répondit-elle en exécutant une révérence frémissante.

Ses mains serrèrent trop fort le tissu de sa robe. Rien que de le voir ranimait sa rage. C'était à cause de ses ancêtres à lui que les femmes n'étaient pas autorisées à lire. À cause de son père que Serina avait disparu. Et à cause de lui que Nomi se retrouvait là.

Malachi ne dit rien. Nomi se concentra de toutes ses forces sur le bas de son pantalon en lin pour qu'il ne puisse pas lire la haine dans ses yeux. Comment pouvait-elle espérer séduire cet homme, ne serait-ce que pour découvrir ce qui était arrivé à Serina ? Elle était à peine capable de soutenir son regard.

— Je suis sûr que tu ne t'attendais pas à être choisie, finit-il par dire.

Nomi ravala un rire amer.

— Non, en effet… Votre Éminence, ajouta-t-elle une seconde trop tard.

— Et tu ne sembles guère apprécier ta chance, lui reprocha-t-il en croisant les bras.

La peur déploya un tentacule dans le ventre de Nomi. Elle ne pouvait pas se permettre d'être insolente. Elle lui appartenait. Il pouvait lui faire ce qu'il voulait. Il pouvait lui faire du mal.

— Je suis honorée d'être votre Grâce, dit-elle en réussissant, par miracle, à prononcer les mots sans grimace. Je… je regrette seulement que ma sœur ne puisse pas être là. Elle sait ce que la fonction exige. Pas… pas moi.

À la mention de Serina, Malachi se détourna brusquement et s'éloigna à grandes enjambées vers le balcon. Après quelques instants d'hésitation, Nomi le suivit. Malachi observait les ponts de pierre de Bellaqua et ses gondoles. Le palais occupait décidément un emplacement étonnant, entre les canaux et l'océan, tel un immense navire solitaire et menaçant.

— Je pars inspecter les troupes de Bellaqua demain, lui annonça-t-il. Je serai absent deux jours. Peu après mon retour, mes Grâces assisteront au Premio Belaria. Tu as du retard sur les autres en matière de formation et d'apparence. Je compte sur toi pour combler tes lacunes d'ici cette première sortie officielle, où tu apparaîtras à mes côtés en public.

— Bien sûr, Votre Éminence, lui répondit Nomi, tiraillée entre la déception et le soulagement.

Ce voyage impliquait qu'elle n'aurait pas de nouvelles de Serina avant un certain laps de temps, et qu'elle n'aurait pas d'occasion de persuader Malachi de lui confier ce qu'il savait. Mais cela signifiait aussi qu'elle serait tranquille, sans sa présence déstabilisante. Et elle aurait le temps d'échafauder un plan qui, avec un peu de chance, ne serait pas impossible.

— Qu'est-ce que le Premio Belaria ? se hasarda-t-elle à demander.

S'il s'agissait d'un bal, elle était perdue : elle ne pourrait pas apprendre à danser correctement en deux jours.

— Une course de chevaux. La plus célèbre du Viridia.

— Ah, soupira-t-elle.

Au moins n'aurait-elle pas à danser…

— Est-ce que tu montes ?

— À cheval ? rétorqua-t-elle, surprise.

Il hocha la tête.

— Je n'ai jamais eu de raison de le faire, Votre Éminence.

Question idiote, songea-t-elle. Seules les femmes et les filles des familles les plus riches apprenaient l'équitation.

La pointe des oreilles de Malachi rosit.

— Bien sûr.

— Vous aimez l'équitation ? lui demanda-t-elle, réussissant à se montrer polie pour une fois.

— Oui.

Sa voix se radoucit légèrement lorsqu'il ajouta :

— J'ai le même cheval, Bodi, depuis qu'il est poulain. C'est moi qui l'ai débourré.

Nomi ignorait le sens de ce verbe, mais il la glaça.

— « La valeur d'un homme peut se mesurer à l'importance qu'il accorde à ses semblables et aux animaux. »

— Qu'as-tu dit ?

Malachi pivota vers elle en plissant les yeux. Nomi retint son souffle : *Quelle imbécile !* C'était une citation du livre des légendes de Renzo, tirée de l'histoire d'un pauvre fermier qui impressionne un riche marchand en vendant un objet de famille précieux pour nourrir son cheval et non lui-même. Malachi avait dû reconnaître la phrase. Nomi s'empressa de rattraper son faux pas.

— C'est… c'est quelque chose que mon frère répétait souvent, Votre Éminence. Vous ai-je déplu en faisant cette citation ?

Il secoua la tête.

— Cette phrase est tirée d'un livre que j'ai lu il y a longtemps. Et elle m'avait particulièrement frappé.

Nomi savait que, à sa place, Serina aurait orienté la discussion sur des sujets plus superficiels. Cependant, elle était incapable de tenir sa langue.

— Mon frère aimait ce conte. D'après lui, il parlait de l'importance d'accorder la même valeur à toutes les existences. Celles des hommes, des animaux… et des femmes.

Elle croisa son regard.

— Crois-tu que j'accorde de la valeur à ma propre existence ?

Il était si proche d'elle qu'elle sentit son souffle lui effleurer le visage.

— Je ne me permettrais pas d'en juger, répondit-elle.

Elle avait tenté d'adopter un ton inoffensif, cependant, à la façon dont Malachi fronça les sourcils, elle comprit qu'elle avait échoué.

— Tu sais, dit-il en se rapprochant encore, trop près, tu as beaucoup à apprendre.

Nomi frissonna sous l'intensité du regard de l'Héritier. Ses yeux étaient de la couleur de la cannelle, avec des taches ambrées qui brillaient à la lumière. Elle aurait aimé pouvoir se libérer, s'enfuir, se cacher des sentiments inconnus qui se déchaînaient soudain en elle. Il leva une main et elle recula en chancelant.

Il ne la frappa pas, pourtant, se contenta de lui indiquer la porte :

— Tu peux y aller.

Nomi le salua d'une révérence avant de traverser le salon sur des jambes en coton, sans réussir à se défaire de l'impression qu'une menace pesait sur elle.

9 - SERINA

Au lieu de conduire les prisonnières à des cellules, ainsi que Serina l'escomptait, les gardiens les poussèrent vers la sortie du bâtiment. Puis ils ouvrirent les grilles avec un crissement à faire se hérisser les poils. Le soleil déclinant était accroché juste au-dessus de la ligne d'horizon, enflé et d'un rouge écœurant. Pour la première fois depuis qu'elle avait quitté Lanos, Serina regrettait les froides montagnes escarpées et les cheminées d'usine.

Repérant la petite silhouette de Jacana, elle s'approcha.

— Où est-ce qu'ils nous emmènent ?

La jeune fille avait les bras pressés contre son ventre.

— L'un des gardiens a dit que ce bâtiment ne servait qu'à l'enregistrement des détenues. Qu'on vivait… là.

Elle inclina la tête en direction du paysage rocheux et désolé derrière les grilles.

— Là ? répéta Serina, horrifiée.

Alors l'Hôtel, la Caverne… étaient des annexes ? Derrière les grilles et les barbelés ?

Anika s'approcha d'elles deux.

— Qu'est-ce que tu as fait, toi, pour atterrir ici ?

Son regard balaya Serina de la tête aux pieds.

— Ils vont te dévorer toute crue, ajouta-t-elle.

Serina avait bien conscience de se distinguer des autres, avec sa peau lisse et éclatante, ses formes avantageuses.

— J'ai volé, dit-elle calmement, enfouissant sa peur assez profondément pour qu'elle ne transparaisse pas. Au palais.

Personne n'avait besoin de connaître la vérité. Anika plissa les yeux. Serina lui retourna la question.

— Et toi ?

— J'ai tué, lâcha Anika d'une voix dure.

Pourtant une ombre passa sur son visage, si fugace que Serina faillit ne pas la remarquer. Un gardien près des grilles hurla :

— Toutes celles qui ont été affectées à l'Hôtel, avancez.

Anika s'éloigna avec quatre autres femmes. Serina la regarda disparaître.

— Où est-ce qu'ils t'ont affectée ? demanda-t-elle ensuite à Jacana, qui restait près d'elle.

— À la Caverne, répondit-elle en fixant ses orteils.

— Moi aussi, lui dit Serina, soulagée. On sera au même endroit, au moins.

Jacana se redressa un peu. Serina s'interrogeait sur les raisons de sa présence ici. Quel crime cette minuscule fille terrifiée avait-elle bien pu commettre ?

— Les Falaises, avancez ! hurla le gardien.

Un autre groupe de femmes disparut. Puis :

— La Caverne !

Serina et Jacana emboîtèrent le pas à deux autres filles pour franchir les immenses grilles. Tout bas, celles-ci se présentèrent : Gia et Theodora. Le gardien leur indiqua deux femmes qui les attendaient à l'extérieur de l'enceinte, éclairées à contre-jour par les derniers feux du soleil couchant.

— Suivez-les, leur dit-il.

Sans savoir comment, Serina se retrouva à la tête de la petite procession. Les femmes les regardaient approcher. La plus petite des deux avait peut-être la quarantaine, avec un visage rond et quelconque, une peau rougie par le soleil et d'épais sourcils.

— Je suis Falaise, se présenta-t-elle aux jeunes détenues. Et voici Oracle, c'est elle qui dirige la Caverne.

Serina en eut la respiration coupée. C'était une prisonnière qui était en charge des autres ? Une femme ? Comment était-ce possible ?

Oracle observa le petit groupe de nouvelles venues en silence. L'un de ses yeux était marron, l'autre d'un étrange blanc laiteux. Elle était un peu plus jeune que Falaise, mais pas moins intimidante.

— Suivez-nous et tenez le rythme. On ne vous attendra pas.

Sans un autre mot, Oracle tourna les talons et s'engagea sur un chemin rocailleux le long des falaises. Elles suivaient les traces des autres groupes, dont elles apercevaient au loin les torches vacillantes. Oracle avançait vite, et Falaise la suivait sans difficulté.

Serina trébucha à plusieurs reprises, ses chaussures fragiles butant contre la pierre volcanique, irrégulière.

— Il est normal qu'aucun gardien ne nous accompagne ? se hasarda-t-elle à demander. N'y a-t-il pas…

Falaise l'interrompit d'un éclat de rire qui ressemblait à un aboiement.

— S'il vous plaît, gémit Gia en essuyant la sueur qui dégoulinait sur son front, est-ce qu'on pourrait avoir un peu d'eau ? Ils ne nous ont donné ni nourriture ni…

— Mieux vaut éviter de manger avant, lui asséna Falaise. Et sans doute après aussi.

Avant ? Après ? Qu'allait-il se passer ? Serina progressait d'un pas lourd à côté de Jacana, la bouche asséchée par la peur. Elles ne quittaient pas des yeux les torches tremblotantes. Elles descendirent de l'autre côté du promontoire, jusqu'à des plages, et dépassèrent un bâtiment en ruine dont les dimensions tentaculaires étaient évocatrices d'une splendeur passée. Des lumières brillaient derrière des fenêtres sans vitres. Une fontaine en marbre fissuré se dressait au centre d'une cour, les regards aveugles de ses danseuses étaient tournés vers le volcan. Falaise inclina la tête vers ces décombres.

— L'Hôtel Misère.

Un frisson remonta le long du dos de Serina. Un brouhaha couvrait le rugissement des vagues. La jeune fille aperçut soudain, derrière l'hôtel, leur destination. Un gigantesque hémicycle en pierre, avec des gradins, face à une scène derrière laquelle se dressait une immense bâtisse. De la lave s'était déversée sur l'un de ses côtés. Un amphithéâtre à demi détruit.

Serina songea aux heures qu'elle avait consacrées à la harpe, guettant le jour où elle pourrait se produire devant l'Héritier. Elle était incapable d'imaginer le genre de spectacle qui avait lieu sur cette scène-là.

Plus d'une centaine de femmes étaient assises sur les bancs de pierre ou les coulées de lave figées. Serina balaya tous ces visages et ne perçut pas un seul sourire. Sa poitrine se serra.

Oracle se dirigea vers une zone au centre des gradins, où étaient réunies vingt à trente femmes. Puis elle poussa jusqu'à la scène, seule, posant la main sur les épaules de deux détenues en chemin. Dix prisonnières prirent peu à peu place dessus, en ligne. Oracle se tenait à côté d'une grande femme : au centre de son crâne rasé se trouvait une bande de cheveux d'un roux vif. Serina ne pouvait pas détacher les yeux de celle-ci. À Lanos, les filles n'étaient pas autorisées à porter les cheveux plus courts qu'aux épaules, et la plupart préféraient de toute façon les avoir à la taille, ou plus longs encore, tant ils constituaient un objet de fierté. *Quelle idée stupide de penser à ça maintenant*… Serina tenta d'avaler la boule dans sa gorge.

Des gardiens étaient en train de s'amasser sur le balcon de la bâtisse derrière la scène. Elle n'arrivait pas à les dénombrer, certains se confondant avec les ombres, mais elle les soupçonnait d'être une quarantaine environ, bien moins nombreux que les femmes réunies dans l'amphithéâtre.

Falaise toisa Serina et les trois autres nouvelles détenues ; ses épais sourcils lui tombaient presque dans les yeux.

— Quoi qu'il arrive, ne pleurez pas, leur ordonna-t-elle. Les gardiens seront à l'affût du moindre signe de faiblesse. Et ensuite, ils l'utiliseront. Ne les laissez pas prendre l'avantage sur vous, vous m'entendez ?

— Que va-t-il se passer exactement ? demanda Serina, essayant de contrôler sa voix en dépit de la tension ambiante, écrasante, qui rendait sa respiration difficile.

Falaise baissa les yeux :

— La première fois, mieux vaut ne rien savoir.

Le commandant Ricci pénétra sur scène. Le silence se fit aussitôt. Son langage corporel était détendu et autoritaire, pourtant sa main ne s'éloignait pas du pistolet qu'il portait à la ceinture. Sur le balcon au-dessus de lui, les gardiens dégainèrent leurs armes pour les pointer sur le public.

— Concurrentes, mettez-vous en position, ordonna le commandant.

Concurrentes ?

Cinq femmes s'avancèrent sur scène, dont celle avec la bande de cheveux rouges qui parlait avec Oracle. Le commandant s'engouffra alors dans un escalier menant au balcon.

Personne ne bougeait. Personne ne parlait.

Serina ouvrait de grands yeux : elle ne comprenait rien.

Quelques instants plus tard, Ricci fit son apparition sur un balcon. Il portait une caisse en bois. Il la laissa tomber en criant :

— Prêtes… feu… partez !

Quand la caisse heurta le sol, le bois vola en éclats avec un bruit de hache fendant une bûche. Un long tuyau noir épais s'en échappa. Sauf que… ce n'était pas un tuyau. Il ne s'immobilisait pas, se déroulant lentement sur les débris de bois. Serina retint son souffle au moment où la tête du serpent se soulevait et humait l'atmosphère.

L'une des combattantes tenta de l'écraser sous son pied, mais rata la tête. Le serpent s'entortilla pour la mordre à la cheville. Elle hurla. Le temps parut ralentir.

Une seconde. Deux. Elle s'effondra, la jambe enflée, alors que le reste de son corps était agité de soubresauts ignobles. Une autre femme s'empara de la queue du serpent et lui frappa la tête sur le sol sans relâche jusqu'à ce qu'il pende mollement, sans vie, entre ses mains. Les trois autres concurrentes se retrouvèrent au centre de la scène : leurs poings, leurs genoux et leurs coudes s'agitaient en tous sens.

Le cœur de Serina dégringola dans sa poitrine. Les femmes ne se battaient pas. Jamais. Ni contre les hommes, ni entre elles. La violence était toujours sanctionnée par la plus stricte des punitions. Serina avait entendu des histoires de femmes ayant voulu se défendre seules : une cousine éloignée qui s'était révoltée contre un mari colérique, une fille de l'usine textile qui avait giflé un homme cherchant à lui voler un baiser. Toutes avaient été sévèrement punies. Fouettées, emprisonnées… envoyées au Mont Destruction ou dans une prison semblable. Comment cette brutalité était-elle autorisée dans l'endroit conçu pour la réprimer ?

Une combattante poussa un grognement : elle venait de recevoir un coup dans le genou. Serina ferma les yeux. Se boucha les oreilles. Se recroquevilla. C'était impossible. Ça ne pouvait pas être réel.

Les bruits et les cris étaient étouffés, ses paupières closes lui offraient une obscurité parfaite. Elle s'autorisa à s'y plonger durant quelques minutes. À n'exister que dans le tambourinement de son pouls et le va-et-vient de sa respiration.

Puis un cri glaçant, empreint de souffrance, perça un trou dans l'obscurité rassurante, l'atteignant jusque dans son cocon. Serina en eut le souffle coupé. Le hurlement se transforma en gémissement d'agonie avant de s'éteindre entièrement. L'espace d'une seconde, il n'y eut que le silence. Serina entendit alors le bruit caractéristique, et terrifiant, des applaudissements.

10 - NOMI

Dans le couloir, Nomi s'adossa à la lourde porte conduisant aux appartements de l'Héritier. Un poisson bondissant s'enfonçait dans son dos. Elle était hantée par l'expression qu'elle avait vue sur le visage de Malachi au moment de le quitter. Elle s'efforça de réguler sa respiration.

Ines ne l'avait pas attendue. Nomi repartit dans la direction d'où elle était venue, pourtant elle ne réussit pas à retrouver la petite volée de marches qu'elle avait empruntée à l'aller. Elle continua d'avancer, poussée par le besoin irrépressible de s'éloigner, même si elle n'avait pas la moindre idée du moyen de regagner les appartements des Grâces.

Le couloir se terminait par une paroi vitrée : certains de ses panneaux, ouverts, offraient l'accès à une immense terrasse donnant sur l'océan. Une brise fraîche s'engouffrait dans le palais, caressant les joues de Nomi. Attirée par le vent apaisant, elle s'approcha de la balustrade en marbre et agrippa la pierre dure de ses mains froides, puis ferma les yeux.

Le mal du pays l'avait vidée tout entière. La voix douce de sa mère lui manquait, ainsi que l'orgueil bourru de son père. Et l'espièglerie de Renzo, qui soutenait ses petites rébellions. Des années durant, elle avait vécu dans son ombre et il avait été l'expression de son espoir. Mais c'était surtout Serina qui lui manquait. Nomi avait toujours su qu'elle devrait faire ses adieux à ses parents et à son frère, un jour. Serina et elle étaient censées rester ensemble.

— Tu as l'air d'aspirer à la solitude, lui dit un jeune homme, alors je suis navré de te déranger. Néanmoins, je te soupçonne d'être perdue.

Nomi rouvrit les yeux brusquement. Mortifiée, elle s'éloigna de la balustrade, reprenant brusquement conscience de son environnement, l'éclat du soleil décolorant la douce lueur des souvenirs.

À quelques mètres d'elle, le frère cadet de l'Héritier était allongé sur une chaise longue. Le regard de Nomi fut immédiatement attiré par le livre qu'il tenait et son titre, en lettres d'or gravées dans le cuir marine : *Plaisirs et Désagréments de la guerre*. Nomi sentit monter en elle la flamme de la curiosité… Soudain, elle se rendit compte qu'Asa attendait qu'elle parle.

Rougissant, elle recula en faisant une révérence maladroite.

— Je suis conf… confuse de vous avoir dérangé, Votre Éminence. Je suis un peu déboussolée… Je vais vous laisser sur-le-champ.

Asa se leva pour la suivre, sans poser son livre.

— Attends, attends, dit-il en tendant son autre main vers elle. Je vais t'aider à retrouver ton chemin.

— Ne vous donnez pas cette peine, Votre Éminence, je suis certaine de pouvoir…

— Ça ne me dérange pas du tout, l’interrompit-il avec un sourire.

Sans relever la tête, Nomi le suivit dans le couloir. Le second fils du Supérieur était aussi grand que son frère mais moins musclé, et ses cheveux hirsutes lui donnaient un air moins sévère, moins ténébreux. Sa nuque bronzée suggérait qu’il passait beaucoup de temps dehors.

— Tu es l’une des nouvelles Grâces, n’est-ce pas ? lui demanda-t-il en chemin.

— Oui, Votre Éminence. Je m’appelle Nomi Tessaro.

— Ah, Nomi, bien sûr, dit-il en lui jetant un regard par-dessus son épaule.

Elle n’avait aucun moyen d’en être certaine, toutefois elle avait bien l’impression d’avoir perçu un regain d’intérêt sur son visage. Une curiosité aiguisée.

— Tu es venue ici en tant que suivante, n’est-ce pas ?

Elle se raidit, se préparant à être tournée en ridicule.

— En effet, Votre Éminence.

— Tu dois être déstabilisée, observa-t-il avec bienveillance.

Les muscles de Nomi se détendirent légèrement.

— D’où viens-tu ?

— De Lanos, lui répondit-elle.

Il ralentit pour qu’ils puissent marcher de front dans le couloir doré. Elle baissa les yeux vers le sol en marbre.

— J’ai souvenir de m’être rendu dans les montagnes au nord de Lanos quand j’étais enfant, dit-il d’un ton attendri. C’était la première fois de ma vie que je voyais de la neige.

— J’ai toujours aimé la façon dont elle peut transformer les choses. Les vieux bâtiments en ruine, les rues sales…

Le monde peut devenir propre et immaculé en l'espace d'un après-midi.

Le ton d'Asa se fit triste :

— Je l'avoue, j'ai passé plus de temps à fabriquer des boules de neige qu'à admirer le paysage. Enfin, pour ma défense, je n'avais que sept ans.

Nomi sourit sans relever le nez.

— C'est parfaitement compréhensible, Votre Éminence.

— Et comment t'adaptes-tu à la vie ici ? Es-tu heureuse de ta nouvelle position ?

Nomi se décomposa, et le charme fugace fut aussitôt rompu. Elle se demanda si ces questions visaient à la tester – tout semblait remplir cet objectif ici.

— Le palais est magnifique, et je suis très heureuse.

Elle réussissait à se montrer respectueuse alors même que la colère lui chauffait les joues.

Il l'observa à nouveau.

— Ça doit être difficile, sans ta sœur.

Nomi se figea à la mention de Serina. Elle se prit les pieds dans l'ourlet de sa longue robe. Par réflexe, elle tendit la main pour éviter la chute et s'agrippa au bras d'Asa. Il se tourna vers elle, l'aida à retrouver l'équilibre. L'espace d'un instant, ils restèrent immobiles au milieu du couloir, en se tenant toujours l'un à l'autre. Nomi finit par libérer son bras et s'écarta, le visage écarlate.

— Je vous prie de m'excuser.

Asa se racla la gorge :

— Je te présente mes excuses. Je n'aurais jamais dû mentionner ta sœur. Je n'avais pas l'intention de te bouleverser.

Il ressemblait tellement à son frère… Et pourtant, les traits si sévères de Malachi paraissaient adoucis sur son visage à lui. Nomi se pencha légèrement vers lui. Peut-être pourrait-elle lui demander…

Un peu plus loin dans le couloir, une porte s'ouvrit en grand et Ines apparut. Asa se tourna aussitôt vers la Première Grâce, et la question de Nomi mourut sur ses lèvres. Ines salua son fils, fronçant les sourcils en remarquant la présence de Nomi aux côtés d'Asa.

— Bonjour, Votre Éminence.

— J'ai trouvé une de vos brebis égarée, lança Asa d'un ton joyeux, dissipant la tension ambiante.

Il s'écarta pour laisser passer Nomi.

— Je suis désolée, dit-elle en baissant la tête. Je me suis perdue…

Ines hocha la tête et la fit entrer. Nomi ralentit et regarda Asa s'éloigner puis disparaître dans le couloir. Elle se rendit ensuite dans sa chambre, trop absorbée par ses propres pensées pour prêter attention au regard sévère d'Ines.

L'Héritier n'était peut-être pas le seul moyen d'obtenir des informations sur Serina. À cette idée, l'ombre d'un sourire étira les lèvres de Nomi.

11 - SERINA

La femme à la crête rousse de l'équipe d'Oracle avait remporté le combat. Lorsque Serina finit par rouvrir les yeux, les spectatrices autour d'elle agitaient les poings en l'air. Les autres regardaient, en silence, leurs cheffes de file traîner les concurrentes vaincues hors de l'amphithéâtre.

— Elles sont… mortes ? murmura Serina.

Jacana déglutit ; son petit visage était d'une pâleur fantomatique à la lueur des torches.

— La plupart.

Falaise vint chercher les nouvelles recrues pour les guider, avec les autres, vers la sortie. Elle brandissait une torche vacillante pour éclairer le chemin.

— C'était quoi, ça ? souffla Serina en route.

Ses mains tremblaient et ses dents s'entrechoquaient. Ce qu'elle venait de voir et d'entendre… Falaise lui jeta un regard noir.

— Il n'y a pas assez de nourriture pour tout le monde. Le Supérieur se fiche de nous savoir vivantes ou mortes.

Elle cracha dans le noir avant de conclure :

— Alors on se bat.

Un gémissement échappa à Jacana.

— Vous vous battez ? Pour de la nourriture ? demanda Serina d'une voix brisée. Pourquoi les gardiens vous laissent-ils faire ?

— Nous laisser faire ? Ce sont eux les initiateurs. Ils nous regardent et nous encouragent. Ils parient même sur les gagnantes.

Elle montra les dents puis ajouta d'un ton amer :

— On leur sert de divertissement.

Serina repensa aux dignitaires du Supérieur qui s'échangeaient leurs cavalières sur la piste de danse. Ne se souciant pas de savoir qui elles étaient ni ce qu'elles avaient à dire du moment qu'elles souriaient. Ça ne l'avait pas dérangée alors…

— Mais c'est…

— Il y a cinq camps sur cette île. Dès qu'un bateau arrive, chaque camp doit choisir une championne à envoyer dans l'arène. Seule l'équipe de la gagnante a droit à des rations.

Falaise enjamba un bloc de roche qui s'était détaché de la falaise.

— Ce soir, c'est notre candidate qui a gagné. Ce qui signifie qu'on mangera bien demain. Les autres équipes en seront réduites à écumer l'île à la recherche d'aliments à se mettre sous la dent jusqu'à la prochaine arrivée de prisonnières.

Serina ravala une vague de dégoût.

— Mais comment les gardiens choisissent-ils la gagnante ?

Falaise haussa un sourcil, d'un air de dire que la réponse tombait sous le sens :

— Tu n'as pas vu ? La gagnante est celle qui survit.

— On doit s'entretuer ?

Un cri de terreur échappa à Jacana. Falaise ne lui accorda pas même un regard.

— Les lâches peuvent se rendre. Être renvoyées de leur équipe. Enfin, la plupart des combattantes qui perdent préfèrent la mort. C'est plus rapide que la faim.

Des larmes brûlaient les yeux de Serina. Lorsqu'elle avait ouvert le livre de Nomi, c'était un geste si innocent… Un rapide coup d'œil sur son enfance, un souvenir de Renzo pour apaiser sa nostalgie et sa tristesse. Un minuscule instant d'abandon avant de cacher l'ouvrage et de faire la leçon à sa sœur sur son imprudence. Serina ne s'était pas doutée de ce qu'elle risquait. De ce que Nomi risquait en apprenant à lire. Alors qu'elle trébuchait sur ce sentier caillouteux, les cris de femmes à l'agonie résonnant encore à ses oreilles, elle ne souhaitait rien tant que de voir ce recueil de légendes brûler.

Falaise et les nouvelles prisonnières suivirent l'équipe d'Oracle sur le chemin sinueux et pentu qui traversait les vestiges d'une forêt brûlée. Ici ou là, un cyprès noueux sortait de la terre dévastée et du lierre coriace s'enroulait autour de blocs de pierre qui avaient dû, à une époque, former une route. La seule autre plante vivace était une herbe rustique qui poussait par petites touffes autour de la roche volcanique noire et bruissait plaintivement au vent.

— On va où ? demanda Gia.

Elle ne cessait d'entortiller ses cheveux entre ses doigts, comme si elle avait un besoin désespéré de se raccrocher à quelque chose. Serina, elle, tentait de reprendre son souffle, ses jambes étaient en feu. Falaise ne ralentissait pas le rythme.

— On vit dans une grotte. Enfin plutôt un tunnel de basalte. Les couches extérieures ont refroidi pendant que la lave continuait à couler, ce qui a formé une sorte de tube.

— Ça n'a pas l'air très sûr, observa Gia avec une grimace.

Sa peau brune de soleil et ses cheveux décolorés suggéraient qu'elle venait d'une ville du Sud, ou peut-être d'une de ces familles de pêcheurs nomades qui vivaient sur des bateaux le long de la côte occidentale.

— Ça ne l'est pas, répondit sèchement Falaise.

— Alors pourquoi vivez-vous là-bas ? s'enquit Serina.

— Oracle ne veut pas qu'on soit en sécurité, expliqua Falaise en les foudroyant du regard. Elle veut qu'on soit fortes. Le tube est un endroit effroyable pour vivre, ce qui est précisément l'objectif. Assez pour les questions, maintenant on avance.

L'obscurité se refermait autour d'elles. La torche frémissante de Falaise n'éclairait pas grand-chose, et Serina trébuchait souvent. Jacana, en dépit de sa timidité, avançait à toute allure.

Elles finirent par atteindre la bouche béante d'une grotte. L'équipe s'y engouffra. Les nouvelles détenues hésitèrent, accablées d'épuisement. L'air avait l'odeur soufrée d'une allumette qui vient de brûler. Une lueur rouge se diffusait dans le ciel à partir des collines au centre de l'île.

Les yeux écarquillés par l'horreur, Theodora fixait le tunnel en secouant la tête.

— Je n'y arriverai pas.

Gia la prit par le bras.

— Tu veux rester ici seule, toute la nuit ?

— C'est plus compliqué sans torche, lança Falaise par-dessus son épaule.

Elle ne les attendit pas. Au moment où Serina pénétrait dans la grotte, une poussière amère lui tapissa la langue. La torche projetait des ombres folles sur les parois. Malgré cette lumière, il faisait si sombre qu'elle distinguait à peine la silhouette frêle de Jacana devant elle.

Enfin, l'éclat d'un feu apparut au loin, éclairant le chemin. Le tunnel aboutissait à une cavité circulaire. Des femmes étaient assises sur des chaises rouillées au centre, ou allongées sur des paillasses placées le long des parois incurvées. Tout au bout, un feu avait été allumé sous un gros trou irrégulier.

Il n'y avait pas de gardiens. Aucun homme. Serina n'avait jamais vu autant de femmes réunies de toute sa vie.

Oracle s'approcha des jeunes détenues. Elle se posta devant elles et croisa les mains sur sa poitrine. Dans la caverne, on n'entendait plus que le silence.

— Tout le monde ici a connu cet instant de doute, lança-t-elle d'une voix qui portait, où l'on se retrouve au bord d'une falaise et où l'on se demande s'il ne serait pas plus facile de sauter.

Elle posa les yeux sur chacune des nouvelles venues.

— Je vais vous faire gagner du temps et vous éviter un cas de conscience. C'est plus facile.

Durant un long instant, les mots restèrent suspendus au-dessus de leurs têtes, désespérants et implacables. Serina ravala la boule qui se formait dans sa gorge.

— Ici, au Mont Destruction, chacune doit mériter sa pitance, poursuivit Oracle. Et tout le monde a faim. Alors sautez si vous préférez. Autrement, ne vous attendez pas à être nourries si vous ne travaillez pas. Si vous ne vous battez pas. Les gardiens contrôlent l'île, mais c'est vous qui contrôlez votre propre survie. Écoutez, apprenez et retenez une chose : toutes les règles que vous avez apprises au Viridia, discrétion, modestie, humilité et faiblesse, ne vous serviront à rien. Ici, la force est la seule monnaie d'échange.

Serina avait été éduquée pour n'être que douceur. Docilité. Sa grâce était sa plus grande force. À présent, cette qualité ne lui était plus d'aucune utilité. Serina était inutile. Personne n'avait besoin qu'elle joue de la harpe, qu'elle danse ou qu'elle brode.

Le regard d'Oracle fouilla le sien, et cet étrange œil laiteux parut percevoir chacune de ses terreurs. Et, comme si elle s'adressait directement à la jeune détenue, elle ajouta :

— Vous devez être aussi solides que cette prison, aussi solides que la pierre et l'océan qui vous encerclent. Vous êtes la brique et le fil barbelé. Vous êtes le fer.

Un autre jour, Serina aurait pu pleurer. Pourtant, elle n'avait plus de larmes en réserve, plus d'énergie pour le chagrin. C'était sa vie à présent. Et il faudrait qu'elle apprenne, d'une façon ou d'une autre, à survivre.

****

Serina se réveilla en sursaut, tendue par la panique. Un poids imaginaire l'écrasait, aussi pesant que la roche au-dessus de sa tête. Elle s'assit et écarta les pans de sa chemise pour tenter de libérer ses poumons de leur cage.

Une main se referma sur son épaule.

— C'est un rêve. Détends-toi. Tout va bien.

La voix, inconnue, dissipa les dernières brumes de sommeil qui restaient accrochées à Serina. Soudain, elle prit une grande inspiration et réussit à nouveau à respirer.

Des torches continuaient à brûler dans la principale cavité, métamorphosant l'obscurité en ombres et blocs de lumière d'un orange cireux. Serina tenta de se repérer dans la pénombre.

— Le tunnel peut rendre claustrophobe. Moi, j'aime ça.

La voix rauque appartenait à la femme qui occupait la paillasse voisine de celle de Serina.

— J'ai passé dix ans à vivre dans le sous-sol aveugle d'un homme puissant, à guetter, avec terreur, le bruit de sa clé dans la serrure. Je me suis habituée au noir.

— Comment t'es-tu retrouvée ici ? lui demanda Serina avec des trémolos tout en essayant de s'ancrer dans le présent.

— Il m'a pris mon enfant…

La femme, qui ressemblait à un gnome, s'assombrit, ses yeux devenant deux trous noirs que la faible lumière ambiante ne parvenait pas à atteindre. Elle leva les mains : ses doigts recourbés formaient des griffes.

— Alors je lui ai pris ses yeux.

Serina agrippa les bords de la paillasse pour tenter de conserver une expression impassible.

— Ah…

— On m'appelle La Griffe, dit-elle en lui tendant une main. Ici, on doit gagner son surnom.

— Serina.

Au moment de serrer la main de La Griffe, la jeune fille sentit son estomac se soulever et de la sueur perler sur sa nuque. Soudain, elle ne réussit plus à supporter le poids de la roche au-dessus de sa tête, la présence de tant d'inconnues autour d'elle. Il fallait qu'elle sorte.

— Où sont les toilettes ? demanda-t-elle d'une voix rauque.

— À l'extérieur du tunnel, au-delà des fumerolles, à gauche.

La Griffe inclina la tête en direction de l'ouverture de l'autre côté du feu de camp. Serina se releva et traversa la cavité sur des jambes flageolantes.

Le tunnel n'était pas éclairé, à l'exception de la faible lueur de l'aube qui s'infiltrait par de nombreuses petites ouvertures à tous les endroits où le plafond s'était effondré – Serina essaya d'ailleurs de ne pas s'appesantir sur ce détail. Elle restait près de la paroi, effleurant la roche striée pour se soutenir. Le sol irrégulier accrochait ses chaussures trop fragiles, réveillant le feu de ses pieds couverts d'ampoules. Elle avait remarqué que plusieurs prisonnières portaient des bottines et se demandait comment elles se les étaient procurées.

Elle espérait respirer mieux à l'écart des autres, pourtant le tube de lave continuait à l'oppresser tant il était empli de souvenirs, ceux des innombrables femmes arrivées ici seules et terrifiées, comme elle. Ces femmes qui étaient venues et qui s'étaient battues, parfois jusqu'à la mort.

Elle finit par atteindre la sortie, le sol pierreux s'effritant pour se transformer en gravier parsemé de mauvaises herbes. Des petits massifs d'aloès aux feuilles ourlées de rouge poussaient dans la rocaille, et des citronniers rabougris bordaient un bois. Serina était convaincue qu'elles avaient emprunté cette entrée la veille, mais il faisait trop sombre pour qu'elle ait pu noter le moindre détail lui permettant d'en avoir la certitude.

À sa gauche, des volutes de vapeur s'élevaient du sol, prenant une teinte argentée dans la lumière matinale. Un air lourd et moite remplaçait la fraîche humidité de la grotte. Elle fit quelques pas. Elle ne s'était encore jamais soulagée dans la nature. Une chose était certaine, ça la changeait de leur appartement de Lanos avec sa mauvaise plomberie… et du palais avec ses vastes salles de bains en marbre.

Quand Serina eut terminé, elle escalada à nouveau les pierres.

Un crissement suivi d'un cliquetis troubla le silence matinal. Serina s'abritait dans le tunnel au moment où un gardien apparut. Il poussait une brouette rouillée. Il s'arrêta dans la clairière entre les rangées de citronniers, retira son chapeau et essuya la sueur sur son front. C'était le jeune homme qui avait suggéré de l'envoyer à la Caverne.

Serina regarda alentour, à la recherche d'Oracle ou de quelqu'un d'autre qui aurait pu lui expliquer ce qui se passait, qui aurait pu lui dire quoi faire, mais personne ne surgit, comme par magie, des ombres peuplant la grotte. Par réflexe, Serina passa la main dans ses cheveux gras et emmêlés, puis tenta de défroisser sa chemise.

— Ah, la Condamnée ! lança-t-il en remarquant sa présence.

Le surnom, cruel, la fit frémir. Elle ne put se résoudre à croiser son regard et se focalisa plutôt sur les cheveux bruns et indisciplinés qui bouclaient sous sa casquette. Il s'adossa à sa brouette et croisa les bras. Sa chemise grise était maculée de traces de sueur.

— Comment se passe ton installation ?

Il se serait agi d'une question polie appelant une réponse polie, s'ils étaient au palais. Pourtant, ce n'était pas le cas et, la veille, Serina avait vu des filles se battre jusqu'à la mort sous les acclamations des gardiens. Nomi n'aurait ni souri ni cherché à être polie. Serina ne chercha donc pas à le faire.

— À votre avis, à quoi ressemble une installation en enfer ? lui lança-t-elle d'une voix venimeuse. De toute façon, pourquoi je m'installerais ? Vous l'avez fait remarquer vous-même, je serai bientôt morte.

Il hocha la tête d'un air appréciateur.

— Tu as retrouvé un peu de ta fougue, c'est bien.

Déstabilisée, Serina cingla :

— Comment ça ?

Il haussa les épaules.

— La plupart des filles qui arrivent ici sont déjà enragées, prêtes à en découdre. D'autres ont besoin d'un petit coup de pouce. J'ai pensé que si tu avais une chance, une seule, de t'en sortir, c'était ici, avec l'équipe de la Caverne. Et voilà, au bout d'une journée, tu t'affirmes déjà.

— Alors il suffit que je sois désagréable pour devenir capable de me battre ? lui lança Serina en posant les mains sur ses hanches.

Le soleil matinal, qui se levait à présent, lui chauffait déjà la peau des bras. Le gardien éclata de rire en se tournant vers sa brouette pleine.

— Tu n'en es évidemment pas encore capable ! Mais, si quelqu'un peut te permettre de l'être un jour, c'est bien Oracle. Elle sait canaliser les folles furieuses et endurcir celles qui sont mortes de trouille. Son équipe remporte les rations de nourriture plus souvent que les autres. Elle sera une alliée pour toi.

De perplexité, Serina bredouilla :

— Attendez, vous… vous cherchiez à m'aider ?

Avec un grognement, il hissa un sac en toile de jute plein à craquer sur son épaule.

— J'essaie d'aider toutes les filles, de les mettre là où elles auront le plus de chances de tenir. Tu m'avais l'air particulièrement fragile.

— Je suppose que je dois vous dire merci, lâcha-t-elle d'un ton sarcastique.

Au fond, elle lui était reconnaissante pourtant. Elle n'était pas comme Anika, toute en dureté et en méfiance. Serina n'était pas à sa place dans ce nouveau monde terrifiant. Le gardien transporta son sac jusqu'à l'entrée de la grotte et le déposa contre la paroi de pierre. Puis il repartit en chercher un deuxième. Serina comprit qu'il s'agissait des rations. À cette pensée, un gargouillis douloureux monta de son ventre.

— Alors, la Condamnée, lui dit-il en passant près d'elle lors de son troisième trajet, quel est ton vrai nom ?

— Serina.

Elle s'apprêtait à lui demander le sien lorsqu'une grappe de femmes émergèrent des ombres de la caverne. Oracle se dirigea vers le gardien. Ils se serrèrent la main, et l'expression sévère de celle-ci se détendit légèrement. Jusqu'à ce qu'elle pose les yeux sur les sacs en toile.

— Il y en a trois de moins que la dernière fois.

Baissant la voix, le gardien lui confia :

— Le commandant Ricci en a gardé davantage pour lui cette fois. J'ai réussi à récupérer un sac supplémentaire, un seul. J'ai eu peur d'éveiller les soupçons en en prenant davantage.

— Merci, lui répondit Oracle en lui pressant l'épaule. Est-ce qu'il y a des équipes en situation critique ?

Il secoua la tête.

— Les Falaises n'en sont pas loin, mais elles ont réussi à attraper plusieurs poissons. Elles tiendront un mois de plus si besoin.

Une main enserra soudain le bras de Serina, la faisant sursauter. Elle découvrit Falaise et son air renfrogné.

— Te voilà, lui dit-elle. Je te cherchais.

Serina laissa échapper un soupir :

— Désolée, je… je me suis réveillée tôt et j'ai eu un besoin pressant. J'étais juste en train de…

— Reluquer Valentino ? l'interrompit-elle en inclinant le menton vers le gardien.

Serina piqua un fard.

— Il est arrivé alors que je m'apprêtais à rentrer.

— Je te taquine, c'est tout, la rassura Falaise alors qu'un sourire se peignait sur son large visage. On aime toutes Val. C'est le plus jeune des gardiens, et il est chargé de la livraison des rations. Il lui arrive de nous filer un tuyau ou deux, de nous prévenir quand le commandant est dans une de ses humeurs…

Serina ouvrit la bouche pour demander ce qu'elle voulait dire, mais le sourire de Falaise avait disparu et elle ajouta :

— Garde tes distances avec les autres gardiens. Val est une exception, d'accord ? Les autres promettent parfois des choses aux filles…

Falaise secoua la tête.

— Ça ne se termine jamais bien.

Serina ne saisit pas le sous-entendu, ce qui ne l'empêcha pas de hocher la tête en silence.

— Viens, reprit Falaise, c'est l'heure du petit déjeuner.

À l'intérieur, les autres s'étaient réunies autour du feu. Serina remarqua que Jacana était assise dans un coin, à l'écart. Elle s'accroupit à côté d'elle.

— Tu as dormi ? lui murmura-t-elle.

Jacana hocha la tête sans relever les yeux.

Quelqu'un leur tendit deux petites miches de pain sec, des bandes de viande séchée élastiques et plusieurs quartiers d'une orange. Serina se jeta sur son repas, engloutissant tout d'une traite. La nourriture lui semblait délicieuse après son long jeûne forcé. Jacana, elle, picorait comme un vrai oiseau, pourtant son petit déjeuner disparut aussi vite.

Ni Falaise ni Oracle n'avaient présenté les quatre nouvelles venues au reste de l'équipe, et personne ne faisait mine de vouloir leur parler. Quand Serina eut fini de manger et qu'elle put penser à autre chose qu'au vide angoissant dans son estomac, elle redressa la tête et observa les autres femmes. Il y en avait environ une trentaine, les plus jeunes âgées de quinze ou seize ans. L'aînée, ratatinée, était étendue sur une paillasse près du feu et rongeait son pain avec ses gencives édentées. La plupart des détenues avaient la même apparence : jeunes, des visages étroits et faméliques, des cheveux coupés court ou tirés en arrière, des uniformes rapiécés et tachés, des cernes sombres sous les yeux.

Tout autour de Serina, les femmes échangeaient des anecdotes et des blagues en partageant leur maigre repas. La grotte résonnait, étonnamment, d'éclats de rire. Pas les gloussements contenus des Grâces au bal du Supérieur, non. Ici on riait à gorge déployée.

Serina se demanda lesquelles étaient des folles furieuses, et lesquelles avaient peur.

— Cette nuit, j'ai rêvé qu'Oracle me poussait du sommet d'une falaise dans le vide, grommela Jacana.

— T'es-tu réveillée heureuse ou déçue que ce ne soit pas la réalité ? lui répliqua Serina avec un sourire en coin.

Jacana posa sur elle un regard surpris. Et, pour la première fois, elle partit d'un petit rire.

— Je ne sais pas trop. En un sens, l'enfer continue dans les deux cas, non ?

Serina remarqua le petit nez de Jacana, ses cheveux sales et ses yeux verts tourmentés. C'était une jolie fille, mais marquée par une vie difficile, ce qui se devinait aux ridules prématurées au coin de ses yeux et au froncement permanent de ses sourcils.

— Comment as-tu atterri ici ?

Jacana baissa le regard vers ses mains vides, recouvertes d'une fine poussière volcanique. Elle avait les ongles rongés.

— Je volais. J'ai été arrêtée.

Serina n'avait pas grand mal à l'imaginer dans ce rôle – Jacana était petite et rapide –, en dépit de son immense timidité.

— Tu volais quoi ?

— Tout ce que je trouvais, répondit-elle en haussant les épaules. Mes parents sont morts quand j'avais sept ans, et je me suis retrouvée seule. Je ne voulais pas aller à l'orphelinat. Ni devenir la femme de quelqu'un. Personne ne m'aurait demandé mon avis.

— Tu viens d'où ? Moi, de Lanos.

Jacana la considéra avec surprise, la peur disparaissant momentanément de ses traits.

— Je n'aurais jamais deviné que tu venais de Lanos. J'aurais plutôt parié sur Île Dorée.

Ce compliment fit sourire Serina malgré elle. Ce n'était pas comme si sa beauté pouvait lui servir à quoi que ce soit ici.

— Je suis née à Bellaqua, dit Jacana. Mais j'ai vécu un peu partout. Dans des villes surtout… J'ai passé beaucoup de temps à Ressida et à la Cité Diamant.

Elle se pencha en avant, ses bras frêles enroulés autour de ses genoux.

— J'étais douée pour effacer mes traces. C'est un ami qui m'a trahie.

Elle parut se recroqueviller sur elle-même.

— Et maintenant je vais mourir ici, conclut-elle.

Serina fixa ses mains vides, tandis que son estomac continuait à gronder. La vérité l'écrasait autant que le basalte qui l'encerclait, aussi inéluctable.

Nous allons toutes mourir ici.

12 - NOMI

Au cours des jours suivants, Nomi chercha Asa chaque fois qu'elle quitta les appartements des Grâces, ce qui ne se produisit que deux fois. Elle conçut plusieurs procédés malhonnêtes pour le trouver, et y renonça. Elle faisait dépendre tous ses espoirs d'une occasion qui n'avait que peu de chances de survenir : elle résistait à cette idée qui menaçait de l'accabler. Elle ne pourrait jamais demander à Asa où Serina avait été emmenée si elle ne le revoyait pas.

À cet instant précis, Nomi se rendait chez la couturière en traînant les pieds, croisant des Grâces et leurs suivantes qu'elle scrutait, se demandant si l'une d'entre elles avait une idée du sort qui avait été réservé à sa sœur. Elle avait posé la question à Rosario, mais celle-ci ne savait rien de plus que ce que Cassia lui avait répété : Serina avait quitté le palais dans des circonstances mystérieuses.

— Je crois qu'elles vont s'occuper de la robe noire, aujourd'hui, dit Angeline, qui marchait d'un pas lourd à côté de sa Grâce. Elle est moins travaillée que les autres, ça devrait durer moins longtemps.

— Merci, lui répondit Nomi.

Sa suivante savait combien elle détestait ces séances d'essayage.

— Je pense que vous devriez la porter pour la course, ajouta-t-elle d'un air songeur. Elle scintillera au clair de lune.

— Tu as déjà assisté à une course ?

— Mon père m'a laissée en suivre une depuis une fenêtre à l'étage. C'était incroyable. Des chevaux lâchés dans les rues de la ville… La course est si célèbre que des gens viennent du monde entier pour y assister. Et vous aurez une des meilleures vues de tout Bellaqua. Le Supérieur et sa suite y assistent toujours du Clocher, près de la ligne d'arrivée.

Elles atteignirent la porte au moment où quelqu'un l'ouvrait de l'intérieur. Nomi fit aussitôt un pas en arrière pour éviter la collision. Maris se figea brusquement et manqua d'écraser les orteils de Nomi.

— Je suis désolée, je ne me doutais pas que tu étais là.

Nomi balaya ses excuses d'un revers de la main.

— Ne t'inquiète pas, plus de peur que de mal.

Maris glissa une mèche de sa longue chevelure noire derrière son oreille. Elle était la plus grande des jeunes Grâces, et de loin. Nomi la soupçonnait d'être presque aussi grande que l'Héritier en personne. Et elle paraissait encore plus imposante à cet instant, dans une robe verte sculpturale couverte de minuscules clous argentés taillés en pointe.

— On dirait que cette robe peut tuer, observa Nomi alors que Maris changeait de position et que la lumière jouait avec les petits ornements argentés.

Angeline l'observait aussi avec un regard admiratif.

— Elle est plus adaptée aux dîners de cérémonie qu'aux bals, convint Maris. C'est ma préférée. Elle me donne l'illusion que je peux maintenir les autres à distance.

Sa réponse surprit Nomi. L'objectif n'était-il pas, justement, de se *rapprocher* de l'Héritier ? La suivante de Maris choisit ce moment pour surgir.

— C'est l'heure de votre cours de harpe.

Maris lui répondit d'un signe de tête et, avec un petit haussement d'épaules destiné à Nomi, suivit sa domestique.

— Vous avez un cours de danse après, annonça Angeline. Je viendrai vous chercher le moment venu.

Nomi la remercia en silence, pourtant son ventre se serrait. Un cours de danse… Son premier. Au moins l'Héritier ne serait-il pas présent, puisqu'il n'était pas encore de retour au palais.

Dès que Nomi pénétra dans l'atelier, une volée de couturières fondirent sur elle. Elle fut déshabillée en un instant. Puis elle dut monter sur une petite estrade au centre de la pièce à l'éclairage tamisé, frémissant dans sa combinaison en soie tandis que les femmes tourbillonnaient autour d'elle.

— Tut, tut, tut, elle est trop mince, marmonna l'une d'elles en faisant passer la robe noire sur la tête de Nomi. Elle renifla en étudiant le tombé du tissu sur la silhouette menue de la jeune fille.

— Cette robe n'a pas été conçue pour une suivante…

Au cours des essayages précédents, les couturières avaient bien fait sentir à Nomi qu'elles désapprouvaient ses origines modestes. Ce qui n'empêchait pas cette femme d'avoir raison pour la robe. Elle serait allée comme un gant à Serina.

— Il me faut d'autres épingles ! cria-t-elle.

Nomi s'efforçait de se tenir bien droite et de garder une expression impassible. Elle dut résister à l'envie d'arracher la robe et de la jeter aux pieds de la couturière, surtout lorsque celle-ci la piqua « accidentellement » avec une épingle. Serina aurait conservé son calme dans cette situation et, par égard pour elle, Nomi était bien décidée à faire de même.

Une autre épingle se planta dans la cuisse de Nomi et du sang perla. Elle grimaça mais ne donna pas à la couturière la satisfaction d'émettre le moindre son. La robe que Serina avait choisie pour sa sœur était d'un noir profond et argenté, évoquant un ciel criblé d'étoiles, et Nomi l'aurait trouvée jolie si le décolleté n'était pas descendu quasiment jusqu'au nombril et si la ceinture n'avait pas été aussi serrée.

— Et voilà, conclut la couturière. Ça ira.

Elle recula d'un pas pour observer l'ourlet et les fronces. Ses yeux plissés ne voyaient que la robe. Nomi aurait aussi bien pu être un mannequin en rotin dans une arrière-boutique.

Ines pénétra dans l'atelier au moment où Nomi se déshabillait.

— Attends, garde-la, lui dit-elle. Tu es attendue à ton cours de danse… Une robe longue et quelques épingles bien placées t'aideront à progresser.

Nomi hocha calmement la tête, pourtant son cœur crachait des flammes. Ines n'attendit pas Angeline et conduisit elle-même Nomi à sa leçon. Si cette dernière arrivait presque à se repérer dans le dédale du quartier des Grâces, le reste du palais demeurait un mystère : sans doute parce qu'elle prêtait davantage attention aux servantes qu'à son environnement. En dépit de ce que lui avait dit Rosario, elle continuait à rêver que Serina vivait toujours au palais – et s'était vu attribuer, pour toute punition, une fonction des plus basses – et qu'avec un peu de patience elle finirait par croiser sa route. Cependant, jusqu'à présent, le vœu de Nomi n'avait pas été exaucé.

Elle suivit Ines couloir après couloir, sa robe bruissant sur le dallage. Elles finirent par pénétrer dans un petit salon de musique.

Sur les murs tendus d'un papier peint parsemé de roses étaient accrochés toutes sortes d'instruments. Des puits de lumière éclairaient la pièce. Dans un coin, un piano, sur lequel une femme en orange clair jouait une douce mélodie. Le mobilier avait été retiré et, au centre de la pièce, Cassia tournoyait dans les bras d'Asa. Un professeur de danse, en retrait, dispensait régulièrement des instructions.

Asa ? C'était avec lui qu'elles s'entraînaient ?

Sous l'effet du choc, Nomi se figea sur le seuil. Asa, déconcentré par sa présence, marcha sur le pied de Cassia, qui retint un cri. Le rouge monta aux joues de Nomi.

— Toutes mes excuses, murmura-t-il en se focalisant à nouveau sur sa cavalière.

Cassia inclina la tête.

— Ce n'est rien, Votre Éminence.

— Ce sera tout pour aujourd'hui, lança Ines.

La pianiste conclut sa mesure par un petit arpège. Asa lâcha les mains de Cassia.

— Merci pour cette danse, lui dit-il en la saluant.

Elle exécuta une révérence gracieuse, ses longs cheveux tombant devant son visage en un rideau brillant.

— Tout le plaisir était pour moi, Votre Éminence, ronronna-t-elle.

Nomi s'écarta pour permettre à Cassia de quitter la pièce, même si son esprit restait à la traîne. Son regard ne quittait pas Asa, qui attendait au centre de la piste et raclait le sol de la pointe du pied. Parmi tous les plans qu'elle avait échafaudés en vain, elle n'aurait jamais imaginé le retrouver à un cours de danse. Mais pourrait-elle prendre le risque de l'interroger sur Serina ici ? Oserait-elle ?

Le professeur, d'une minceur spectrale, tapa deux fois dans ses mains raffinées.

Nomi sursauta et avança, mal à l'aise. Elle n'avait pas appris à danser. Serina s'était toujours entraînée avec Renzo, et aucun d'eux n'avait cherché à l'inclure. Le professeur ne pourrait pas se contenter de simples conseils pour améliorer son style. Il devrait enseigner à Nomi le moindre pas, le moindre tour.

— Cesse de froncer les sourcils, lui ordonna Ines. Une Grâce ne se renfrogne jamais.

Nomi redressa les épaules. Si elle voulait survivre ici, si elle voulait découvrir ce qu'il était advenu de Serina, elle devait apprendre à contrôler son impatience. Elle devait *apprendre* certaines choses. Elle ne pouvait pas courir le risque de mécontenter qui que ce soit.

Arrivée devant Asa, elle fit la révérence. À force de pratique, elle s'était améliorée dans ce domaine au moins. Le soleil jouait avec les filaments argentés de sa robe quand elle bougeait, les faisait scintiller telles des étoiles.

— Je vous dois des excuses, Votre Éminence. Je n'ai que peu d'expérience dans le domaine de la danse.

Les mains chaudes d'Asa enveloppèrent les siennes. Elle avait les doigts tremblants. Il guida la main gauche de Nomi vers sa propre épaule sans lâcher l'autre. Les premières notes entraînantes d'une chanson se déversèrent dans la pièce tandis qu'il l'attirait vers lui, assez près pour lui murmurer :

— Moi aussi. C'est pour ça que Père me force à assister aux cours des Grâces.

Il sentait le café et le sable chaud. Sans vraiment s'en rendre compte, Nomi se rapprocha un peu de lui. Une épingle lui piqua la cuisse. Le professeur donnait le rythme :

— Un, deux, trois, quatre. Un pas en arrière, un pas à gauche, un pas en avant, puis en arrière.

Nomi tenta de se concentrer, cependant la question qu'elle voulait poser à Asa noyait tout le reste. Aurait-elle cette audace ? Elle risquait de passer pour impertinente et surtout Ines était là, l'observait. Elle avait dit à Nomi de ne pas poser de questions. Si jamais elle entendait quoi que ce soit…

Asa fit un pas en avant et écrasa le pied de Nomi. Elle fit un petit bond en arrière et trébucha sur l'ourlet de sa robe. Les bras du jeune homme la retinrent. Il s'écarta sur sa gauche tandis que Nomi faisait de même de son côté, et leurs bras se tendirent, les rapprochant l'un de l'autre.

Le professeur se racla la gorge :

— Votre Éminence, je vous prie de me pardonner, je suis la source de cette confusion. Mes instructions étaient destinées à Nomi.

Asa émit un étrange bruit étranglé – on aurait dit qu'il ravalait un éclat de rire.

— Bien sûr.

La musique reprit. Asa avança et Nomi recula. Ils finirent par trouver leur rythme. Ils firent plusieurs fois le tour de la pièce avant qu'Ines lance :

— Nomi, relève le menton. Tu regardes tes pieds comme si tu avais peur qu'ils prennent la fuite.

Elle redressa la tête juste à temps pour voir Asa retenir un sourire. Il se pencha vers elle :

— Je ne fais jamais confiance aux miens quand je danse. Ils ont une fâcheuse tendance à…

Il marcha sur la robe de Nomi : elle bascula contre le torse d'Asa tandis que des épingles se fichaient dans sa taille. Elle s'efforça de ne pas grimacer ; elle sentit le rire qui secouait le jeune homme.

— … eh bien, à faire ça, conclut-il.

Elle s'écarta d'un pas à gauche. Il était peut-être un peu raide, mais elle ne l'aidait pas. Et les épingles non plus.

— Et je suis une piètre cavalière, je suis désolée.

Il lui serra la main.

— Ce n'est pas toi qui détonnes ici. Pas avec cette robe, qui donne l'impression que les cieux t'étreignent.

Nomi n'avait jamais reçu un compliment aussi excessif de toute sa vie. Les joues en feu, elle baissa les yeux et la robe parut lui parler, avec ses filaments qui scintillaient sur le tissu noir.

— J'ai l'impression d'être une autre, avoua-t-elle, de ne plus du tout me reconnaître.

— Ta vie tout entière a été mise sens dessus dessous, c'est normal d'être déstabilisée. Tout est différent et inattendu… Tu n'as pas choisi cette situation.

Nomi releva la tête de surprise. Personne d'autre ne semblait la comprendre. Tout le monde laissait au contraire entendre qu'elle aurait dû être folle de joie, lorsqu'on ne la dénigrait pas parce qu'elle avait échappé à sa destinée de domestique sans réelle raison. Elle lança un coup d'œil à Ines, occupée par quelque chose derrière la fenêtre. C'était peut-être l'occasion qu'elle attendait.

— Je voulais vous demander…

— Tentez de décrire une pirouette, l'interrompit le professeur.

Asa prit une inspiration de façon théâtrale.

— Et c'est parti…

Il la fit tourner si fort qu'elle dut se raccrocher de toutes ses forces à sa main pour ne pas être projetée à l'autre bout de la pièce. Puis, soudain, ils se mirent à tournoyer, enchaînant les tours sur un rythme plus rapide que celui qu'interprétait la pianiste. Les cheveux de Nomi s'écartèrent, dégageant son visage, et elle ne put s'en empêcher : elle éclata de rire. Asa la propulsa loin de lui avant de la ramener contre son torse ferme. Ils chancelèrent un peu.

Il lui sourit. Ses yeux étaient d'un beau brun foncé, couleur café, et se plissaient aux coins.

Ils refirent le tour de la pièce, enchaînant des pas qu'Asa aurait très bien pu être en train d'inventer pour ce que Nomi en savait. Mais ça lui était bien égal, et elle ne sentit pas une seule épingle la taquiner. Pour la première fois en près d'une semaine, ses muscles oubliaient leur nervosité, ses inquiétudes s'estompaient et sa tête ne résonnait pas de questions et de regrets.

C'était un don de passer un moment à tourbillonner comme une enfant, à imaginer qu'elle était libre.

Ines s'éclaircit bruyamment la voix. La pianiste s'interrompit.

— Ça ira ainsi, annonça-t-elle.

Avec un petit rire de satisfaction, Asa fit tourner Nomi une dernière fois avant de conclure leur numéro par une petite révérence. Il sourit ; Nomi devait avoir les joues aussi rouges que lui. Tous deux étaient à bout de souffle.

Nomi baissa les yeux. Une partie de son ourlet s'était défait et traînait sur ses chaussures argentées.

— Je suis désolé, dit Asa d'un ton qui clamait l'inverse. Il semblerait que je me sois laissé aller. Merci pour cette séance.

— C'est moi qui vous remercie, répondit Nomi en le saluant.

Elle avait le cœur serré : le cours était terminé, elle avait laissé passer sa chance d'interroger Asa sur Serina.

Nomi suivit Angeline dans les appartements des Grâces en silence, se demandant si cette occasion se représenterait. Elle pria pour que ce soit le cas.

Une fois dans la chambre, la suivante lui retira promptement sa robe, qui avait un peu perdu de sa superbe.

— Ne vous inquiétez pas, rassura-t-elle Nomi avec gaieté. Je vais tout de suite la faire nettoyer et recoudre, elle sera prête pour le Premio Belaria.

Elle aida sa maîtresse à enfiler une tunique crème et un pantalon large.

— Merci, Angeline. Est-ce que tu peux me laisser un instant ?

La suivante s'inclina.

— Bien sûr, je vais attendre dehors.

Dès qu'elle fut seule, Nomi s'affala dans un fauteuil ; elle posa les coudes sur la coiffeuse et se prit la tête à deux mains. Elle se repassait en boucle le cours de danse. Elle aurait dû trouver un moyen d'interroger Asa sur Serina. La frustration de Nomi remonta à la surface. Elle voulait se reposer un moment, mais elle était incapable de s'allonger. Pas tant qu'elle pensait à Serina. Elle se releva et, dans sa hâte, renversa un petit pot de brillant à lèvres. Elle le ramassa en soupirant puis voulut le ranger dans la coiffeuse. Lorsqu'elle ouvrit le premier tiroir, elle retint un cri. Un livre était à moitié dissimulé sous un foulard en soie et deux bâtons de khôl.

Nomi referma aussitôt le tiroir et promena un regard écarquillé par la panique autour d'elle. Quand elle fut certaine que personne ne la surveillait – les rideaux étaient fermés, et Angeline patientait sagement dehors –, elle rouvrit lentement le tiroir.

Le livre était toujours là. Elle caressa le cuir lisse et un frisson la traversa au moment où elle le sortait.

Une brève histoire du Viridia.

Nomi se frictionna les bras. Un livre était un objet dangereux à conserver – le sort de Serina en était la preuve. D'où venait-il ? Avant de pouvoir réfléchir aux conséquences de son acte, Nomi glissa le petit volume entre son matelas et le cadre de son lit, assez loin pour qu'Angeline ne le trouve pas lorsqu'elle changerait les draps. Le cœur de Nomi tambourinait comme un fou. Elle se laissa tomber sur le sol, adossée au lit.

Elle avait soudain l'impression d'être une acrobate en équilibre sur une corde qui oscillait. Le monde lui semblait dangereusement loin sous ses pieds. Quelqu'un jouait avec elle, et elle ne connaissait pas les règles de ce jeu.

13 - SERINA

— Oracle veut voir les nouvelles. Suivez-moi.

Bras croisés, Falaise les toisait. Serina termina la dernière bouchée de pain de son maigre déjeuner avant de se hisser sur ses jambes. Falaise semblait officiellement en charge des nouvelles détenues. C'était toujours elle qui donnait des instructions à Serina et aux autres.

Jacana, Gia et Theodora se levèrent à leur tour et suivirent Falaise à l'extérieur du tube de lave. Bien des femmes travaillaient : certaines ramassaient des oranges et des citrons, pendant que d'autres passaient au peigne fin le petit bois. Falaise remarqua que Serina observait l'une des filles, qui avait les bras chargés de citrons et d'autres plantes.

— On mourrait sans ces vivres supplémentaires, lui dit-elle. Il y a aussi des baies comestibles, même si elles ont un goût d'acide, et des sangliers. Enfin, c'est une espèce en voie de disparition sur cette île, ajouta-t-elle en poussant les filles vers un sentier ombragé. Ils n'ont pas le temps de se reproduire assez vite, tellement on les traque. Personne ne laisse passer une occasion de manger de la viande fraîche.

— Vous pêchez ? s'enquit Gia.

La blonde venait bien d'une famille de pêcheurs. Elle avait été arrêtée sur le marché, où elle vendait du poisson déguisée en garçon pour remplacer son père malade.

Falaise frictionna sa nuque brûlée par le soleil.

— La Plage et les Falaises pêchent. Partout ailleurs, les courants empêchent les poissons d'approcher du rivage. La Jungle en a attrapé quelques-uns dans une étendue d'eau douce près de son campement, mais pas grand-chose. Les membres de cette équipe sont aussi affamés que nous autres, conclut-elle d'un air grave.

Le front de Serina se plissa.

— Que se passe-t-il si une équipe enchaîne les défaites ?

— Soit les filles se débrouillent pour trouver assez de nourriture toutes seules… soit elles meurent de faim, conclut Falaise d'un air fataliste.

Elles émergèrent du bosquet d'arbres et débouchèrent sur un autre champ de lave. Un grognement et un bruit de claquements de chair attirèrent l'attention de Serina. À quelques mètres sur leur droite, sur une vaste étendue de terre herbeuse que la lave avait épargnée, plusieurs détenues s'affrontaient. Oracle et la femme avec la crête rouge observaient la scène, sur le côté.

Jacana se pétrifia. Serina aussi.

Falaise avança le menton en direction des combattantes.

— C'est ici qu'on s'entraîne. Braise dirige la plupart des entraînements, mais, si jamais Oracle vous donne un conseil, écoutez-la bien.

Serina retint un cri en voyant l'une des femmes envoyer son poing dans le ventre de son adversaire. Leur façon de tourbillonner et d'esquiver évoquait une étrange danse ; la chaleur et l'éclat du soleil rendaient leurs mouvements étourdissants.

Braise s'approcha du petit groupe. Falaise haussa un sourcil.

— Oracle voulait voir les nouvelles ?

Braise balaya les quatre jeunes filles du regard. Serina remarqua une vilaine cicatrice blanche juste sous son menton, brillante et enflée. On aurait dit que quelqu'un avait tenté de lui trancher la gorge.

— Attachez vos cheveux, ordonna-t-elle.

Falaise sortit plusieurs morceaux de ficelle de sa poche et les remit aux nouvelles. Serina retint une grimace en relevant ses cheveux gras.

— On va voir ce que vous avez dans le ventre, dit Braise en se dirigeant vers la piste.

Gia émit un petit cri étouffé.

— Ce n'est pas sérieux, là, dit-elle, exprimant tout haut ce que Serina pensait tout bas.

On ne pouvait quand même pas attendre d'elles qu'elles s'entraînent… déjà ! Braise se figea pour foudroyer Gia du regard.

— Tout le monde finit par se battre pour les rations de nourriture. Plus tôt vous commencez l'entraînement, moins vous aurez de chances d'y rester.

Theodora déglutit. Elle était la plus grande des nouvelles prisonnières, avec des bras qui semblaient un peu désarticulés, comme ceux d'une marionnette. Ses longs doigts minces trituraient l'ourlet de sa chemise – Serina avait déjà remarqué ce tic nerveux chez elle.

Braise désigna l'arène de fortune.

— Maintenant, allez-y.

Personne d'autre n'osa protester. Serina se plaça près de Jacana, le cœur battant à un rythme frénétique. Toute sa vie, on lui avait dit que les autres femmes étaient ses adversaires. Sa mère lui avait martelé cette idée : *Ne fais jamais confiance à une autre. Ne t'imagine pas qu'elle ne cherchera pas à te prendre ta place en tant que Grâce, qu'elle laissera passer une occasion de trouver un mari. Tu dois toujours être la plus belle de la pièce, la plus calme.*

Mais Serina avait seulement appris à se battre pour obtenir l'attention.

— Mouette, Miroir, entraînez-vous avec elles, dit Braise en désignant Serina et Jacana.

Les deux combattantes se placèrent à côté de Gia et Theodora face aux deux autres. Braise rejoignit Oracle et Falaise, toujours à la lisière de l'arène.

L'une des femmes décocha un sourire à Serina. Elle avait des cheveux raides, aux épaules, et des oreilles percées, un souvenir de sa ville d'origine, Sola.

— Je suis Mouette, dit-elle. Ne vous laissez pas trop terroriser par nous.

— Trop tard, murmura Serina sans avoir pris le temps de tourner sa langue.

À son étonnement, Mouette éclata de rire. L'autre fille, Miroir, souriait. Des taches de rousseur parsemaient le moindre centimètre carré de sa peau, et ses cheveux noirs étaient coupés très court. Son regard ne trahissait aucun sentiment.

— Tout le monde s'est coupé les cheveux, observa Jacana.

Mouette hocha la tête.

— Oui, la plupart d'entre nous en tout cas. C'est plus simple, d'autant que les règles ici sont fluctuantes. À moins que…

Elle s'interrompit, comme pour réfléchir.

— Peut-être qu'elles sont simplement différentes.

Son ton se fit légèrement plus grave.

— Il y a des règles partout, non ?

Serina n'avait toujours pas intégré celles de cette île. Et c'était bien plus terrifiant, à ses yeux, que de vivre dans une société où tout était interdit. Si elle ne connaissait pas les règles, comment saurait-elle qu'elle les enfreignait ?

— Allez-y, cria Braise, mettant fin aux présentations.

Mouette leva les bras, poings fermés.

— Ne serre pas trop les mains, dit-elle à Serina. Place-les au niveau de ta poitrine. Les bras en alerte, mais pas crispés. Compris ?

Serina ne comprenait rien, ce qui ne l'empêcha pas de faire un effort et d'adopter une posture de combattante. À côté d'elle, Jacana fit de même.

Soudain, un poing s'écrasa sur le visage de Serina. Elle s'étala dans l'herbe, la douleur irradiant dans toute sa mâchoire. Un instant, elle fixa le ciel d'un bleu brumeux, bordé de nuages. Puis elle se releva, en se frottant la bouche.

— Mouette, fais-la travailler son jeu de jambes.

La voix d'Oracle alimenta aussitôt la panique qui se déchaînait dans la poitrine de Serina.

— Elle sait danser, poursuivit-elle. Commence par là.

Intriguée, Serina virevolta vers Oracle : comment était-elle au courant pour la danse ? Le poing de Mouette se ficha dans son ventre, et Serina tomba à nouveau.

— Désolée, lui dit son assaillante d'un ton léger alors qu'elle se relevait une fois de plus. Écarte davantage les jambes, et plie les genoux. Il faut que tes gestes soient détendus.

L'entraînement dura toute la matinée. Mouette fit tomber Serina plusieurs fois de suite, débitant chaque fois des conseils incompréhensibles sur la posture de Serina et sa réactivité. Elle dut affronter les autres combattantes, ensuite. Et enfin les nouvelles. Tout le monde eut le dessus sur elle. Même Jacana, en dépit de sa petite taille et de sa timidité, elle était incroyablement rapide. À présent que Serina connaissait son histoire, elle était encore moins surprise.

Elle avait les articulations éraflées. Les ampoules sur ses pieds étaient à vif. Sa lèvre fendue saignait. Elle ne parvenait qu'à se relever sur ses jambes vacillantes et à se préparer au coup suivant. Les filles qu'elle affrontait étaient aussi affûtées que des lames. Elle était aussi molle que de la pâte à pain : son corps rond et souple n'était bon qu'à servir de punching-ball.

Si Nomi avait respecté la loi, Serina n'aurait jamais atterri ici. À cette pensée, un accès de rage la parcourut ; elle voulut frapper Miroir au visage, mais celle-ci bloqua son poing et lui fit à nouveau mordre la poussière.

À la fin de l'entraînement, Serina tenait à peine sur ses jambes, ses poings couverts d'ecchymoses ballaient le long de ses flancs, alors que les autres filles époussetaient leurs vêtements avant de reprendre le chemin de la grotte. Mouette passa son bras sous les aisselles de Serina pour la soutenir.

— Viens, on va te nourrir. La première fois, c'est toujours brutal. Oracle nous demande d'y aller fort avec les nouvelles, pour voir ce qu'elles ont dans le ventre. Ça sera plus facile la prochaine fois.

— J'en doute… répondit Serina d'une voix aussi endolorie et abattue que le reste de son corps.

Elle ne partageait pas l'optimisme de Val au sujet de son avenir sur l'île. Il avait vu juste au tout début. Elle était condamnée. Et tout ça à cause de sa sœur.

Serina secoua la tête pour tenter de chasser cette pensée. Elle avait l'impression de trahir Nomi.

— Quand tu te seras remise, lui conseilla Mouette, marche. Évite les postes des gardiens et les autres équipes. Tu peux aller partout ailleurs. Marche autant que possible et, dès que tu te sentiras prête, cours. Fais de l'escalade pieds nus… La roche volcanique t'aidera à avoir de la corne sur la plante des pieds. Tu dois t'endurcir.

Serina éclata de rire. Quel euphémisme ! Mouette lui sourit à nouveau.

— Comment t'appelles-tu ?

— Appelons-la Mauviette, hurla l'une des combattantes, qui ouvrait la marche, provoquant des éclats de rire.

— Non. Pourquoi pas Beigne ? Vu toutes celles qu'elle s'est prises…

Serina n'arrivait pas, à cet instant précis, à s'inquiéter du surnom dont on la gratifierait. Elle *était* une mauviette. Trop faible, écrasée.

La file indienne ralentit puis s'arrêta. Oracle attendit que les nouvelles la rejoignent. Elle observa le petit groupe de filles dégoulinantes de sueur et accablées par la chaleur. Serina était la plus ébouriffée. De toute sa vie, elle n'avait jamais passé une journée sans avoir les cheveux propres et bien brossés, sans porter de beaux vêtements, sans arborer un sourire parfait. À quoi ressemblait-elle maintenant, avec sa bouche enflée, sa mâchoire contusionnée et ses cheveux emmêlés ?

Oracle posa sur elle un regard qui semblait tout voir, tout comprendre des espoirs, des rêves et des désirs de Serina… et de ses échecs. La femme tourna les talons avant de lancer par-dessus son épaule :

— Appelez-la Grâce.

14 - NOMI

Le livre menaçait de brûler le lit de Nomi. Elle sentait ses angles aigus à travers le matelas, il l'empêchait de dormir, tant elle était tentée de le sortir dès qu'Angeline était plongée dans le sommeil. Dans l'obscurité, le pouls de Nomi parlait encre noire et papier soyeux. Son esprit était envahi d'une soif de lecture qui devenait plus douloureuse à mesure qu'elle résistait. Elle aurait tellement voulu s'autoriser un instant volé, un petit coup d'œil… Pourtant, elle laissa le livre à sa place. Le risque était trop grand. Elle n'oublierait jamais le visage de Serina lorsqu'elle faisait mine de lire le livre des légendes, pas plus que son hurlement quand l'homme du Supérieur l'avait emmenée.

Nomi secoua légèrement la tête et tenta de chasser ces choses de son esprit. L'ennui étant que, dès qu'elle ne pensait pas au livre, elle pensait à Asa. Prenait-il part à tous les cours de danse ou seulement en l'absence de l'Héritier ? Assisterait-il à la grande course de chevaux ? Quand le reverrait-elle ? Elle était bien décidée à trouver un moyen de l'entreprendre sur le sujet de Serina. Elle ne pouvait pas se permettre de laisser passer une autre occasion.

À cet instant précis, elle était confortablement installée, avec les deux autres jeunes Grâces, dans l'un des petits salons intimes à l'éclairage tamisé. Des cuvettes en porcelaine remplies d'eau chaude étaient posées devant les fauteuils capitonnés. Les Grâces devaient apprendre à faire des massages de pieds et s'entraînaient les unes sur les autres.

D'un geste ferme, Nomi fit glisser ses pouces, enduits d'huile de massage, vers le centre de la plante du pied de Cassia.

— Je n'en reviens pas de dire ça, mais je crois que tu es en train de t'améliorer, observa cette dernière avant d'abandonner sa tête contre le dossier avec un petit soupir.

Nomi résista à la tentation de lui griffer les pieds. Avec un petit sourire en coin, elle lui dit, comme si elle se souciait de ce genre de détail :

— Il était temps que je sois au moins bonne à quelque chose.

Maris émit un grognement guttural. Elle s'entraînait sur sa suivante, qui n'arrêtait pas de glousser : sa maîtresse n'exerçait pas une pression assez forte.

— Je déteste ça ! Je n'en reviens pas qu'on nous demande d'apprendre à masser les pieds… C'est répugnant !

La suivante retira brusquement sa jambe ; Maris venait d'appuyer sur un point sensible.

— Désolée, marmonna-t-elle.

Cassia plongea les pieds dans la cuvette d'eau chaude.

— Je trouve ça sensuel, moi.

Nomi s'essuya les mains. Son opinion sur ces massages se situait quelque part entre celles, si opposées, de ses compagnes.

— À mon tour, dit Cassia.

En se levant, elle tapota Nomi sur le crâne, comme s'il s'agissait d'un chien. Elles échangèrent leurs places. Nomi se laissa choir dans le fauteuil moelleux et posa ses pieds nus sur le repose-pied recouvert d'une serviette. Avant que Cassia ne puisse commencer, l'ombre d'Ines s'encadra dans la porte.

— L'Héritier est de retour, annonça-t-elle. Et il souhaite te voir, Cassia.

À cette nouvelle, le cœur de Nomi s'était serré. Elle poussa un soupir de soulagement. Dieu merci, elle n'était pas la première cette fois.

Cassia se dirigea vers la porte en décochant un sourire suffisant par-dessus son épaule. Maris ne put retenir un rire moqueur. Nomi se pencha en avant pour étirer sa colonne puis elle s'abandonna à nouveau dans les bras moelleux du fauteuil. Elle ferma les yeux et tenta d'oublier Serina, Asa, le retour de Malachi… tout. Elle avait eu si peu d'occasions, dans son enfance et sa jeunesse, de se prélasser dans un fauteuil confortable… Ses parents travaillaient tous deux à l'usine textile et Renzo était scolarisé, il lui avait donc incombé d'entretenir la maison, d'aller faire les courses au marché, de préparer les repas et de ranger ensuite.

La suivante de Maris se remit à glousser. D'agacement, celle-ci jeta sa pierre ponce. L'homme qui montait la garde, pâle et vêtu de blanc, passait d'une jambe sur l'autre. Nomi lui jeta un bref regard en se demandant ce qu'il pensait d'elles.

— Ça va ? demanda-t-elle tout bas à Maris.

Celle-ci essuyait ses mains huileuses sur une serviette.

— J'aimerais pouvoir marcher sur la plage ou me baigner… J'ai l'impression d'attendre un orage qui menace au large sans jamais se rapprocher de la côte.

Nomi passa les mains sur le dessus de ses pieds pour débarrasser ses doigts des dernières traces d'huile.

— L'anniversaire de l'Héritier aura lieu d'ici quelques semaines. Après…

Après, on attendrait d'elles qu'elles remplissent *tous* leurs devoirs de Grâces. Nomi réprima un frisson.

Elles gardèrent le silence un long moment, n'étant ni l'une ni l'autre impatientes de passer à la tâche suivante. Nomi était en train de s'assoupir, épuisée par ses pensées intérieures, quand Maris se releva d'un bond.

— Je suis couverte d'huile, et cette odeur me donne la nausée. Je vais prendre un bain.

— Je devrais aussi me laver, acquiesça Nomi.

Les alizés étaient retombés la veille, et elle avait la peau moite tant l'air était chaud et chargé d'humidité, sans parler des craintes qui alourdissaient son esprit à la perspective de l'anniversaire de Malachi, et de ce que l'on attendrait d'elle à ce moment-là.

Nomi et Maris traversèrent de somptueux salons déserts, talonnées par leurs suivantes. Même Angeline cessait de parler lorsqu'elles quittaient la chambre. Les hommes du Supérieur étaient présents dans chaque pièce, ils semblaient faire partie des meubles, et pourtant ce n'était pas le cas – Nomi n'oubliait jamais qu'ils rapportaient tout ce qu'ils entendaient à leur maître.

Arrivées aux bains, Nomi et Maris retirèrent leurs vêtements avec l'aide de leurs suivantes. Sur un signe de tête de sa maîtresse, Angeline sortit de la salle et la suivante de Maris lui emboîta le pas. Même le garde les laissa tranquilles – il se posta près de la porte, dans le couloir. Maris se plongea dans l'eau avec un petit grognement, et la surface du bassin se couvrit d'ondulations.

— Tu te plais ici ? demanda-t-elle à Nomi, qui se joignait à elle.

Sa chevelure noire brillait sur l'eau telle une nappe de pétrole. Nomi croisa les bras sur sa poitrine, provoquant de nouvelles rides à la surface du bain. Elle regarda les vaguelettes s'échouer contre la paroi en marbre incurvée. Si Cassia lui avait posé la question, elle aurait répondu oui. Mais, pour une raison mystérieuse, avec Maris elle se sentait autorisée à dire la vérité sans se mettre en danger.

— Je hais cet endroit, murmura-t-elle de façon que le garde ne puisse pas l'entendre. Ma sœur et ma famille me manquent… Mon frère et moi, nous sommes nés à quelques minutes d'écart. On n'avait jamais, en dix-sept ans, passé un seul jour loin l'un de l'autre. Et ma sœur…

Elle s'étrangla. Elle ne pouvait pas parler de Serina.

Maris observa longuement l'ombre du garde qui se tenait sur le seuil de la porte, avant d'oser dire :

— Ma mère me répétait souvent que s'emporter contre une vie qu'on ne peut pas changer ne sert qu'à se faire du mal.

Sa gorge se serra.

— Mais elle a eu de la chance, ajouta-t-elle. Elle est morte jeune.

— Je suis vraiment désolée, dit Nomi avant de remarquer le regard fixe de Maris, qui précipita les battements de son cœur.

Nomi comprit soudain qu'elle avait peur. Peur que Maris dise quelque chose qu'elle aurait dû garder pour elle. Peur de commettre la même erreur. La voix de Maris effleura la surface de l'eau, inexorable :

— J'aurais pu être heureuse, ici. Si mon père n'avait pas… Il a tout gâché.

Nomi n'eut pas le temps de lui demander des précisions, une poignée de Grâces venaient de les rejoindre. Maris revêtit son plus beau sourire, et la fille qu'elle était un instant plus tôt s'évapora.

Nomi se rendit compte qu'elle n'était pas la seule à avoir un secret. Maris aussi avait le sien.

15 - SERINA

Serina passa toute une semaine à s'entraîner quotidiennement avec Mouette. Elle avait les pieds mieux ancrés dans le sol et esquivait plus aisément les poings et les coudes. Malheureusement, ses bras continuaient à manquer de force, ses coups restaient sans effet. Son corps ne semblait plus lui répondre dès que Braise la forçait à se rendre dans l'arène. Ses muscles poussaient des cris de protestation aussi furieux que ceux des goélands qui piaillaient dans le ciel.

— Tu t'en sors bien, lui dit Mouette d'un ton joyeux en tapotant Serina sur l'épaule à la fin d'une de leurs séances.

Elle se pencha en avant, les mains sur les genoux, pour tenter de reprendre son souffle. Mouette éclata de rire.

— Va te promener, ça te détendra les jambes et ça t'évitera d'avoir des crampes.

Elle se dirigea vers Miroir et Jacana, qui s'entraînaient ensemble.

— Qu'est-ce que tu veux, Grâce ? lança Oracle en voyant Serina approcher.

Assise à l'entrée de la grotte, elle taillait des branches en pointe pour en faire des lances qui serviraient à chasser le sanglier. Serina fut parcourue d'un frisson. Elle détestait le surnom dont elle avait écopé. Elle n'avait jamais été une Grâce. Et elle n'en avait certainement plus l'allure. Elle ne s'était pas coupé les cheveux, mais ça ne tarderait sans doute pas : ils pendouillaient dans son dos, attachés en une tresse sale et mollassonne qui la dérangeait constamment. Ses mains étaient recouvertes d'une fine poussière volcanique noire. Elle avait beau passer son temps à les laver, celles-ci n'étaient jamais propres. Quant à sa peau, au teint autrefois hâlé et lumineux, elle était à présent rougie et desséchée.

— Le volcan, dit-elle en levant les yeux vers le nuage de fumée suspendu au-dessus des collines derrière Oracle. Et s'il entre en éruption ? Pourquoi restez-vous aussi près ? Ce n'est pas dangereux ?

Oracle s'immobilisa, les mains au-dessus de sa lance.

— Si le volcan se réveille, tous les habitants de l'île mourront. Tu préfères être tuée en premier, rapidement, ou avoir le temps de paniquer et de prier ?

— Je ne crois pas que j'accepterai la mort si facilement, lui rétorqua Serina.

— La mort se fiche que tu l'acceptes ou pas, dit-elle avant de se remettre à tailler la branche, façon de congédier Serina.

— Je peux aller faire un tour ?

Oracle rit sans se donner la peine de relever la tête.

— Pourquoi me poses-tu la question ? Fais ce que tu veux ! Mais évite les gardiens.

Serina s'éloigna d'un pas furieux. Était-ce une question si étrange ? Elle était en prison, après tout !

Elle prit la direction du nord, contournant le volcan. Le terrain irrégulier accrochait ses semelles peu épaisses. Une étroite tour de garde se dressait au loin. Ce ne fut qu'en approchant qu'elle remarqua le gardien silencieux, une main sur son pistolet. Elle pressa le pas jusqu'à ce qu'elle soit sortie de son champ de vision.

Elle finit par se rapprocher de l'immense cratère. La roche gris et blanc fumait par endroits. Aucune plante ne poussait là, pas même l'herbe dorée de l'île, si résistante. Serina avait mal à la tête : le soleil tapait fort et elle était déshydratée.

Pantelante, elle escalada un éboulis et s'écroula au sommet. Elle retira la poussière sur ses mains couvertes d'ampoules. La corne ne se formait toujours pas. Devant elle, l'océan s'étirait jusqu'à l'horizon et scintillait. Derrière elle, le cratère fumait.

Il n'y avait personne en vue, dans aucune direction. Même la tour de guet avait disparu, cachée par un relief du terrain. Elle aurait très bien pu s'imaginer qu'elle était seule sur cette île. Seule au monde.

Fais ce que tu veux !

Les paroles d'Oracle résonnaient dans son esprit. Personne ne lui avait jamais dit ça auparavant. Sa vie avait été gouvernée par le sens du devoir. Et personne, pas même ceux qu'elle aimait, ne lui avait permis de l'oublier.

Elle avait espéré que devenir Grâce serait sa récompense. Mais Nomi avait accédé à l'existence dont Serina avait toujours rêvé : une succession de bals, de concerts et de repas succulents. C'était Nomi qui était bichonnée et dorlotée. Nomi qui dormait dans un lit moelleux, dans une chambre qu'elle n'avait pas à partager, si ce n'est avec sa suivante. Et elle n'avait pas à craindre pour sa vie en permanence.

Certains jours, Serina regrettait que ce ne soit pas sa sœur qui ait été surprise avec un livre : elle aurait été forcée de payer pour son crime, dans ce cas. Aussitôt après avoir eu ces pensées, elle avait l'impression d'être la pire sœur du monde. Comment pouvait-elle souhaiter un sort pareil à quelqu'un qu'elle aimait ?

Aujourd'hui, Serina était obsédée par un détail : la première nuit, Nomi aurait voulu partager son lit avec elle. C'était la seule nuit que Serina avait passée au palais. Nomi avait besoin d'elle, et elle lui avait tourné le dos. Elle se remémora le lendemain matin : elle aurait pu serrer sa petite sœur dans ses bras ou lui adresser des paroles d'encouragement, or elle n'en avait rien fait.

Serina mourrait sur cette île, d'une façon ou d'une autre. Elle ne reverrait jamais Nomi. Elle aurait au moins pu lui dire qu'elle l'aimait, qu'elle était fière d'elle. Elle n'en aurait plus jamais l'occasion, maintenant.

Avec un soupir, elle descendit de son perchoir et reprit le chemin du tube de lave. Le soleil couchant régulait son rythme. Il s'approchait de la ligne d'horizon et teignait en rouge les bordures de la tour de guet.

Serina entendit des pierres s'entrechoquer ; juste à cet instant, une forme jaillit des broussailles qui bordaient le chemin. Un gardien lui barra la route. Il inclina son étroit visage sur le côté.

— Nouvelle ou bannie ? J'ai un doute… dit-il alors que son regard la balayait de la tête aux pieds. Je ne vois pas d'autre façon d'expliquer ta présence ici, seule.

Serina n'aimait pas ce qu'elle lisait dans ses yeux calculateurs. Elle baissa les siens et croisa les bras. Une égratignure sur son avant-bras l'élança.

— Excusez-moi, dit-elle en faisant un pas de côté pour le contourner, le cœur battant la chamade.

Il l'empêcha de passer. Il n'était pas particulièrement grand, mais il n'avait pas besoin d'être très imposant pour la terrifier. Il suffisait pour cela qu'il garde une main sur son pistolet et se déplace aussi vite. Qu'il donne l'impression d'être habitué à intimider les prisonnières. Il se pencha vers elle pour lui glisser à l'oreille :

— Tes chaussures tombent en lambeaux. Laisse-moi te trouver une paire de bottines.

Sans éloigner sa main de son arme, il posa l'autre sur l'épaule de Serina, lui effleurant le cou du bout des doigts. À chaque inspiration, elle avait l'impression de hurler. Que devait-elle faire ? Elle savait très bien ce que cet homme attendait en échange des bottines, et elle n'avait aucune envie de le lui donner.

Elle ne voulait pas. Mais ses désirs à elle avaient-ils jamais compté ? Ça n'aurait pas été le cas si elle était devenue une des Grâces. Pour la première fois, Serina comprenait ce que Nomi avait cherché à exprimer, ce soir-là, au palais, lorsqu'elle lui avait dit qu'il ne s'agissait pas d'un choix quand on ne pouvait pas dire non. Serina avait choisi de faire preuve de bonne volonté, de désirer l'Héritier. Et néanmoins, ça n'aurait eu aucune importance dans le cas contraire.

Comme ça n'en avait aucune à cet instant.

— Je… je ne veux pas de bottines, bredouilla-t-elle, incapable de parler d'une voix plus forte qu'un murmure.

Elle voulut reculer, et il la retint, refermant les doigts sur la base de son cou.

— Si, dit-il en les enfonçant dans sa peau. Tu en veux.

Serina ferma les yeux. Sa respiration était saccadée.

— Elle ne veut pas de bottines, Bruno, lança une voix.

Il y eut un grognement suivi d'un bruit sourd. Soudain libérée, Serina recula en vacillant. Elle rouvrit les yeux. Bruno était à terre, jambes écartées. Mouette se dressait au-dessus de lui.

— Elle appartient à l'équipe de la Caverne, ajouta-t-elle en le toisant. Et elle a dit non.

Bruno se releva, son étroit visage rougissant.

— Tu ferais mieux de faire gaffe, grogna-t-il.

Mouette lui rit au nez.

— Tu sais très bien quelles limites a fixées Oracle.

Il cracha aux pieds de la femme avant de se diriger vers les broussailles pour regagner sa tour. Mouette se tourna vers Serina.

— Ça va ?

La jeune fille hocha la tête en silence, même si ce n'était pas la vérité. Son cœur continuait à battre dans sa poitrine, et elle avait si mal à la tête qu'elle avait l'impression que des flammes se déchaînaient dans son crâne. Mouette avait frappé ce garde. Elle l'avait arrêté.

— Quelles sont les limites fixées par Oracle ? s'enquit Serina d'une voix encore faible et tremblante.

Mouette la prit par les épaules et l'entraîna sur le chemin.

— Le système, ici, repose sur un équilibre très fragile. Dans l'arène, les gardiens ont tous les pouvoirs, mais sur le reste de l'île… ils sont séparés. Certains font des patrouilles, d'autres montent la garde sur des tours. Nous arrivons parfois à riposter. Oracle n'accepte pas que les gardiens nous forcent à faire des choses contre notre volonté.

Mouette lui adressa un sourire rassurant.

— La plupart des gardiens nous laissent tranquilles, maintenant. Bruno est un imbécile, il ne tiendra pas longtemps ici.

Les mains de Serina tremblaient. Elle fixait ses pieds qui peinaient sur le sentier irrégulier.

— Je ne savais pas quoi faire…

Mouette lui pressa l'épaule.

— Il faut se défendre. Toujours.

Lorsqu'elles atteignirent la grotte, Mouette poursuivit son chemin. Personne ne traînait à l'entrée du tunnel, pourtant c'était presque l'heure du dîner.

— Où va-t-on ? demanda Serina.

Sa migraine brouillait les contours des objets dans son champ de vision, donnant au crépuscule un aspect irréel.

— Il y a un nouveau combat, l'informa Mouette en glissant ses cheveux derrière ses oreilles. Oracle m'a chargée d'aller te chercher. Elle savait que j'avais besoin de quelques moments en solo avant de me rendre à l'amphithéâtre.

Serina releva aussitôt la tête.

— Un autre bateau est arrivé ? Déjà ?

Mouette hocha la tête.

— De nouvelles rations. De nouvelles prisonnières.

Serina déglutit, la gorge sèche.

— Et qui Oracle va-t-elle envoyer dans l'arène ?

Mouette ne lui répondit pas. Elle évoluait avec aisance sur le chemin accidenté, malgré la quasi-pénombre. Serina trébuchait derrière elle. Un profond malaise écœurant se diffusait en elle. Il ne pouvait y avoir qu'une seule raison pour laquelle Mouette avait besoin d'un peu de solitude avant le combat.

— Mouette…

— Ne t'en fais pas, finit-elle par lui répondre d'une voix à la légèreté trompeuse. J'ai déjà remporté deux combats.

Le temps qu'elles atteignent l'amphithéâtre en ruine, la plupart des membres de leur équipe étaient déjà arrivés. Après avoir serré une dernière fois le bras de Serina, Mouette se dirigea vers la scène, où l'attendait Oracle. La jeune fille, elle, trouva un endroit où s'asseoir, près de Jacana et de Gia. Falaise les rejoignit, accompagnée d'une femme d'un certain âge débraillée et terrifiée.

— Assieds-toi ici, lui dit Falaise. Et ne pleure pas. Les gardiens traqueront tes faiblesses pour s'en servir contre toi. Ne les laisse pas faire.

Elle leur avait servi le même laïus à leur arrivée, et Serina se demanda combien de fois la détenue avait prononcé ces mots.

— Où étais-tu ? lui demanda Jacana en la tirant par la manche.

Serina sentait la présence fantomatique de la main de Bruno sur sa gorge. Elle leva les yeux vers le balcon et ne le vit pas.

— Je me promenais, se contenta-t-elle de répondre, reportant aussitôt son attention sur Mouette.

Oracle se trouvait près d'elle et lui parlait tout bas.

— Falaise, qu'est-ce qu'elle lui dit ? demanda-t-elle en montrant les deux femmes du doigt.

— Oracle est capable de deviner, presque au premier coup d'œil, la technique de combat d'une personne, d'identifier ses points forts et ses faiblesses. Il suffit d'un ou deux mouvements pour qu'Oracle puisse ensuite dire ce que cette personne va faire, avant qu'elle ne le fasse. C'est ce qui lui a valu son surnom. Elle a déjà vu toutes ces femmes se battre. Elle explique à Mouette comment avoir le dessus.

— Et là, ce sont les cheffes des autres équipes, avec leurs combattantes ?

Serina observa les femmes à la lisière de l'arène. Les jaugea. Les championnes étaient-elles bonnes cette semaine ? Mouette avait-elle une chance de les battre ?

Falaise inclina la tête vers le duo qui se trouvait le plus à gauche. Une femme dominait sa compagne : ses bras et ses jambes, filiformes, étaient aussi raides que des barres de fer.

— La grande, là-bas, c'est Brindille, à la tête du camp de la Plage. Elles vivent sur la côte au nord.

— Elle s'appelle Brindille à cause de son physique ?

Serina tentait de se concentrer. Elle tentait de ne pas oublier de respirer. Falaise lui jeta un regard noir.

— On l'appelle Brindille parce qu'elle aime briser les os de ses adversaires. Comme des brindilles.

L'estomac de Serina se souleva. Falaise lui indiqua les deux femmes juste à côté.

— Là, c'est Balafre, à la tête de l'Hôtel Misère. Celle coiffée en pétard. Elle fabrique des couteaux.

La fille à côté d'elle sautillait sur la pointe de ses pieds, et ses cheveux noirs reproduisaient le mouvement.

— Les gardiens vous autorisent à utiliser des armes pendant les combats ? demanda Gia, les yeux écarquillés.

— Non, lui répondit Falaise avec un reniflement. Les gardiens les leur prennent, à elle et aux filles de son équipe, mais elles trouvent sans arrêt de quoi en fabriquer d'autres.

Cette île n'accueille pas vraiment des femmes habituées à obéir aux lois, si ?

— Pourquoi les gens t'appellent Falaise ? lança soudain Jacana.

Après l'avoir longuement dévisagée, elle répondit :

— Parce que, après avoir assisté à mon premier combat, j'ai failli sauter d'une falaise.

Le commandant Ricci appela les concurrentes sur scène, comme la dernière fois, avant de monter sur le balcon. On n'entendit alors plus qu'un grondement de voix masculines : les gardiens faisaient leurs paris. Ricci souleva une caisse au-dessus de sa tête.

— À quoi servent ces caisses ? murmura Serina.

L'attention de Falaise était entièrement accaparée par le spectacle.

— Il aime pimenter les combats. Les caisses contiennent des choses différentes à chaque combat. Une fois, il en a jeté une remplie de cordes et les filles se sont toutes étranglées.

Le commandant lâcha la boîte et cria :

— Prêtes… feu… partez !

Les panneaux en bois volèrent en éclats et un nuage de guêpes s'échappa du nid à l'intérieur, qui avait lui aussi été détruit. Les spectatrices des premiers rangs se dispersèrent aussitôt.

La championne du camp de la Jungle envoya d'un coup de pied le nid en direction d'une autre des filles, puis se jeta sur Mouette. Elle voulut lui décocher un direct en plein visage, que celle-ci esquiva. Ensuite, d'un mouvement vif et brutal, elle bloqua la tête de son adversaire avec ses deux bras et lui tordit le cou. La fille de la Jungle s'écroula à terre, sa tête formant un angle inhabituel avec le reste de son corps.

Sur le balcon, les gardiens acclamaient les combats. Serina étouffa un sanglot. Elle ne pouvait pas ignorer la réalité cette fois, elle ne pouvait pas fermer les yeux. Elle n'arrivait pas à croire qu'elle devrait y passer elle aussi. Elle ne survivrait jamais à un combat…

Un cri déchirant résonna : l'une des femmes s'éloignait des autres en se tordant de douleur. Les guêpes s'étaient amassées sur elle. Elle se griffait le visage. Une grande femme – qui se battait pour la Plage – décocha un coup dans les genoux à la pauvre misérable. Celle-ci tomba par terre et vagit en gesticulant :

— Je me rends ! Je me rends !

Personne ne vint la chercher ni ne l'aida avec les guêpes. Quelques secondes plus tard, tandis que les trois combattantes restantes échangeaient des coups, la femme cessa de hurler. De bouger. De respirer. Son visage était violacé et enflé, comme si elle avait été étranglée.

Le moindre muscle, la moindre cellule du corps de Serina brûlaient de quitter le banc en pierre brute, de s'échapper de cette arène et des horreurs qui s'y déroulaient.

Avec un craquement terrifiant, la combattante de l'Hôtel Misère se débarrassa de celle du camp de la Plage. Alors qu'elle se dressait encore au-dessus du corps de sa victime, Mouette la frappa de toutes ses forces. Il ne restait plus qu'elles deux.

La fille tomba, mais, avant que Mouette puisse l'atteindre une seconde fois, elle déploya une jambe et la fit tomber. Au lieu de se battre au sol, Mouette se releva d'un bond et recula de quelques pas.

L'espace d'un instant, les deux adversaires se toisèrent au-dessus des corps qui jonchaient la piste. La rivale de Mouette mesurait la même taille qu'elle, elle avait une touffe de cheveux châtains et un visage étroit. Serina avait du mal à déterminer laquelle serait la plus forte.

Cogner, pousser, esquiver…

Mouette évitait toutes les attaques, presque comme si elle était capable de les anticiper. Sa décontraction et son éternel sourire avaient disparu derrière une expression froide et calculatrice dont Serina ne l'aurait jamais crue capable.

Le poing de Mouette s'écrasa une fois de plus sur la mâchoire de son adversaire, qui poussa un cri de rage. Mouette profita d'avoir l'avantage et décocha un nouveau coup violent. La fille de l'Hôtel Misère recula. Mouette avança. Elle martela le visage et le ventre de sa rivale, mettant toute son énergie dans chaque attaque. Elle avait l'intention de briser des os.

Personne n'acclamait ni ne sifflait, pas même les gardiens. Il n'y avait pas un seul bruit dans le public.

Le visage de la fille de l'Hôtel Misère était gonflé, couvert de sang. Sa chevelure était plaquée sur son crâne, alourdie par la sueur et le sang. Elle se tenait en bordure de la piste, les mains levées pour se protéger. Elle ne cherchait plus à répliquer. Mouette pivota sur le côté et planta son pied dans le genou de l'autre. Avec un cri terrifiant, celle-ci s'écroula. Elle se roula en boule en tenant sa jambe blessée et rentra la tête dans les épaules. Mouette marqua un temps d'arrêt et Serina comprit ce qu'elle attendait. Elle voulait que son adversaire se rende.

Mais celle-ci ne prononça pas un seul mot.

Mouette serra les poings, le visage déformé par une grimace. Puis elle se jeta sur sa rivale et lui empoigna le cou à deux mains : pour l'étrangler ou lui briser les os.

De la bile monta dans la gorge de Serina. Elle ne pouvait pas regarder. Elle ne pouvait pas voir une autre fille mourir. C'était un acte si délibéré cette fois, il n'était pas dicté dans le feu de l'action par l'instinct de survie. Mouette ne se défendait plus : elle s'apprêtait à commettre un meurtre.

Soudain, Serina se sentit oppressée par la foule, la chaleur, le silence électrisé du public qui assistait aux derniers instants d'une prisonnière. Elle ne put le supporter. Elle abandonna sa tête dans ses mains au moment où tout le monde retenait son souffle alentour. Elle releva les yeux, juste à temps pour apercevoir un éclair, un objet qui réfléchissait la lumière.

Mouette ouvrit la bouche.

Ses mains lâchèrent le cou de son adversaire… pour se porter sur le sien. Ses doigts devinrent noirs. Non, rouges. Elle tentait d'arrêter le sang. Le sang qui s'échappait de son corps, de sa gorge. Elle émit un étrange gargouillement. Alors qu'elle se laissait tomber lentement à genoux, la combattante de l'Hôtel Misère se releva en tenant sa jambe blessée. Dans sa main, quelque chose luisait. Un couteau.

— Tricheuse ! cria une spectatrice avec rage.

Un bruissement d'indignation traversa l'amphithéâtre.

Le gargouillement cessa. Mouette s'écroula sur le flanc, les yeux toujours ouverts.

Serina ne pouvait plus respirer, le monde disparaissait puis réapparaissait devant elle, comme si c'était elle qui était allongée là-bas, étendue dans une flaque de son propre sang. Son cerveau ne lui répondait plus. Elle n'arrivait pas à intégrer l'idée…

La gagnante leva un poing ensanglanté vers le ciel.

Son équipe l'acclama.

Il y eut de l'agitation près de la scène. Oracle et Braise se précipitèrent pour récupérer le cadavre de Mouette. Elles l'emportèrent ; le sang qui gouttait marquait leur sillage. Serina fixait la trace écarlate sur la pierre pâle. Tant de sang avait coulé dans cette arène. Comment était-il possible qu'un si grand nombre de morts ne laissent aucune tache ?

16 - NOMI

Nomi se trouvait sur le toit du plus haut bâtiment de Bellaqua, et le vent mugissant gonflait sa robe noir et argent. Angeline avait été folle de joie toute la journée, l'assommant d'anecdotes sur le Premio Belaria : *la course de chevaux la plus célèbre au monde, la seule à se dérouler dans les rues d'une ville, la course la plus difficile de l'histoire.* Nomi l'avait écoutée parler en détail des concurrents les plus fameux : ceux qui avaient gagné, et ceux qui étaient morts.

— Son Éminence Asa y a participé il y a deux ans, avait ajouté Angeline en se pâmant. Il était le plus jeune participant, et il a gagné ! C'était une année particulièrement violente, avec plusieurs morts.

Nomi ne s'était jamais intéressée, de près ou de loin, aux courses de chevaux. Pourtant, juchée sur cette tour, très haut au-dessus des rues, elle se sentit gagnée par une impatience nerveuse.

Derrière presque toutes les fenêtres, sur presque tous les toits, elle apercevait les silhouettes d'autres spectateurs. Les rues et les canaux, eux, éclairés par les réverbères et déserts, étaient lugubres.

— La ville retient son souffle, murmura Maris.

Elle portait sa robe verte cloutée. Avec ses cheveux qui flottaient au vent et son visage éclairé par une torche vacillante, il se dégageait d'elle une impression de danger.

Derrière elles, une tourelle se dressait dans le noir ; l'étroite galerie qui l'entourait était bondée : le Supérieur et ses Grâces, l'Héritier et les siennes. Il y avait également quelques dignitaires et serviteurs, sans oublier plusieurs soldats, qui montaient la garde de part et d'autre de la porte menant à l'escalier. Et quelque part se trouvait Asa. Nomi avait passé la soirée à le chercher, à se demander si elle réussirait à s'entretenir avec lui, seule à seul.

Elle l'avait aperçu, brièvement, en atteignant le sommet de l'escalier en colimaçon, les pieds écorchés par des chaussures peu confortables. Elle regardait autour d'elle à présent, mais il avait disparu.

— C'est tellement grisant, lança Cassia en prenant appui sur la balustrade à côté de Nomi. On n'a pas de courses de chevaux à Sola.

Maris secoua la tête :

— Je ne comprends toujours pas comment les chevaux ne se tuent pas en cavalant sur des pavés et en traversant des ponts aussi étroits…

— Beaucoup perdent la vie, justement, dit Malachi, qui s'était approché dans leur dos. Parfois leurs cavaliers aussi. Le Premio Belaria est une course violente. Virages aveugles, rues exiguës, chaussée irrégulière, sans parler des passages qui exigent de nager… Il faut du talent, de la chance et un cheval hors pair pour remporter cette compétition.

— Que c'est excitant !

Cassia se retourna et s'adossa à la balustrade – cette posture accentua ses formes voluptueuses. Sa robe violette scintillait sous l'éclairage artificiel.

— Avez-vous déjà pris part à cette course, Votre Éminence ?

Un muscle de la mâchoire de Malachi tressauta :

— Non, mais mon frère, oui.

Nomi ne parvenait pas à déchiffrer son expression, toutefois elle perçut la tension discrète derrière chacun de ses mots. Elle reporta son attention sur la ville, à ses pieds : le trajet de la course était bien éclairé, l'obscurité enveloppait le reste. La ligne d'arrivée était symbolisée par deux énormes drapeaux rouges, suspendus au-dessus de la chaussée sur le bâtiment où elle se trouvait.

L'un des émissaires du Supérieur donnerait le départ de la course puis, quand elle serait terminée, celui-ci en personne remettrait la coupe au vainqueur. Son Éminence ne se trouvait pas très loin, il agrippait la rambarde avec ses mains squelettiques. Bien que chétif et émacié, il continuait à se tenir droit comme un I. Elle le vit adresser un signe de tête à quelqu'un : un soldat quitta son poste contre le mur pour disparaître dans l'escalier.

Nomi se tourna vers Malachi :

— J'ai cru comprendre que votre frère avait gagné une course précédente, Votre Éminence.

Toute la journée, Nomi avait tenté d'imaginer Asa participant à une telle compétition, et la seule image qui s'était présentée à son esprit était celle de son doux sourire ironique.

— Oui, confirma froidement Malachi. Il a gagné.

Nomi leva un sourcil. L'Héritier était-il jaloux des exploits de son frère cadet ?

Soudain, un cri perçant fendit l'air.

Les oreilles de Nomi tintèrent dans le silence qui suivit. Elle ne pouvait voir le départ de la course depuis son perchoir. Elle entendit néanmoins un bruit qui ressemblait à un coup de tonnerre distant, et le hennissement d'un cheval.

Cassia poussa un glapissement fébrile. Maris se pencha par-dessus la balustrade, se dévissant le cou pour apercevoir les concurrents. La foule se déplaça de l'autre côté de la tourelle pour avoir une meilleure vue. Malachi offrit son bras et Cassia s'empressa de le prendre, avant que Nomi ou Maris n'en ait l'occasion. Ils suivirent le troupeau de spectateurs. Maris leur emboîta le pas. Nomi voulut aussi les accompagner, mais elle aperçut Asa, accoudé sur la balustrade à quelques mètres de là, seul. Il ne restait presque plus personne de ce côté de la tour. Nomi hésita.

Malachi ne jeta pas un seul regard en arrière. Il disparut derrière le mur incurvé de la tourelle, avec Cassia et Maris. Chassant un dernier frémissement d'hésitation, Nomi prit la direction opposée.

Des acclamations s'élevèrent au loin, et le fracas des sabots devint de plus en plus fort. Nomi s'approcha d'Asa en espérant qu'il ne verrait pas trop clair dans son jeu. Il sourit dès qu'il l'aperçut.

— La vue est loin d'être imprenable ici. Tu n'es pas amatrice de courses de chevaux ?

Sa franchise avait quelque chose de séduisant. Il était si différent de Malachi, qui semblait constamment broyer du noir, avec son renfrognement perpétuel.

— Je n'ai jamais assisté à une course, alors je n'en sais rien, lui répondit Nomi. Ce que je sais, c'est que je n'aime pas la foule.

Asa se pencha pour tenter d'apercevoir les chevaux qui approchaient. Le vacarme enflait : le rugissement des spectateurs, les cris des chevaux, le fracas cadencé des sabots.

Nomi voulait l'attirer en arrière, loin de la balustrade. Ça la rendait nerveuse de le voir ainsi, tout le buste au-dessus du vide.

— J'ai entendu dire que vous étiez un grand amateur de courses de chevaux. Et même que vous avez remporté cette course une année. Vous êtes le plus jeune vainqueur à ce jour.

Il la regarda avec une lueur diabolique dans l'œil.

— C'est vrai. Le champion du Premio Belaria. J'ai une belle coupe dorée. Il m'arrive de boire du vin dedans pour me souvenir que mon talent et ma réussite sont sans pareils.

— Vous oubliez votre modestie ! s'esclaffa Nomi.

Asa joua l'innocence en écarquillant les yeux.

— Je me présente, le maître ultime de toutes choses, à votre service, dit-il en s'inclinant. Et, j'en suis désolé, les maîtres ultimes ne sont pas modestes.

Nomi leva les yeux au ciel sans pouvoir retenir un sourire malgré tout.

Les premiers chevaux jaillirent à la sortie du virage et s'élancèrent dans la rue à leurs pieds. Ils devaient encore faire une boucle sur la place principale, monter un petit pont et traverser un canal avant de revenir franchir la ligne d'arrivée. De la tourelle, ils pourraient suivre le reste de la course. Déjà les spectateurs se massaient contre la balustrade.

— Est-ce que les maîtres ultimes sont omniscients ? demanda Nomi en lui coulant un regard en biais.

— Bien sûr, répondit Asa. Je peux d'ailleurs te dire que le cheval en jaune, monté par le jockey en sang, sera notre champion.

Le cavalier en question et sa monture n'étaient pas les seuls à s'être battus. Nomi vit un cheval avec une entaille à l'épaule et un jockey qui semblait à deux doigts de tomber de sa selle.

— L'année où j'ai participé, j'étais couvert de sang à la moitié de la course, poursuivit Asa d'un ton détaché. Je m'étais ouvert le front sur un pont en traversant un canal. Crois-en un maître ultime omniscient : c'est une course très, très violente.

Le cœur de Nomi semblait tambouriner dans ses oreilles. Elle observa les gens autour d'elle. Malachi n'était nulle part en vue, et personne ne lui prêtait attention. C'était l'occasion qu'elle attendait.

— Et, avec toute son omniscience, commença-t-elle en suivant la course parce qu'elle n'osait pas regarder Asa dans les yeux, le maître ultime aurait-il la moindre idée de ce qu'il est advenu de la modeste sœur d'une des Grâces ?

L'un des chevaux de tête glissa sur la passerelle et bascula dans le canal. Il crachait et hennissait.

Nomi retint son souffle. Quelqu'un la bouscula, un homme d'un certain âge, avec de grosses bajoues et des sourcils épais. Asa la prit délicatement par le coude pour l'attirer un peu plus près de lui et l'éloigner de ce fâcheux.

Son ton n'avait plus rien de taquin. Avec douceur, il lui dit :

— Le maître ultime a la réponse, mais il craint que ce ne soit pas celle que tu espères.

Le ventre de Nomi se serra, elle ferma les yeux.

— Que lui est-il arrivé ? murmura-t-elle en rassemblant ses forces.

— Elle a été envoyée au Mont Destruction, murmura Asa. Je suis vraiment navré.

Les mots écrasèrent la poitrine de Nomi comme de lourdes pierres. *Le Mont Destruction…*

— Pour combien de temps ?

— Je suis navré, répéta-t-il. Personne ne quitte cette île.

Nomi cacha son visage dans ses mains tandis que son cœur se brisait. Elle était détruite par ce qu'elle venait d'apprendre. *C'est ma faute…*

L'ovation de la foule éclata tout autour d'eux : le cheval victorieux venait de franchir la ligne d'arrivée dans un tumulte de sabots. Nomi souleva les paupières et aperçut un éclair jaune avant que le reste des cavaliers défilent sous ses yeux. Se ressaisissant, elle essuya les larmes sur ses joues. Elle ne pouvait pas s'effondrer ici, maintenant, au milieu de cette foule.

Des spectateurs se penchaient par toutes les fenêtres, agitant des serviettes au-dessus des rues. Une par une, les serviettes tombèrent sur les concurrents, qui s'écroulaient d'épuisement maintenant que la course était terminée.

Elle fut surprise de sentir la main d'Asa sur la sienne.

— Je peux essayer d'en apprendre plus, chuchota-t-il. Les conditions de sa détention, si elle est bien traitée… obtenir des informations.

La gorge de Nomi se serra. Les femmes n'étaient jamais condamnées à mort au Viridia. La prison était le châtiment le plus sévère, et le Mont Destruction la pire de toutes. On y envoyait les meurtrières, les traîtresses et les voleuses.

Serina avait seulement tenu un livre entre ses mains. Que s'était-il passé ?

— Te souviens-tu de la terrasse où nous nous sommes parlé la première fois ? Crois-tu que tu saurais y retourner ? lui demanda Asa d'une voix qui se faisait pressante.

Elle hocha la tête en silence. Asa lui serra le bras d'un geste qui se voulait réconfortant.

— Retrouve-moi là-bas dans trois jours, quand la lune sera haute dans le ciel et que tout le monde dormira. Je devrais en savoir plus.

— Merci, dit-elle d'une voix rauque qui semblait appartenir à une étrangère.

Du coin de l'œil, elle aperçut Malachi qui venait dans sa direction, flanqué de Cassia et de Maris. Au désespoir, Nomi s'efforça d'apaiser les émotions qui devaient transparaître sur son visage. Asa remarqua aussi son frère. Il décocha un sourire en coin à Nomi.

— Je vais aller récolter mes gains. Le maître ultime de toutes choses avait parié sur le bon cheval.

Il se fondit dans la foule au moment où Malachi et sa suite rejoignaient Nomi.

— Te voilà ! lui lança l'Héritier. Tu as apprécié la course ?

Elle acquiesça.

— C'était encore plus exaltant que je ne l'imaginais, Votre Éminence.

Exaltant et dévastateur.

Elle prit part aux célébrations, un sourire factice rivé aux lèvres. À l'intérieur, elle n'était qu'un champ de ruines, de cendres fumantes.

17 - SERINA

Oracle et Braise transportèrent le cadavre de Mouette à la grotte. Elles le déposèrent délicatement sur une vieille table en bois aux pieds calcinés, tout au fond de la cavité, à l'écart des paillasses. Deux femmes allumèrent des torches, près de sa tête et de ses pieds. Une autre apporta de l'eau pour laver le sang.

Assise parmi le reste de l'équipe, les genoux repliés contre sa poitrine, Serina suivait la scène. Personne ne parlait ni ne se préparait pour la nuit, alors même qu'il était bien plus de minuit.

Les yeux de Serina la brûlaient.

Oracle enveloppa Mouette dans un drap blanc, lissant le tissu élimé sur les joues et les bras de la défunte. Braise et deux autres femmes la rejoignirent. À elles quatre, elles hissèrent le cadavre sur leurs épaules.

Serina suivit la procession dehors. Elle ignorait où elles allaient. Elle n'avait conscience que de l'obscurité oppressante et du drap blanc de Mouette, qui montrait la voie.

Elles marchèrent durant ce qui lui parut des heures. À un moment donné, la lueur des torches fut mêlée à un rougeoiement. Le chemin devint plus ardu, plus étroit. Quand la file indienne de femmes finit par s'arrêter, une chaleur sèche et soufrée agressait les joues de Serina.

Un autre cratère fendait la nuit, en activité celui-ci.

À leurs pieds, la croûte terrestre avait craqué, dévoilant une petite mare de lave, si éclatante que la vision de Serina était colorée en rouge.

La voix d'Oracle s'éleva dans le noir. Une par une, les femmes se joignirent à elle, et la chanson couvrit les crépitements incessants de la lave en fusion. Serina ne connaissait pas les paroles, pourtant le rythme étrange ne tarda pas à se graver dans sa poitrine et, bientôt, elle chantait elle aussi :

Feu, respire
Eau, brûle
Terreur, reflue
Ton règne est fini
Feu, respire
Eau, brûle
Étoiles, montrez la voie
Votre sœur est là

Avec un cri retentissant, Oracle et les trois autres sœurs levèrent le corps de Mouette très haut au-dessus de leurs têtes. Puis toutes les femmes se joignirent à cette lamentation, leurs voix montant dans le ciel telle une volée de rapaces. Le drap blanc rougit au moment où le corps de Mouette coula dans le volcan. Des étincelles jaillirent, s'élevèrent et voletèrent jusqu'aux étoiles. Les femmes attendirent qu'elles s'éteignent, et que la nuit redevienne silencieuse.

Serina déglutit pour apaiser sa gorge irritée, écorchée à force de hurlements. Ses mains étaient des poings serrés le long de ses flancs et ses joues étaient mouillées. Elle suivit les autres femmes dans la jungle, néanmoins, lorsqu'elle atteignit l'entrée de la grotte, elle poussa plus loin, aspirant désespérément à la solitude.

Un sentier étroit menait à la côte. Le clair de lune la guida à travers les arbres, jusqu'à un autre gigantesque champ de lave où les vagues et volutes de roche prenaient un éclat argenté. Le calme de la nuit était parfait. Même si, très loin, elle voyait clignoter des lumières.

Elle prit leur direction. Ce ne fut que lorsque ses pieds s'arrêtèrent en dérapant au bord de la falaise, lorsque le vent strident et les vagues déferlantes emplirent de leur vacarme ses oreilles, qu'elle comprit : ces signaux lumineux étaient les lumières de Bellaqua. De jour, la ville était invisible, mais dans le noir, le moindre scintillement devenait discernable.

Son cœur se serra. Quelque part, hors de son champ de vision, dans un palais d'or et de verre, Nomi était sans doute en train de danser avec l'Héritier. Serina savait que sa sœur n'avait pas voulu ce qui s'était passé. Ce qui ne l'empêchait pas de regretter, dans la moindre parcelle de son corps, que Nomi n'ait pas été capable, pour une fois, de se comporter comme une femme de devoir.

Serina baissa les yeux vers l'écume blanche à ses pieds. Pourrait-elle sauter ? Elle pouvait tenter de nager, de sortir des eaux environnant l'île et de se laisser porter par le courant jusqu'à Bellaqua. Peut-être risquait-elle de couler et d'élire là sa dernière résidence, ce qui serait, en quelque sorte, le couronnement parfait d'une situation aussi tragique.

— Ce n'est pas la meilleure falaise pour sauter.

Serina recula en vacillant, s'éloigna du rebord, transpercée par la terreur. Ce n'était pas Bruno mais Valentino, ses cheveux noirs ébouriffés par le vent. Avec le rugissement des flots, elle ne l'avait pas entendu approcher. En baissant les yeux vers les tourbillons d'eau, il ajouta :

— Ces courants t'éloigneront de la côte avant de t'aspirer vers le fond. Les meilleures falaises pour sauter sont celles avec des tas de rochers en bas. Tu as plus de chances de mourir sur le coup. C'est rapide. Et sans doute indolore, si tu tombes au bon endroit. Pour certaines, ça ne marche pas. Elles se brisent le dos ou les jambes, puis elles se noient en hurlant. Les falaises du sud sont les meilleures. Le sol est plus accidenté à leur pied.

Serina serra les bras sur sa poitrine. Ça en vaudrait presque le coup, pour laver le sang de ses souvenirs, pour faire taire les cauchemars.

— Ne saute pas, ajouta Val d'une voix que le vent emporta.

Serina lui jeta un coup d'œil surpris. Dans le noir, elle avait du mal à déchiffrer son expression.

— Tu viens de m'expliquer comment m'y prendre, justement.

— C'est parce que le choix t'appartient. Et tu dois le faire en connaissance de cause.

Il fixa les lumières lointaines avant de conclure :

— Mais j'espère que tu ne sauteras pas.

— Pourquoi ?

Contrairement à Bruno, il ne cherchait pas à jouer de sa position de pouvoir. Et il était impossible qu'il soit en train de tomber amoureux d'elle. Dans sa tenue élimée de prisonnière, avec son visage brûlé par le soleil et ses cheveux sales, elle n'avait plus rien à voir avec la candidate élégante qui gravissait les marches du palais du Supérieur, deux semaines auparavant. Alors pourquoi se souciait-il de ce qu'elle deviendrait ?

Il haussa les épaules, ne quittant jamais du regard l'océan éclairé par les étoiles.

— Une personne à laquelle je tenais a été envoyée ici. Avant mon arrivée. Elle a sauté.

Serina en eut le souffle coupé, et une sensation d'étouffement se diffusa dans sa poitrine.

— Je suis désolée, Valentino.

— Val, la reprit-il. Je pense souvent à elle. Je me demande surtout ce qui se serait passé si quelqu'un avait été là pour elle, comme moi pour toi.

Il retira sa casquette et passa une main dans ses cheveux décoiffés.

— Peut-être qu'elle serait encore en vie…

— Alors tu t'es fait une mission de dissuader les détenues de sauter.

Il n'en restait pas moins un gardien. Il jouait un rôle dans les traitements inhumains qu'on leur infligeait. À l'instar de Bruno. Serina observa son profil, qui se détachait avec précision sur le clair de lune. Elle durcit le ton :

— Et les combattantes ? Ça ne te dérange pas de voir des femmes s'entretuer ? Tu applaudis autant que les autres ?

— Si ça me dérange ?

Il pivota vers elle pour lui faire face, la mâchoire agitée d'un tic nerveux. D'une voix vibrante d'émotion, il ajouta :

— Tous les soirs, dès que je ferme les yeux, je les vois. Et toujours elles souffrent, toujours. Elles resteront gravées dans ma mémoire jusqu'à ma mort.

Serina le considéra avec ébahissement. Elle s'était attendue à tout sauf ça.

— S'il te plaît, dit-il d'un ton implorant, à peine audible avec le mugissement du vent, je préférerais que tu ne viennes pas me hanter non plus.

Bien malgré elle, Serina se radoucit. Elle était convaincue qu'il ne cherchait pas à la réconforter, et pourtant ses mots la rassuraient. Si elle mourait ici, une personne au moins se souviendrait d'elle. Il se tourna à nouveau vers le large et quelque chose dans sa posture, dans ses intonations graves, poussa Serina à demander :

— Ça t'arrive de te retrouver au bord de la falaise, toi aussi ?

Val lui jeta un regard peuplé d'ombres inquiétantes et insondables.

— En permanence.

Parfois, Serina se demandait comment Nomi s'adapterait à la vie ici. Peut-être serait-elle une combattante acharnée, à moins qu'elle ne ressemble davantage à Oracle, suffisamment intelligente pour établir des stratégies et aider les autres. Peut-être chercherait-elle à contourner les règles, comme autrefois. C'était impossible d'affirmer quoi que ce soit. Cependant, Serina savait une chose. Si Nomi était à sa place, elle ne baisserait pas les bras. L'entêtement avait toujours été l'une de ses qualités les plus horripilantes.

Serina sentit monter les larmes.

Nomi ne voudrait pas que sa sœur baisse les bras. Serina devrait apprendre à vivre avec le souvenir de Mouette, avec le sang et les cauchemars. Elle devrait continuer à se battre. Même Mouette le lui avait dit.

Il faut se défendre. Toujours.

Le vent hurlant et implacable traversait la fine chemise de Serina. Elle se détourna des lumières distantes, glaçantes, de Bellaqua pour retourner vers le sentier. Par réflexe, elle attrapa le poignet de Val et le serra.

— Ne saute pas, lui dit-elle.

18 - NOMI

Cela débuta comme un rêve, pas un cauchemar. Nomi et Serina étaient blotties contre Renzo, qui leur lisait « Les Tourtereaux ».

La petite chambre sombre s'ouvrit en deux pour devenir le vaste ciel traversé de courants d'air ; Nomi et Serina étaient devenues des oiseaux, et le vent leur caressait le visage. Serina portait Nomi sur son dos, tel l'oiseau du conte.

Elle l'emporta loin, très très loin, vers le large. Bientôt, Serina fut si fatiguée qu'elle piqua, se rapprochant dangereusement des flots déchaînés. Nomi se mit à battre des ailes pour se libérer de sa sœur et la porter à son tour sur son dos.

Mais Serina était trop lourde, et Nomi trop faible. Elle chercha partout la terre qui émergerait de l'océan, attendant que leur salut arrive. Au lieu de quoi, le ciel s'obscurcit. Les vagues se déchaînaient, le vent lui fouettait le visage.

Nomi n'y tenait plus. Ses ailes battaient mollement, aussi lourdes que du plomb.

Et Serina tomba, avec un hurlement, avant d'être engloutie par l'océan.

Nomi se réveilla dans une mer de sueur, le cœur battant la chamade. L'espace d'un instant, elle crut qu'elle était rentrée chez elle, dans la chambre qu'elle partageait avec Serina. Cependant, le lit était trop moelleux. Trop grand. Et sa sœur n'était pas là pour écarter les cheveux de son front moite, pour lui caresser la tête d'un geste réconfortant qui chasserait le cauchemar. À l'autre bout de la chambre, sur le petit lit de camp près de la porte, Angeline s'agita et soupira dans son sommeil.

Non. Nomi n'était pas chez elle.

Par la fenêtre, elle vit les étoiles qui pâlissaient et la faible lueur de l'aube qui s'intensifiait lentement. Serina observait-elle le même ciel ? Allait-elle bien ?

Je l'ai laissée tomber.

Nomi ne parvenait pas à se débarrasser du sentiment de désespoir qu'elle avait éprouvé dans son rêve. Serina était au Mont Destruction et elle vivait un véritable cauchemar, à cause de sa sœur.

Bien que rongée par la culpabilité, Nomi continuait à entendre l'appel du mystérieux livre, aussi enchanteur qu'une sirène. Quelqu'un l'avait déposé ici à son intention. Pourquoi ? Était-ce un piège ? Un message ?

Derrière elle, Angeline remua à nouveau. Nomi se leva et prit une robe légère dans sa penderie.

Elle arriva la première sur la terrasse du petit déjeuner. Elle choisit une chaise en osier près de la balustrade pour pouvoir admirer le miroitement de l'océan. Des nuages cotonneux montaient lentement à l'horizon. Plusieurs servantes surgirent avec des fruits frais coupés en morceaux et des yaourts. D'autres apportèrent une panière de viennoiseries chaudes et croustillantes. Derrière elles, Maris pénétra sur la terrasse et prit place à côté de Nomi.

— Bonjour, murmura-t-elle en bâillant.

Nomi picorait sa petite coupe de yaourt et de fruits colorés ; l'absence de Serina la tourmentait trop pour qu'elle ait de l'appétit.

— Tu as apprécié la course ? demanda-t-elle à Maris.

— C'était trop sanglant pour moi.

Elle fixait son assiette, les traits déformés par le dégoût.

— Ces pauvres chevaux, ajouta-t-elle.

Cassia fit alors son entrée sur la terrasse.

— Je n'ai jamais rien vu de plus enthousiasmant. Vous avez remarqué cette monture qui a sauté du sommet du pont dans le canal ? J'étais convaincue qu'elle allait se noyer.

Nomi était heureuse d'avoir raté l'essentiel de la course. Elle avait entendu les commentaires des hommes après coup, appris combien de chevaux étaient morts et combien seraient abattus parce qu'ils avaient des jambes cassées. Un cavalier avait succombé aussi.

— Et toi, où est-ce que tu avais disparu ? ajouta Cassia en agitant les doigts dans la direction de Nomi. Malachi n'a guère apprécié d'avoir à te chercher.

Une boule se forma dans l'estomac de Nomi.

— Je préférais rester près de la ligne d'arrivée pour ne pas rater le vainqueur.

Cassia leva les yeux au ciel.

— Tu ne comprends vraiment rien à ta mission, alors ! Tu es là pour plaire à l'Héritier, Nomi, pas pour l'irriter.

Nomi haussa les épaules. Ce n'est pas qu'elle ignorait comment lui plaire. C'est qu'elle n'avait aucune envie de le faire.

Lorsque toutes les Grâces furent attablées, Ines leur déroula le programme de la journée :

— Il n'y a rien de prévu ce soir, alors profitez-en pour vous reposer. Il y aura une réception sur un bateau, la semaine prochaine, en l'honneur d'une délégation de Gault. Le Supérieur a requis la présence de plusieurs harpistes et d'une chanteuse. Je vous ferai part de son choix dans les jours qui viennent. Veillez à bien sélectionner vos robes, et à me les soumettre pour approbation avant la fin de cette semaine, je vous prie.

Elle concentra son attention sur les Grâces de l'Héritier. Nomi s'efforça de ne pas gigoter sur sa chaise.

— Le Supérieur n'a pas été impressionné par ce qu'il a vu hier soir. Vos suivantes doivent faire des progrès en maquillage. Après le petit déjeuner, je voudrais que vous vous attaquiez à ce problème toutes ensemble. Vos suivantes peuvent apprendre au contact les unes des autres.

Nomi retint un soupir. Maris secoua la tête en marmonnant :

— Je déteste le maquillage.

****

Elles se réunirent dans un salon d'essayage près des bains. Le long des murs se trouvaient de jolies tables avec des miroirs dorés, complétées de tabourets sur lesquels on pouvait s'asseoir même avec une crinoline.

Angeline les rejoignit avec une brosse et une trousse à maquillage. Nomi s'assit devant une coiffeuse, juste à côté de Maris. Celle-ci observait son reflet dans le miroir pendant que sa suivante lui brossait les cheveux. La tristesse assombrissait son regard.

— Ces pauvres chevaux… répéta-t-elle.

Angeline la considéra avec compassion avant de dire :

— J'ai toujours été fascinée par cette course, mais elle comporte en effet certains risques. Quand j'étais petite, je m'allongeais dans mon lit et je sentais les vibrations des sabots dans ma poitrine, je priais pour que les chevaux survivent. Je ne m'inquiétais pas autant pour les jockeys à l'époque.

Attendrie par le sourire d'Angeline, Maris se détendit.

— J'étais moi aussi plus inquiète pour les chevaux.

Nomi, qui avait suivi cet échange sans y prendre part, reporta son attention sur son propre reflet. La lumière tamisée et les filigranes dorés autour du miroir donnaient à sa peau un éclat cuivré. Avant de venir au palais, elle n'avait jamais eu le temps, ni même l'envie, de se contempler. À présent, il lui semblait qu'elle ne faisait plus que cela. Elle se demanda si son regard resterait toujours aussi grave.

Les suivantes testèrent différentes techniques sur leurs Grâces, jusqu'à ce que Nomi ait la peau qui tire et les paupières lourdes. Dès qu'Ines valida l'œuvre de sa suivante, elle se leva.

— Angeline, je n'ai pas récupéré de ma mauvaise nuit, lui glissa-t-elle, je crois que je vais aller m'allonger.

— Bien sûr, reposez-vous bien.

Dans la chambre, Nomi referma la porte et s'y adossa, les yeux rivés sur ses draps d'un blanc éclatant, puis sur le petit lit de camp où Serina avait passé la première nuit et qui était devenu précieux pour Nomi. Dehors, les nuages vaporeux s'étaient épaissis et assombris, troublant le bleu du ciel.

De combien de temps disposait-elle avant qu'Ines ne vienne la chercher pour un autre entraînement ? Ou Angeline ? Oserait-elle ?

Nomi glissa sa main sous le matelas et tendit le bras jusqu'à ce qu'elle sente un coin pointu. Elle sortit le livre et s'étendit sur son lit. Elle caressa le doux cuir.

Une brève histoire du Viridia.

Elle savait déjà tout ce qu'il y avait à savoir. Un roi régnait sur le pays avant les Inondations, qui le détruisirent en grande partie. Quand les eaux se retirèrent, l'essentiel de la population avait péri, avec la famille royale. Un nouveau gouvernement devait succéder à celle-ci. Le premier Supérieur était l'un des plus proches conseillers du roi. Il prit le pouvoir et rebâtit le Viridia.

Nomi ouvrit malgré tout l'ouvrage.

Le passé du Viridia est bien rempli, de l'arrivée des premiers colons à une époque reculée…

Nomi savourait les mots, les faisant rouler sur sa langue sans les prononcer à voix haute, les laissant couvrir les questions dans sa tête. Tant qu'elle lisait, elle ne pensait pas à Serina. Elle vivait dans cette langue composée de lettres noires. Elle tourna les pages.

Les colons virent la naissance d'un gouvernement religieux, conduit par le cardinal Bellaqua.

Renzo avait appris beaucoup de choses à son sujet à l'école. Cet homme d'Église était considéré comme une figure héroïque bien que tragique, il avait été renversé par un mercenaire, le futur roi Vaccaro.

Le long règne illustre du cardinal Bellaqua connut une fin abrupte lorsqu'il fut séduit…

Séduit ? Nomi fronça les sourcils et poursuivit sa lecture :

… et empoisonné par une guerrière de l'Azura. S'étant emparée du trône, elle devint la reine Vaccaro, tenant le pays sous sa poigne…

Le corps entier de Nomi se tendit. La reine Vaccaro ? Ce n'était pas l'histoire qu'elle connaissait. Brusquement, le monde lui paraissait désaxé.

… en dépit de nombreuses tentatives pour la renverser, durant près de trente ans. Elle s'accrocha au pouvoir, et après elle sa fille, puis sa petite-fille. Toutefois la résistance grandissait.

Incrédule, Nomi lisait de plus en plus vite. Elle revisitait toute l'histoire de son pays, qu'elle avait cru pourtant connaître.

Enfin, son étonnement ne cessant de croître, elle finit par découvrir la véritable origine des Inondations : Nomi avait toujours cru qu'il s'agissait d'une catastrophe naturelle ayant touché le monde entier. Mais *Une brève histoire du Viridia* affirmait qu'en réalité l'ensemble des infrastructures du pays avaient été saboté pour provoquer un cataclysme qui renverserait la monarchie. Qui en étaient les instigateurs ? Les conseillers de la reine, qui prirent ensuite le pouvoir. *Les héros du Viridia*, assurait l'historien.

Le premier Supérieur fit de la reine et de ses deux filles ses Grâces, restreignant les droits et activités des femmes à travers le pays, de peur que son règne ne coure le même risque que celui du cardinal Bellaqua. Sa stratégie drastique se révéla payante, garantissant au Supérieur et à ses héritiers un pouvoir incontesté sur le pays. Aujourd'hui, la tradition des Grâces est la plus vénérée de tout le Viridia.

La première Grâce était une reine. Toutes les lois de ce pays, toutes ses stratégies pour maintenir les femmes dans l'ignorance et l'impuissance… venaient du fait que les nouveaux dirigeants ne voulaient pas que l'histoire se répète.

L'arrière-arrière-arrière-grand-père du Supérieur avait détruit le Viridia. Volontairement.

Nomi observa par la fenêtre les nuages qui s'amoncelaient à l'horizon. Une rage lourde, brûlante et tenace l'envahit. Le genre qu'elle ne serait pas capable de repousser.

Au Viridia, les femmes étaient opprimées parce que les hommes avaient peur d'elles.

Des femmes avaient gouverné ce pays. Et l'histoire les avait dénigrées. Effacées. Nomi avait la certitude que ce n'était pas ce que Renzo avait appris. Il le lui aurait dit.

Le Supérieur savait, lui. Celui qui avait caché le livre dans la coiffeuse savait.

Et à présent, elle savait, elle aussi.

19 - SERINA

Serina tendit à Jacana la moitié d'un morceau de pain dur. Depuis la mort de Mouette, il n'y en avait plus assez pour tout le monde. Un sanglier rôtissait sur une broche au-dessus du feu, et la graisse qui dégoulinait grésillait dans les flammes. L'odeur de la viande grillée faisait saliver Serina. Pourtant ce n'était encore que l'heure du déjeuner, et le rôti serait prêt seulement pour le dîner.

À quelques mètres de là, Frisson, l'une des femmes qui avaient pris part à la chasse, gémissait. Une profonde entaille courait tout le long de son avant-bras, souvenir d'une des défenses acérées de la bête. Chaque équipe disposait d'une petite trousse de premier secours : pansements, pommade désinfectante, fil et aiguille. Les filles ne pouvaient cependant faire que peu de choses sans médecin. Miroir tentait de recoudre la plaie, mais Frisson bougeait chaque fois que l'aiguille lui transperçait la peau, et les points étaient maladroits, irréguliers.

La blessée poussa une nouvelle plainte, et le visage de Miroir pâlit sous ses taches de rousseur. Serina ne parvenait pas à détourner le regard. Les points étaient si écartés les uns des autres que des parties de la plaie restaient béantes. Celle-ci avait toutes les chances de s'infecter. Le baume ne pouvait pas accomplir des miracles.

N'y tenant plus, Serina tendit le reste de son pain à Jacana et s'approcha de Frisson.

— Donne-moi l'aiguille, dit-elle à Miroir en s'accroupissant à côté d'elle. Tu es en train de lui abîmer le bras.

Celle-ci la considéra avec des yeux écarquillés.

— Pardon ? Je m'en sors très bien.

Serina lui prit l'aiguille des mains.

— Non. Maintenant, pousse-toi. Je peux faire mieux.

Ou du moins, elle le pensait. S'il s'agissait d'un morceau de tissu et de fil à broder, elle en serait certaine. Elle n'avait jamais recousu de peau humaine jusqu'à présent. Serina plongea ses yeux dans ceux de la blessée, livide.

— Écoute-moi, Frisson, dit-elle d'une voix qu'elle s'efforçait de rendre calme et rassurante. Je vais m'occuper de ta blessure, d'accord ?

— Très bien, grogna-t-elle. Je veux qu'on en finisse.

Serina hocha la tête. Miroir s'écarta, la bouche pincée par la vexation. Serina se concentra sur la tâche. La plaie avait été nettoyée mais continuait à saigner. Un tiers environ avait été recousu. Elle se plaça au niveau du dernier point et en ajouta de nouveaux, minuscules, pour rapprocher les lèvres de la plaie. Aussitôt, elle oublia tout sauf le mouvement de ses mains, le va-et-vient de l'aiguille, les petits nœuds qui se succédaient. La peau devenait tissu, le fil chirurgical fil à tisser. Au bout de quelques minutes, la blessure de Frisson était refermée par une suite de points réguliers. Après avoir fait un dernier nœud, Serina recouvrit la cicatrice de pommade.

— Et voilà, terminé.

— Tu as fait si vite, observa avec émerveillement la blessée.

Braise donna un coup dans l'épaule de Serina. Elle venait de raccourcir sa bande de cheveux roux, ce qui la rendait encore plus inquiétante.

— Beau travail, Grâce.

Miroir lui serra le bras. Elle avait retrouvé ses couleurs en partie.

— Tu avais raison. Tes points sont meilleurs que les miens. La prochaine fois, je viendrai te chercher.

Serina se leva et, pour la première fois, remarqua le sang sur ses mains. Sa nuque était couverte de sueur et ses doigts tremblaient. Elle se précipita vers le tunnel. Dehors, elle fut aussitôt accablée par la chaleur. Elle plongea ses mains dans le ruisseau qui alimentait les orangers. Elle continua à les frictionner longtemps après que les dernières traces de sang eurent disparu.

Elle avait planté une aiguille dans la peau d'une autre femme, elle l'avait recousue presque sans y réfléchir. En quelle personne cet endroit était-il en train de la transformer ?

Peu après, elle entendit des bruits de pas approcher dans le tunnel. Jacana la rejoignit.

— Braise dit qu'on devrait s'entraîner.

Sans un mot, Serina suivit sa compagne sous les arbres. Lorsqu'elles atteignirent le terrain d'entraînement, Gia, Oracle et une poignée d'autres détenues s'échauffaient déjà. La nouvelle venue était blême de terreur. Serina n'était là que depuis quelques semaines, pourtant, en un sens, elle s'adaptait. Tout cet entraînement qu'elle avait suivi pour devenir une Grâce, la succession interminable de leçons, la nécessité de faire taire ses propres désirs lui étaient utiles ici. Au lieu de danser, elle se battait. Au lieu de jouer de la harpe, elle cherchait de la nourriture. Au lieu de broder des coussins, elle recousait des plaies. Et, au lieu de répondre aux désirs de l'Héritier, elle tentait de répondre à ceux de son équipe.

Dès que Serina envisageait les choses sous cet angle, dès qu'elle se concentrait sur son objectif, elle ne souffrait plus autant de ne pas avoir la vie dont elle avait rêvé. Ou de ne plus voir les personnes qui lui manquaient.

— Grâce, à toi ! lui cria Oracle, qui se trouvait au centre du cercle.

Serina se prépara à affronter ses aînées. Elle s'améliorait au combat, même si elle détestait toujours autant l'exercice. Quand elle atteignit l'herbe piétinée, Oracle vint se placer face à elle. Serina ouvrit de grands yeux et jeta un regard à Gia, qui était face à la nouvelle.

— Je pensais que j'affronterais…

— Tu m'affronteras, moi, l'interrompit Oracle.

Ses yeux dépareillés se rivèrent sur elle, et Serina se sentit mise à nu. Si la femme était réellement capable de deviner les pensées des autres, ou la technique de combat de n'importe quelle adversaire, elle savait sans doute que Serina avait envie de prendre ses jambes à son cou. Même si ce n'était bien sûr pas une option. Pas ici.

Elle leva les poings.

Oracle la frappa au ventre avant même que Serina ait compris que le combat avait commencé. Elle grogna. Elle esquiva l'attaque suivante, basculant son poids sur la pointe de ses pieds. Elle se baissait et se penchait, décochait des coups de son côté aussi. Elle n'atteignait pas sa cible, mais au moins mettait-elle de la force dans ses frappes. Oracle plongea et tourna, cherchant à faucher les jambes de Serina, toutefois celle-ci se déroba. Pivotant, Serina se servit de son élan pour pousser Oracle de toutes ses forces. Le coup était vicieux et, pour une fois, cette dernière ne l'avait pas vu venir. Elle recula en vacillant de plusieurs pas, sans perdre l'équilibre pour autant.

Serina profita de son avantage et réussit à lui planter son poing dans le ventre. Puis elle la repoussa à nouveau. Oracle bouscula une autre combattante et trébucha. Elle s'étala dans l'herbe. Avant que Serina ne l'ait rejointe, elle s'était déjà relevée ; elle se jeta sur son adversaire et l'attrapa par la taille. Elles roulèrent toutes deux à terre, manquant, à quelques centimètres près, de s'érafler la tête sur la roche volcanique qui entourait la piste d'entraînement.

Serina fixa le ciel, pantelante, le temps de retrouver son souffle. Oracle s'assit et se frictionna l'avant-bras.

— Pas mal, Grâce, dit-elle d'un ton plus triste qu'impressionné. Pousser ton adversaire par surprise est une bonne idée, mais n'y recours pas trop souvent. Ça laisse ta tête et ta nuque exposées.

Serina s'assit lentement, l'oxygène parvenant enfin à se faufiler dans ses poumons. Une autre minute s'écoula avant qu'elle puisse répondre :

— Je m'en souviendrai.

— Continue à travailler ton jeu de jambes. Ta pratique de la danse t'aide… et pourtant tu te déplaces encore trop lentement. Améliore ta vitesse et réduis ton temps de réaction.

Elle reporta son attention sur les autres combattantes.

— Pourquoi est-ce qu'on fait ça ? lança Serina.

Cette question la tenaillait depuis sa première nuit sur l'île.

— Pourquoi est-ce qu'on laisse les gardiens nous forcer à nous battre ? Si on refusait toutes de le faire, ils seraient obligés de nous nourrir, non ?

Elle comprenait que les rations étaient limitées, pourtant ne valait-il pas mieux partager le peu de nourriture auquel elles avaient droit au lieu d'entériner ce système ?

Le regard d'Oracle glissa à nouveau vers Serina et, sans un mot, elle l'aida à se relever.

— Viens, lui ordonna-t-elle en l'attirant à l'écart.

Elles cheminèrent en silence pendant quelques minutes, jusqu'à ce qu'elles atteignent un bosquet d'arbres rabougris qui les plaçait à l'abri des oreilles et des regards curieux. Oracle s'en prit aussitôt à Serina :

— Ne parle plus jamais de refuser de te battre, tu m'entends ? Jamais !

L'incompréhension arrondit les yeux de Serina.

— Pourquoi ?

Oracle fronça les sourcils, des rides profondes se creusant autour de sa bouche. Son œil laiteux, qui formait un contraste si frappant avec l'autre, marron, semblait presque luire. Pendant un long moment, elle dévisagea la jeune détenue en silence.

— Quand je suis arrivée sur l'île, finit-elle par dire, certaines femmes se sont élevées contre les gardiens. Les combattantes sont montées sur scène et ont refusé de se battre. Elle savaient que personne n'aurait de ration, cette semaine-là, mais ça leur était égal, elles ne voulaient plus être les marionnettes des gardiens.

Serina prit une inspiration tremblante.

— Les gardiens les ont toutes abattues, poursuivit Oracle d'une voix blanche. Ils ont aussi arrosé le public. Quinze détenues ont trouvé la mort. Les gardiens ont interdit aux autres de toucher aux corps. La semaine suivante, les combattantes ont dû se battre parmi les cadavres pourrissants. C'est cette semaine-là que j'ai gagné pour la première fois.

L'horreur de la scène s'imprimait dans l'esprit de Serina, elle ne pouvait y échapper.

— On se bat parce qu'on n'a pas le choix. Compris, Grâce ?

Elle se remit en route.

— Le surnom que vous m'avez donné… lança Serina, profitant de cette occasion qui ne se représenterait peut-être pas. Je ne suis pas une Grâce.

Oracle s'arrêta. Se retourna.

— Mais tu as reçu l'entraînement pour en devenir une. Je le vois bien.

— Comment ?

Serina était couverte de crasse, elle était aussi percluse de courbatures et de coups de soleil que les autres filles.

— Ton maintien, tes manières. Ça ne trompe pas.

Oracle serra les poings avant d'ajouter :

— J'ai toujours su qu'une autre Grâce arriverait ici un jour.

— Une autre ?

Serina se pétrifia, comprenant soudain ce qu'Oracle cherchait à lui dire. Celle-ci exécuta une profonde révérence gracieuse, soulevant une jupe imaginaire. Le soleil avait décoloré ses cheveux bruns sur le sommet de son crâne.

La surprise réduisit Serina au silence. Elle avait vu Oracle se battre, décocher des coups d'une précision quasi chirurgicale, qui laissaient ses compagnes d'entraînement à genoux et à bout de souffle. Elle l'avait vue porter le corps d'une femme pendant plusieurs kilomètres, en montée, pour le confier au volcan. La grâce subite d'Oracle, son élégance étaient les dernières choses auxquelles elle s'attendait.

— Comment t'es-tu retrouvée ici ? finit-elle par demander.

Oracle leva le menton :

— J'ai passé toute ma vie à m'entraîner pour devenir une Grâce. J'étais parfaite. Or ce n'est pas pour cette raison que le Supérieur m'a sélectionnée. Il m'a sélectionnée parce que j'étais intelligente.

Elle s'interrompit, puis se ressaisit :

— Et parce qu'il savait que briser une fille obstinée lui apporterait une plus grande satisfaction.

— Briser ?

Serina vit soudain le regard rebelle de Nomi surgir dans son esprit.

— Il peut avoir tout ce qu'il veut. Mais il ne s'intéresse pas aux choses qui lui cèdent facilement. C'est un jeu pour lui.

Serina se souvint de la glace dans la voix du Supérieur au moment de livrer sa sentence. De la façon dont il l'avait interrogée sur Nomi.

Oracle poursuivit, son visage laissant transparaître ses émotions :

— Quand je n'ai plus supporté la situation, je me suis défendue. Je savais qu'il me tuerait, comme il avait tué d'autres filles. Je savais que la mort était la seule issue pour moi.

Serina ne parvenait pas à chasser les images qui défilaient dans son crâne.

— Sauf que je ne pouvais pas mourir. J'anticipais ses attaques. Je connaissais sa façon de cogner, et j'ai su éviter les coups mortels. C'est son garde qui m'a fait perdre connaissance. Il m'a planté son poing dans l'œil, cet œil…

Elle m'indiqua celui qui ne voyait plus.

— S'il ne m'avait pas arrêtée, j'aurais tué le Supérieur.

— Et ils t'ont envoyée ici, murmura Serina.

Pour trahison, tentative de meurtre. Rien d'aussi anodin que la lecture d'un livre. Le Supérieur considérait-il qu'une lectrice était aussi dangereuse qu'une meurtrière ? Ou une condamnation au Mont Destruction dépendait-elle simplement des caprices des juges ?

— Et ils m'ont envoyée ici. Je suis heureuse que tu n'aies pas autant souffert que moi, dit-elle en vrillant son œil valide dans ceux de Serina. Une vie dans cette prison, même dangereuse, est préférable à l'enfer du Supérieur.

— Ma sœur… ma sœur a été choisie à ma place.

Serina réprima un frisson au souvenir du regard glaçant du Supérieur.

— Mais elle est une Grâce de l'Héritier. Il sera sans doute différent, moins terrible que son père…

L'expression d'Oracle l'empêcha de poursuivre. Elle la dévisageait avec une pitié évidente.

— D'expérience, les fils sont pires. Prie pour que ta sœur se révèle docile. Ce sont les fortes têtes qui souffrent le plus.

Une décharge électrique frappa le cœur de Serina quand elle pensa à Nomi et à son savoir secret, à ses réticences à obéir. Pourquoi Malachi l'aurait-il choisie sinon pour l'écraser ? Serina était trop docile, trop obéissante. On lui avait inculqué ces valeurs depuis la naissance.

Une rage et une peur inédites la traversèrent avec la force d'un raz de marée. Elle perdit son regard en direction de l'océan, dont la surface scintillante, distante, se devinait tout juste entre les arbres. Sa sœur était une captive en soie et dentelle, qui souffrait entre les griffes de l'Héritier. Et elle n'avait pas choisi cette vie.

À cet instant précis, Serina prit sa décision. Le Mont Destruction ne viendrait pas à bout de ses forces. Et, de même que le feu dévorait cette île de l'intérieur, elle ne laisserait jamais l'Héritier posséder Nomi. Elle s'échapperait. Oui, elle trouverait un moyen. Et elle sauverait sa sœur.

20 - NOMI

Nomi écoutait la respiration régulière d'Angeline, les yeux clos. L'obscurité exerçait une pression quasi physique sur elle. Asa lui avait donné rendez-vous quand la lune serait haute dans le ciel, mais les nuages qui s'amoncelaient depuis plusieurs jours masquaient le clair de lune. Nomi continua à feindre de dormir jusqu'à ce qu'elle sente son cœur sur le point d'exploser. Jusqu'à ce qu'elle ait dénombré cent inspirations et expirations en provenance d'Angeline. Elle compta alors encore jusqu'à cent.

Enfin, elle se leva et enfila une robe de chambre en soie sur sa chemise de nuit. Elle ne s'encombra pas de chaussures. La respiration d'Angeline conserva la même régularité, même lorsque Nomi entrouvrit la porte de la chambre. Elle jeta un coup d'œil dans le couloir. Après avoir refermé la porte d'un geste vif, elle pressa son front contre le bois froid.

L'homme du Supérieur était là, à l'extrémité du couloir.

Elle patienta une minute. Deux.

Elle hasarda un nouveau regard. La silhouette imposante avait disparu. Nomi retint son souffle et se faufila dans le couloir. Elle s'appuya contre une porte, et la biche qui était sculptée dessus s'enfonça dans son dos. Nomi tendit l'oreille.

Ces deux derniers jours, elle était restée éveillée plus tard que de coutume, feignant d'être victime d'insomnies. En réalité, elle surveillait les gardes qui rôdaient dans les appartements des Grâces. La plupart d'entre eux les quittaient quand celles-ci allaient se coucher, mais deux montaient la garde toute la nuit, arpentant les couloirs, inspectant les terrasses, traversant la salle à manger et la salle de bal désertes. Leur tour leur prenait environ cinq minutes. Parfois, ils le faisaient ensemble. Parfois, ils se séparaient.

Nomi pria pour que ce soir ils restent groupés.

Elle resserra les pans de sa robe de chambre. Si elle était surprise, elle jouerait la somnambule. Ferait semblant d'être désorientée. Effrayée. Ce dernier sentiment ne devrait pas lui demander beaucoup d'effort.

Elle remonta le couloir sur la pointe des pieds. Les hommes contrôlaient d'abord les terrasses, en général. Ce qui devrait lui laisser le temps de filer en douce dans la direction opposée. Ça ne servait à rien de s'interroger sur ce qu'elle risquait dans le cas où la chance ne serait pas avec elle.

Elle avait presque atteint le salon de réception circulaire lorsqu'elle entendit le claquement de chaussures derrière elle. Elle se réfugia dans l'embrasure d'une porte et se pétrifia, retenant son souffle.

Tchac. Tchac. Tchac.

Soudain, elle fut dans l'incapacité de se souvenir du trajet des gardes après la visite des terrasses. Venaient-ils dans sa direction ou s'éloignaient-ils vers les bains ? Son pouls faisait un tel tintamarre dans ses oreilles qu'elle ne savait si elle entendait des bruits de pas ou les battements de son propre cœur.

Prenant sa décision, elle s'élança vers la porte à l'autre bout de la pièce, qui lui permettrait de quitter les appartements des Grâces.

Elle posa la main sur la poignée. Personne ne donna l'alarme. Une seconde plus tard, elle était de l'autre côté. Le couloir était plongé dans la pénombre, éclairé de loin en loin par des lampes vacillantes. Elle se dépêcha de rejoindre la baie vitrée. Tous les panneaux étaient clos. L'obscurité derrière était si profonde qu'elle ignorait si Asa l'attendait déjà. De ses doigts tremblants, elle fit coulisser un panneau juste assez pour pouvoir se faufiler dehors.

Une bourrasque de vent s'engouffra par l'étroite ouverture, soulevant le bas de sa robe de chambre. Une main l'agrippa par le poignet et l'attira dehors. Elle s'apprêtait à hurler quand une autre main la bâillonna.

— Chut… Ce n'est que moi.

Nomi sentit le soulagement l'envahir dès qu'elle reconnut la voix familière. Asa referma le panneau de verre.

— Je suis désolé de t'avoir fait peur, murmura-t-il. Je craignais que quelqu'un ne te voie.

Nomi tentait d'apaiser son cœur paniqué, mais c'était difficile entre le vent, la nuit et la proximité d'Asa. Elle recula d'un pas pour respirer un peu plus librement.

— Que se passerait-il si on nous surprenait, Votre Éminence ?

Les yeux de Nomi commençaient à s'accoutumer au noir. Elle arrivait à distinguer la forme de son visage, tourné vers les lueurs du couloir.

— Je ne sais pas, répondit-il. Je n'ai encore jamais rien fait de tel.

— Si on peut envoyer quelqu'un au Mont Destruction pour avoir lu…

La voix de Nomi tremblait.

— Non, je ne laisserais pas une chose pareille t'arriver, protesta-t-il avec sincérité avant de se pencher vers elle. Je te le promets.

Toute la rage, la culpabilité et tout le chagrin qu'elle contenait, en silence, menaçaient de la déborder à présent. Les mots se bousculèrent sur ses lèvres :

— Je ne peux plus supporter cette situation. Serina ne devrait pas être dans cette prison, c'est injuste.

— Tu as raison… c'est injuste.

Asa la conduisit vers la balustrade, à l'écart de la lumière qui se diffusait à travers les vitres.

— Rien au Viridia ne relève de la justice.

— Qu'est-ce que je peux faire ? Il y a forcément un moyen de convaincre le Supérieur de la libérer !

Nomi avait conscience de se raccrocher à n'importe quel espoir, mais elle ne pouvait pas laisser Serina souffrir à sa place. Elle ne pouvait plus. Pas si elle était en mesure de faire quelque chose, n'importe quoi.

— Peut-être que si je disais que c'est moi qui ai pris le livre, moi qui sais lire…

Elle hésita. Allait-il comprendre qu'elle était en train de se confesser ? Elle avait envie de le faire. Elle voulait que tout le monde sache que sa sœur était innocente, qu'elle ne méritait pas d'être punie. *Emprisonnée.*

Asa fut catégorique :

— Surtout pas. Père vous punirait toutes les deux. Malachi et lui…

Elle sentit qu'un frisson parcourait Asa.

— Le moindre délit peut se révéler mortel. Mon père est toujours sans pitié, Malachi est pire… car il est versatile. Un jour il fait preuve de clémence, et le lendemain il se transforme en tortionnaire. Je redoute son attitude lorsqu'il deviendra Supérieur. Son imprévisibilité pourrait mettre tout le Viridia en danger.

Nomi eut aussitôt une boule dans le ventre. Elle se souvint de son premier jour au palais, quand Malachi, hors de lui, l'avait acculée contre un mur, pour faire d'elle sa Grâce moins de deux heures plus tard. Versatile, pour le moins. Et la vie de Nomi était à jamais enchaînée à celle de cet homme.

— Alors on ne peut rien faire ?

Nomi sentit des larmes lui brûler les yeux. Elle pensait à Serina. Et à son propre sort.

Asa serra les doigts sur son poignet.

— Je suis sincèrement navré, Nomi. J'aimerais avoir plus de pouvoir. Je t'assure. Je ferais tellement de choses si je pouvais…

Son regard se perdit dans le vague.

— Mais il y a une chose, au moins… poursuivit-il d'une voix à peine plus forte qu'un murmure, si basse qu'elle dut se pencher vers lui pour l'entendre.

Le vent soufflait dans le dos de Nomi, les pans de sa robe de chambre voletaient vers lui comme des mains tendues.

— Je peux t'aider à t'enfuir, ajouta-t-il.

— Quoi ?

La surprise se réverbéra dans tout son corps.

— Pourquoi feriez-vous une chose pareille ?

Asa se passa une main dans les cheveux.

— Je te vois telle que tu es, Nomi. Tu n'aurais jamais dû devenir une Grâce, tu ne le désirais pas, et pourtant il t'a choisie.

— Pourquoi a-t-il fait ça ?

Nomi n'en avait toujours pas la moindre idée. Malachi ne semblait pas particulièrement s'intéresser à elle, en tout cas pas plus qu'aux autres. Elle ne s'expliquait pas comment elle avait pu supplanter toutes les sublimes candidates qui rêvaient, elles, d'être sélectionnées, qui avaient été préparées à cette existence.

Asa mit si longtemps à lui répondre qu'elle crut qu'il refusait de lui donner une explication. À moins qu'il n'en ait pas… Il finit cependant par murmurer :

— Je crois qu'il l'a fait pour te punir. Il a bien vu que tu n'étais pas intimidée par lui. C'est toi qui avais le pouvoir, ce jour-là, quand tu lui as indiqué les toilettes. Il a pour objectif de te soumettre, comme l'un de ses chevaux.

C'était terrifiant d'entendre Asa exposer les choses aussi froidement, pourtant Nomi n'était pas réellement surprise. Ça se tenait, au fond. L'Héritier était en colère. Il avait voulu la blesser. Pour Nomi, devenir Grâce équivalait à un emprisonnement. Elle consacrerait le reste de ses jours à servir un homme qu'elle détestait.

Asa agrippa la balustrade à deux mains, il scruta la nuit obscure et couverte.

— Personne ne mérite d'être soumis ou privé de tout droit. Ni toi ni moi. Personne.

Nomi n'avait jamais entendu quiconque parler ainsi avant, pas même Renzo.

— Et où irais-je ? chuchota-t-elle.

— Où tu veux.

L'esprit de Nomi renâclait devant l'immensité du choix qui s'offrait à elle. *Où tu veux.*

Il lui parlait de liberté.

— Ça n'a pas toujours été ainsi, marmonna-t-il. Avant les Inondations…

Avant les Inondations…

Nomi en eut le souffle coupé. Était-ce Asa qui avait caché le livre à son intention dans la coiffeuse ? Elle n'osa pas poser la question, n'osa pas avouer qu'elle avait un livre en sa possession. Ni qu'elle était en mesure de le lire.

— Qu'est-il arrivé avant les Inondations ? demanda-t-elle avec prudence.

Il haussa les épaules.

— J'ai simplement… Je crois qu'on pourrait faire tellement plus, vivre tellement mieux qu'aujourd'hui. Si mon père était capable de voir ce dont ce pays a besoin en réalité, si nous étions guidés par un visionnaire et pas par un vieillard impitoyable… ou par mon frère…

— De quoi ce pays aurait-il besoin, alors ? Si vous étiez l'Héritier, que changeriez-vous ?

Asa s'appuya contre la balustrade et soupira :

— Honnêtement ? Tout. Je ne sélectionnerais plus de Grâces. Je laisserais les femmes lire.

Il se tourna vers elle et ses traits s'apaisèrent.

— Je libérerais Serina.

Sa réponse était aussi savoureuse que du chocolat et aussi brûlante qu'un feu. Des paroles douces. Séductrices. Dangereuses.

Il émit un petit rire ironique et secoua la tête.

— Je m'en suis ouvert à mon père, un jour. J'ai plaidé ma cause pour devenir Héritier à la place de Malachi. J'ai tenté de le convaincre que j'étais le meilleur de ses deux fils pour le Viridia.

— Ça n'a pas fonctionné ?

Le sourire d'Asa était triste.

— Non, ça n'a pas fonctionné.

— J'aimerais que vous soyez l'Héritier, dit Nomi d'un air nostalgique en observant les vagues noires et argentées.

Asa éclata de rire :

— Moi aussi. Mais, à moins qu'il n'arrive quelque chose à Malachi, on devra faire avec lui à la mort de Père.

Nomi songea à la reine Vaccaro, qui avait renversé le cardinal Bellaqua avec son seul sourire et son parfum vénéneux. Le livre d'histoire la présentait sous les traits de la pire des traîtresses, pourtant, du point de vue de Nomi…

Pour elle, cela représentait un espoir. Les femmes avaient été puissantes dans ce pays à une époque. Peut-être pouvaient-elles retrouver leur place. Son esprit était en effervescence, tirant les fils fragiles, et périlleux, de divers scénarios. La culpabilité l'animait, ainsi que le chagrin. Mais en filigrane il y avait toujours une colère brûlante. Les femmes n'étaient pas des êtres inférieurs.

— Et si quelque chose arrivait à Malachi ? demanda-t-elle, si bas que le vent emporta ses paroles.

Asa lui jeta un regard prudent.

— Je ne ferai pas tuer mon frère.

— Je ne pense pas à cela !

Dans l'esprit de Nomi, les fils se resserraient, les différents scénarios s'entremêlant pour former un motif complexe qui pourrait constituer un plan. *Scandale. Subterfuge.* Comme la reine Vaccaro, le meurtre en moins.

— S'il était condamné pour un crime…

— Il serait puni injustement, rétorqua Asa, qui semblait songeur et non indigné.

— Vous savez qu'il a fait certaines choses… Qu'il n'est pas innocent.

Asa prit Nomi par les épaules pour la faire doucement pivoter vers lui.

— Un plan de ce genre demande du temps. Il contient des incertitudes. Et des risques. Beaucoup de risques.

Il écarta une mèche de cheveux de sa joue et, soudain, Nomi eut conscience de la proximité de leurs deux corps dans le noir. La situation présente était risquée, elle aussi.

— Tu pourrais simplement t'enfuir. Je pourrais t'aider à quitter le palais, te trouver un endroit où vivre. Une nouvelle identité. Un contrat dans une usine ou un poste de domestique. Ce que tu préfères. Tu aurais le choix.

— Si je faisais ça, dit-elle tout bas, rien ne changerait jamais.

Et ça ne sauverait pas Serina. Il se pencha vers elle. Même dans le noir, Nomi put voir l'étincelle dans ses yeux.

— Alors, que fait-on ?

****

Nomi et Asa passèrent la moitié de la nuit à peaufiner leur plan.

— Le crime doit avoir une conséquence directe sur le Supérieur, souligna Asa avec une pointe d'amertume. Sinon ça ne fera ni chaud ni froid à mon père. Il serait même capable de s'en réjouir.

— Malachi pourrait comploter pour déclencher une guerre ?

— C'est trop compliqué, il y a trop de parties impliquées. On devrait provoquer un vrai conflit pour que ce soit convaincant.

— Une tentative d'assassinat ?

— Sur la personne du Supérieur ? Ça pourrait marcher. Père est très malade, mais il continue à lutter. Malachi pourrait être si impatient de prendre le pouvoir qu'il déciderait de donner un coup de pouce à la nature.

Nomi se rappela l'empoisonnement par la première reine du Viridia.

— Utiliserait-il du poison ?

Ils s'étaient assis sur l'une des méridiennes, et se blottissaient l'un contre l'autre pour se préserver des assauts du vent froid.

— Difficile de se procurer du poison… Et personne ne croirait à la réalité de la menace sans arme. Pourquoi n'engagerait-il pas quelqu'un pour exercer une violence physique ?

— Et vous interviendriez au bon moment, pour déjouer le complot et sauver votre père.

Pour Nomi, ça ressemblait à un conte de fées. Toute la colère qui bouillonnait dans ses veines s'était transformée en joie. Elle allait changer le cours de l'histoire. Asa et elle rendraient à Viridia son héritage. Ils permettraient au pays de retrouver le visage qu'il était censé avoir.

Et ils libéreraient Serina.

— Il ne peut s'agir d'un véritable assassin, observa Asa. Je ne veux pas faire tuer mon père, c'est capital. Il faudrait faire appel à quelqu'un qui comprendrait les subtilités de ce plan, qui saurait que nous avons besoin d'un bon numéro d'acteur, pas d'une réelle menace.

— Bref, quelqu'un en qui nous aurions confiance. Quelqu'un que nous pourrions protéger.

— En effet, convint Asa. Sans immunité, personne n'accepterait de nous aider.

— Vous connaissez un homme de cette trempe ?

— Il y a plusieurs gardes qui me sont loyaux, je crois. Mais ils sont tous identifiables au sein du palais. Tout le monde sait qu'ils appartiennent à ma garde personnelle, et on ne tarderait pas à en tirer des conclusions.

— Je ne connais personne à l'exception de ma famille.

Son cœur s'arrêta. *Renzo*. Non, elle ne pouvait pas l'impliquer, le risque était trop grand.

— Quelle protection pourrions-nous offrir à notre faux assassin ? Plaider la clémence auprès de votre père ne suffirait pas. Vous l'avez dit, il est impitoyable.

— Tu as raison. Il faudrait prévoir son évasion, peut-être un déguisement…

Nomi se tint plus droite tout à coup.

— L'anniversaire de l'Héritier ! Les Grâces ne parlent que de ça, et l'une d'elles a évoqué un bal masqué.

Cette nuit-là, l'Héritier pourrait exiger la présence de Nomi à ses côtés, dans sa chambre, s'il le souhaitait… *Pas s'il était arrêté !*

— En effet, c'est parfait !

Asa semblait exalté.

— Un déguisement et une voie de sortie. Notre conspirateur pourra rester anonyme. Se faufiler dans le palais, jouer son rôle dans notre mascarade, puis disparaître. Il ne courra aucun danger, ne risquera pas d'être arrêté.

Aucun danger…

Nomi se tourna vers lui pour étudier ses traits. Les nuages avaient fini par se dissiper, et un rai de lune éclairait à présent le visage enfantin d'Asa.

— Vous ne pensez vraiment à personne ? répéta-t-elle en priant intérieurement.

Asa prit un long temps de réflexion avant de répondre :

— Les seules personnes que je connais sont des gardes ou des courtisans. Avec un déguisement, un garde pourrait s'acquitter de cette mission, mais sa présence sera requise durant le bal. Il aurait toutes les chances, malheureusement, d'être exposé dans ce contexte. Et il n'y a pas un seul courtisan que je juge digne de confiance. Pour autant, ne désespère pas, je vais continuer à réfléchir.

Nomi secoua la tête :

— Je connais quelqu'un. Quelqu'un à qui je me fierais aveuglément. Mon…

Elle s'interrompit aussitôt :

— Mon cousin.

Elle devait se montrer raisonnable, et rusée. La vie de Renzo était en jeu.

— Un cousin ? Bonne idée, approuva Asa.

Il lui effleura le bras ; elle n'était pas certaine qu'il avait conscience de le faire. Mais elle appréciait la douceur de sa peau, le contact.

— Où vit-il ? Comment peut-on lui parler ?

— Je peux m'en charger.

Elle ne tenait pas à lui en dire plus que nécessaire sur Renzo.

— Comment ? Il vit à Bellaqua ?

— Je…

Comment espérait-elle contacter Renzo sans dire à Asa qui il était en réalité ? Où il vivait ?

Était-ce important, au fond ? Elle s'était déjà tellement livrée… Asa avait le pouvoir de la faire jeter en prison au simple titre de la conversation qu'ils venaient d'avoir.

Et néanmoins… Elle était prête à s'exposer, elle, mais pas Renzo. Elle prit une profonde inspiration :

— Je vais lui écrire.

Asa se figea :

— Alors tu sais lire et écrire.

Nomi se tourna vers lui, éprouvant soudain le besoin de lui faire prendre la mesure de la situation :

— Oui, j'ai appris toute seule. C'est moi qui ai volé le livre, pas Serina. Elle tenait le livre quand Ines l'a surprise, mais il était à moi. Je ne sais pas pourquoi elle n'a pas dit la vérité. Vous comprenez ? Elle n'a rien à faire au Mont Destruction. C'est moi qui devrais être à sa place.

— Nomi, personne ne mérite d'être emprisonné pour avoir lu. Ni toi ni ta sœur.

Asa lui recouvrit la main de la sienne.

— Nous allons la libérer. Ensemble, nous allons changer le monde.

Nomi se tenait au bord d'un précipice balayé par les vents. Il y avait une différence entre l'indocilité et la rébellion pure et simple. En était-elle capable ? Pourrait-elle sauter dans le vide ?

Pour elle, peut-être pas. Mais pour Serina, oui.

21 - SERINA

Quitter le Mont Destruction était une décision facile à prendre. Mener à bien l'évasion serait beaucoup plus compliqué.

— C'est escarpé ici, observa Jacana en traversant un ruban de basalte.

Serina s'approcha aussi près qu'elle l'osait du bord de la falaise et observa l'étroite bande de sable en bas.

— Trop escarpé. Les gardiens et les autres prisonnières ne viennent jamais, mais on n'a presque aucune chance d'arriver à descendre.

— Peut-être un peu plus au sud ?

Jacana s'assit sur une pierre et frotta ses mains l'une contre l'autre avant d'essuyer la sueur sur son front. Leur petite randonnée avait duré toute la matinée.

Serina était heureuse d'avoir la compagnie de Jacana. Chaque fois qu'elles passaient devant une tour ou croisaient un gardien en patrouille, elle sentait ses muscles se crisper et avait des aigreurs d'estomac. Elle avait revu Bruno une fois, de loin, pourtant il ne s'était pas approché. Les menaces de Mouette avaient été efficaces, visiblement.

Serina était hantée par la certitude que, sans l'intervention de celle-ci, elle aurait cédé à Bruno. Toute sa vie, elle avait été élevée pour être docile. Pour se soumettre aux hommes. Elle n'avait appris à se battre que depuis quelques semaines.

— Le meilleur bois se trouve tout au sud, observa Serina en s'asseyant à côté de Jacana et en chassant de son esprit le souvenir de Bruno puis celui de Mouette. Ça nous éviterait d'avoir à transporter nos provisions à travers toute l'île. Mais V…

Elle s'interrompit. Elle n'avait parlé à personne de sa conversation avec Val, pas même à Jacana.

— Enfin, plusieurs personnes m'ont dit que les rochers étaient très dangereux là-bas. On aurait du mal à quitter l'île avec notre radeau.

Par-dessus son épaule, Jacana jeta un coup d'œil à la tour de guet, au loin.

— Je crois que ça va être difficile de toute façon.

Serina aspira une grande goulée d'air humide, chargé de sel.

— Ce sera presque impossible et ça prendra du temps, mais je sais qu'on en est capables.

Jacana tira sur la pointe de sa tresse. Le pli entre ses deux sourcils se creusa.

— Je m'inquiète davantage pour le radeau. Je n'ai jamais rien construit de toute ma vie. Et on n'a pas d'outils, pas de matériel…

Serina frotta ses paumes sales et calleuses l'une contre l'autre.

— Entre mon talent pour les cajoleries et ton talent pour le vol, on peut se procurer des outils. Et, quand on sera prêtes à entamer la construction, on parlera à Gia. Elle a passé toute sa vie sur un bateau. Elle pourra nous aider. Et, lorsqu'il y a de la place pour deux, il y a de la place pour trois.

Jacana fixait l'océan scintillant.

— Les gardes nous arrêteront. Ou alors on partira vers le large, le radeau ne résistera pas et on se noiera.

— Peut-être...

Le regard de Jacana força Serina à rectifier :

— Sans doute.

Elle se releva. Elle ne pouvait pas nier que c'était un plan dangereux et imprudent. Trouver une cachette sur la plage pour y fabriquer un radeau à partir de bois et de lianes ? Absurde. Pourtant Serina avait tourné et retourné le problème. Il n'y avait pas d'autre option. Faire quelque chose, n'importe quoi, valait mieux que rester les bras croisés. Nomi avait besoin de sa grande sœur, et plus longtemps Serina resterait ici, plus la probabilité qu'elle soit envoyée dans l'arène devenait grande. Et, si elle y était envoyée, elle mourrait. Peu importait le bout par lequel elle prenait le problème, un compte à rebours avait commencé, et à chaque seconde écoulée le destin de Nomi et le sien se rapprochaient un peu plus de la catastrophe.

— Viendra un jour où on devra se battre, dit-elle en serrant les poings. Tu préfères mourir en jouant le petit jeu tordu du commandant ou essayer de t'enfuir ?

— J'aimerais autant ne pas mourir tout court, dit Jacana à voix basse.

Soudain, ses épaules se raidirent.

— Un gardien arrive.

Le ventre de Serina se serra. Elle se tourna dans la direction indiquée par Jacana : l'homme n'avait pas la main sur son arme, il ne les observait pas d'un air soupçonneux. Ses cheveux noirs bouclaient sous sa casquette et ses yeux sombres et vifs les considéraient avec curiosité.

— J'ai reçu un rapport de la tour de guet évoquant des prisonnières tentées de sauter.

Il dévisagea Serina, un sourcil haussé.

— Nous ne sommes pas ici pour sauter, le rassura-t-elle. On est là pour… On cherche un endroit où se baigner. On a besoin de se rafraîchir.

Jacana, toujours assise sur la pierre rugueuse, était aussi immobile qu'une statue. Pétrifiée par la peur, peut-être. Serina la comprenait. S'il s'était agi de n'importe qui d'autre que Val…

Le soleil brillant et brûlant le forçait à plisser les paupières.

— Il y a des plages sur la côte est où vous pourrez prendre un bain sans vous inquiéter des courants. Mais restez bien sur la côte, loin du camp de la Jungle. Et ne montez pas trop au nord, sinon vous tomberez sur Brindille et son équipe.

Serina s'essuya les mains sur son pantalon et dit d'un ton détaché :

— On espérait un endroit à l'ombre, avec des arbres solides… et abrité. On n'a pas très envie que les gardiens nous regardent.

Val frictionna sa nuque brunie par le soleil.

— Des arbres et de l'intimité… dit-il tout en réfléchissant. Ouais, la côte est constitue sans le moindre doute votre meilleure chance. Il y a quelques plages dans ce genre… Vous devrez peut-être éviter certaines détenues.

— Merci, lui répondit Serina avec un sourire, impatiente d'aller se faire sa propre opinion.

Elle se tourna vers Jacana, toujours pétrifiée.

— Partante pour une petite randonnée ?

Jacana hocha la tête et se releva lentement, sans jamais cesser d'observer Val avec circonspection. D'un ton toujours amical, il dit à Serina :

— Je dois reprendre ma patrouille. Soyez prudentes, les filles. Ça représente une trotte et le terrain est accidenté. Vous en avez pour plusieurs heures.

Il prit alors la direction du sud, en longeant les falaises. Serina se mit en route vers le centre de l'île.

— Tu lui fais confiance ? lui lança Jacana, qui cheminait à sa hauteur.

Serina prit le temps d'y réfléchir. Était-ce le cas ?

— Je crois qu'il n'est pas malintentionné, finit-elle par dire. Et je crois qu'il a dit la vérité sur les plages de l'Est.

Elle enjamba d'épaisses racines qui s'enroulaient autour d'un étroit ruban de basalte.

— Mais je ne remettrais pas ma vie entre ses mains, ajouta-t-elle. Il reste un gardien qui obéit aux ordres du commandant Ricci.

Jacana pressa la cadence, elle bondissait presque sur le sol irrégulier. On aurait dit qu'elle fuyait quelque chose.

— J'ai entendu des rumeurs au sujet des gardiens. Quand je l'ai vu approcher, je me suis pétrifiée.

Des souvenirs de Bruno jaillirent dans l'esprit de Serina, bien malgré elle. Afin d'apaiser sa compagne, elle lui répéta les paroles de Mouette :

— Le fait d'appartenir à l'équipe d'Oracle nous protège. On est en sécurité, Jacana.

Celle-ci éclata de rire :

— En sécurité ? Je me sentais moins en danger dans un entrepôt à l'abandon de Sola pendant que la police forçait la porte, alors que je cachais des biens volés. Cette île, dans son moindre recoin, est pire que le pire de mes cauchemars.

Elles gravirent les collines et trouvèrent de l'ombre dans la forêt. Serina observa la végétation luxuriante qui avait échappé, par miracle, au courroux du volcan. Là, parmi les arbres, elle pouvait presque s'imaginer être en train de faire une promenade en plaisante compagnie.

— Tu sais que, avant d'arriver ici, je n'étais jamais sortie me promener seule ? Ni même avec ma sœur ou une amie. Peut-être…

— Peut-être que ce n'est pas si terrible ? Enfin, Serina ! Les gardiens, les combats, la faim, le volcan !

Jacana passa une main dans ses cheveux emmêlés et secoua la tête :

— Il n'y a pas de peut-être qui tienne, Serina. C'est terrible. C'est l'enfer.

Jacana exprimait pour la première fois une telle amertume en sa présence.

— J'allais dire, lui répondit Serina avec douceur, que peut-être que ça faisait partie du cauchemar. Nous laisser juste assez de liberté pour nous en donner le goût, tout en nous rappelant que ce n'est qu'une illusion. Savoir que le Mont Destruction nous tuera quoi qu'il arrive.

Jacana fit une halte le temps de reprendre son souffle, la main sur un arbre déformé par le vent.

— À moins qu'on ne construise notre radeau.

Serina lui sourit :

— On le fera. On trouvera un moyen de quitter cette île.

Jacana n'avait pas l'air particulièrement optimiste, pourtant elle se remit en route. En traversant la forêt, Serina gardait les yeux ouverts à la recherche de fruits ou de tout ce qu'elle pourrait manger. Elle n'avait eu droit qu'à quelques bouchées de pain pour le petit déjeuner, et elle était déjà si faible qu'elle avait l'impression de porter des semelles de plomb.

Avec Jacana, elle marchèrent l'essentiel de l'après-midi. Elles contournèrent le camp de la Jungle et s'arrêtèrent pour boire dans un ruisseau dangereusement proche d'une tour de guet. Lorsqu'elles finirent par atteindre la côte est, il leur fallut encore un long moment pour trouver un endroit qui satisfaisait à tous leurs critères. Et, malgré tout, Serina se sentait réconfortée. Elles étaient isolées ici, à une bonne heure du camp de la Jungle et encore plus de l'Hôtel Misère, plus au sud. Les autres équipes n'avaient pour ainsi dire aucune raison de s'aventurer aussi loin.

Enfin, elles trouvèrent une plage facile d'accès, que les vagues venaient lécher et où quelques cyprès poussaient dans le sable. Il y avait aussi une sorte de grotte, formée par des rochers, qui s'enfonçait dans les falaises.

Du bois pour leur radeau, un endroit où le cacher et une eau calme pour embarquer dessus. C'était parfait.

— Maintenant, il ne nous manque plus que des outils et le temps pour le construire, conclut Serina avant de serrer brièvement Jacana contre elle. On peut y arriver.

Un sourire se fraya un chemin sur le visage timide de son amie.

— Peut-être bien…

22 - NOMI

Le lendemain de son rendez-vous secret avec Asa, Nomi se pencha sur un morceau de papier avec son bâton de khôl. Asa lui avait proposé de lui donner du papier à lettres et un stylo, mais elle avait peur qu'Angeline ne tombe dessus. Le trait épais et noir tranchait sur la page vierge qu'elle avait, à contrecœur, arrachée à la fin du livre d'histoire. Plus Nomi y pensait, plus elle était convaincue que c'était Asa qui l'avait caché dans sa chambre. Il n'avait accusé aucune surprise quand elle lui avait répondu qu'elle se débrouillerait pour dégoter de quoi écrire.

Il lui fallut un long moment pour trouver comment coder son message. Avec un peu de chance, Renzo saurait lire entre les lignes de leur conte préféré, celui des deux frères et de la mystérieuse femme tatouée.

C'était l'histoire d'un gentil frère tombant amoureux d'une fille de cuisine cachant un secret : son père, un pirate, lui avait laissé sa fortune. Elle s'était tatoué la carte au trésor sur le corps pour ne jamais oublier son emplacement et comptait le retrouver avec l'aide du gentil frère. Mais le cadet de celui-ci, cruel, contrecarrait leurs projets et les tuait tous deux lorsque la femme refusait de lui montrer la carte. Grâce à celle-ci, il mettait la main sur le trésor, toutefois les fantômes de son frère et de la mystérieuse femme apparaissaient et le terrifiaient tant que son cœur s'arrêtait de battre et qu'il mourait à son tour. Le trésor était ainsi perdu pour toujours.

Une histoire particulièrement sanguinaire, que Nomi modifia pour lui donner un autre sens.

Le frère aîné était cruel.

Le plus jeune savait comment l'empêcher de faire du mal.

La femme choisit de l'aider au lieu de garder son secret pour elle.

Et, dans la version de Nomi, la femme avait aussi une sœur, qui courait un grave danger. Elle ne donna que les détails explicites qu'elle osait écrire. Elle lui demanda de venir à Bellaqua dès que possible, et de l'avertir dès son arrivée. Elle le prévint que c'était dangereux.

Même avec un masque, ce serait risqué.

Elle signa la lettre d'un simple *N* et la destina à Luca, le meilleur ami de Renzo. Elle déchira une seconde page dans le livre et la replia autour de la lettre pour former une enveloppe, sur laquelle elle inscrivit l'adresse de Luca. Asa pourrait expédier la lettre en dehors de la ville. Et Nomi savait que Luca transmettrait le message à Renzo. Il ne le comprendrait pas, mais il le transmettrait. Elle fit couler un peu de cire de bougie pour sceller son enveloppe de fortune.

Le soir même, pendant la fête sur le bateau, elle tenterait de donner la lettre à Asa. Elle aurait du mal à le voir seule à seul, néanmoins ils étaient tous deux d'avis que ce serait moins risqué qu'un nouveau rendez-vous clandestin.

Un discret coup à la porte lui fit faire un bond.

— Une minute !

Elle s'empressa de cacher la missive sous son matelas, avec le livre. Angeline pénétra dans la chambre, les bras chargés d'un nuage de tissu rouge.

— Qu'est-ce que c'est ? demanda Nomi en observant avec circonspection l'amas vaporeux.

Sa suivante le déposa sur le lit.

— Votre robe pour la fête de ce soir. La couturière l'a enfin terminée. Vous étiez la dernière. Elle a vraiment joué avec le feu, cette fois.

Quelle surprise ! songea Nomi. Sa relation avec les couturières demeurait tendue.

— J'avais oublié qu'elle était aussi imposante.

Elle avait eu beaucoup de mal à respirer pendant les essayages, et elle se rappelait qu'elle se faisait l'effet d'une inconnue dans cette robe. Spontanément, Nomi se demanda aussitôt ce qu'Asa penserait de la robe volumineuse et du corsage structuré, décolleté.

— Elle est rouge, souligna Angeline avec un sourire. La couleur préférée de Malachi.

Une boule se forma dans le ventre de Nomi. Elle tenta de répondre au sourire de sa suivante :

— Elle est ravissante.

Angeline était intarissable :

— Vous savez que son cheval est un alezan ?

Nomi la dévisagea sans comprendre.

— C'est une teinte de robe rousse, lui précisa Angeline. Une monture imposante avec une longue crinière noire. L'autre jour, pendant que je nettoyais la terrasse, je l'ai vu en train de le monter. Il était sublime. Le cheval, je veux dire. J'ai toujours pensé que l'Héritier était assez terrifiant, pour être honnête. Est-il toujours aussi sérieux ? Il n'en est pas moins beau, bien sûr, vous n'êtes pas d'accord ?

— Je… je ne sais pas.

Soudain, Nomi aurait voulu être n'importe où plutôt que dans cette pièce. Elle n'avait aucune envie de parler de l'Héritier. Que penserait Angeline si Nomi lui avouait que Malachi lui glaçait le sang aussi ?

— La fête ne commencera pas avant plusieurs heures. Je crois que je vais travailler à ma broderie. M'aérer un peu.

Nomi rassembla ses affaires et fila sans demander son reste. En traversant les salons décorés, où régnait un silence étouffant, elle regretta de ne pouvoir s'échapper à l'extérieur pour aller se promener quelque part, sentir l'air sur son visage. Elle pouvait seulement se rendre sur l'une des terrasses.

— Oh, tu es là ! s'exclama-t-elle en découvrant Maris dans l'un des fauteuils d'osier. Je te dérange ?

Elle scrutait l'océan à travers les fleurs de fer de la balustrade. Agitant une main vers le fauteuil à côté du sien, elle répondit :

— Pas du tout, assieds-toi.

Nomi prit place et sortit son tambour à broder.

L'un des hommes du Supérieur s'encadra dans la porte et les observa un moment. Il finit par s'éloigner, ses chaussures blanches ne faisant pas un bruit sur le dallage. Nomi se demanda si c'était l'un de ceux qu'elle avait réussi à éviter la veille. Le trajet du retour avait été moins éprouvant : Asa lui avait indiqué l'entrée des suivantes, qui ne se trouvait pas dans la ronde des hommes.

Le regard de Maris se dirigea vers la porte, vide.

— Je déteste cette façon qu'ils ont de rôder autour de nous, de nous écouter, murmura-t-elle. Hier, le Supérieur a puni Eva pour des propos qu'un de ses « gardes » avait entendus.

— Tu sais ce qu'elle a dit ?

Maris secoua la tête.

— Non. Mais elle avait peur quand Ines l'a informée qu'elle était convoquée. Et Rosario m'a appris que l'Héritier nous emmène en promenade demain, à la place du Supérieur et de ses Grâces, pour sanctionner l'impertinence d'Eva. Ines fera l'annonce au déjeuner.

— Alors on va quitter le palais ?

Savoir qu'Eva avait été punie lui donnait la chair de poule, pourtant Nomi ne pouvait nier que la perspective de s'échapper de l'enceinte du palais la réjouissait.

— Tu as plus de précisions ?

— Oui, on va visiter une parfumerie. C'est ce que Rosario m'a dit. Moi, je me fiche de l'endroit, du moment que nous sommes loin d'ici.

Nomi observa sa compagne à la dérobée. Elle n'était visiblement pas la seule à se sentir prise au piège. Avec un soupir, elle reporta son attention sur les points et se concentra pour ne pas planter l'aiguille dans son doigt. Maris fit un geste en direction de la broderie de sa compagne.

— C'est un bel ouvrage, tu es douée.

Nomi étudia le tambour entre ses mains, avec une vue de Bellaqua à moitié brodée. Elle avait tenté de compléter l'œuvre de Serina, mais ses points étaient gauches comparés à ceux de sa sœur, et elle ne pouvait s'empêcher de penser qu'elle ne parviendrait qu'à la gâcher.

Jusqu'à la veille au soir, elle était convaincue qu'elle n'était bonne qu'à tout ruiner. Et maintenant elle avait un plan. Elle fit courir ses doigts sur les points délicats de Serina. L'absence de sa sœur laissait un trou dans sa poitrine, qui grossissait à mesure que leur séparation se prolongeait. Elle devait sauver Serina. Si elle ne le faisait pas, il ne resterait plus rien d'elle au bout du compte.

— Ma sœur l'a presque entièrement fait, confessa Nomi tout bas. C'est elle qui a du talent. Moi je me débrouille avec le ravaudage des chaussettes et le raccommodage… Ça, c'est un défi trop grand pour moi.

Un petit grognement lui échappa.

— Comme tout ici, ajouta-t-elle.

— Tu as fini par découvrir ce qui lui était arrivé ? s'enquit Maris en rejetant ses cheveux noir de jais par-dessus son épaule.

Nomi planta son aiguille dans le tissu.

— Le Supérieur l'a chassée, Rosario avait raison.

— Il l'a renvoyée chez vous ?

— Non, dit Nomi d'une voix étranglée.

Maris reporta son attention sur l'océan.

— C'est dur d'être séparé de ceux qu'on aime.

— C'est ce qui te rend aussi malheureuse ? lui demanda Nomi avec douceur. Ta famille te manque ?

Les traits de Maris se durcirent :

— Je n'ai pas de famille. Ma mère est morte, et mon père aussi à mes yeux.

Nomi jeta un coup d'œil vers la porte, il n'y avait pas d'ombre menaçante dans le couloir : elles étaient toujours seules.

— Tu as dit l'autre jour que, sans ton père, tu aurais été heureuse ici. Qu'est-ce que ça signifiait ?

Maris se pencha en avant et se prit la tête à deux mains.

— Oublie ma question, je suis désolée de te l'avoir posée, s'empressa d'ajouter Nomi.

Elle était contrite d'avoir bouleversé Maris.

— Non, souffla celle-ci entre ses doigts. C'est juste que… je n'ai jamais réussi à en parler jusqu'à présent. Et ça me tue.

Elle prit une profonde inspiration. Nomi continuait à surveiller la porte : Maris n'avait sans doute aucune envie que le Supérieur ait vent de leur conversation… Celle-ci se mit à débiter à toute allure :

— Mon père a soudoyé le gouverneur de notre province pour qu'il me choisisse.

Elle rougit.

— Il m'a surprise en train d'embrasser ma… euh…

Elle semblait incapable d'aller au bout de sa phrase.

— Tu étais amoureuse de quelqu'un qui n'était pas pour toi ?

Maris releva la tête pour perdre son regard à l'horizon.

— Elle s'appelait Helena, murmura-t-elle.

Nomi ravala un cri de surprise. Au Viridia, l'amour entre femmes était interdit.

— Nous avions un plan… elle aurait été ma suivante. Nous serions restées ensemble. Mais mon père nous a surprises. Il m'a menacée, ajouta Maris plus fort, se laissant emporter par la colère. Soit je me débrouillais pour que l'Héritier me choisisse et pour devenir l'une de ses Grâces sans Helena à mes côtés, soit il informerait les autorités de mon penchant et je serais envoyée en prison.

Elle se tut brusquement puis se tourna vers Nomi :

— Alors, c'est ce que j'ai fait.

Nomi ne put pas se défiler. Elle était incapable de bouger. Si Maris n'avait pas été sélectionnée et si son père avait mis sa menace à exécution, elle aurait fini en détention, avec Serina.

La cruauté de la situation était encore pire : dans un cas comme dans l'autre, Maris était condamnée à être séparée éternellement de celle qu'elle aimait.

Nomi se demanda ce que ses propres parents auraient fait s'ils avaient découvert qu'elle savait lire. L'auraient-ils dénoncée, ainsi que le père de Maris semblait prêt à le faire ? Auraient-ils cherché à la protéger ? Le père de Maris était-il un monstre… ou un simple citoyen du Viridia, agissant ainsi qu'on l'attendait de lui ?

— Et qu'est devenue Helena ?

Maris mit un long moment à répondre :

— Je ne sais pas.

— Je suis sincèrement désolée, dit Nomi.

L'Héritier savait-il que deux de ses trois Grâces étaient là contre leur gré ? Et ne changeraient pas de dispositions à son encontre ? Peut-être était-ce la raison pour laquelle il les avait choisies, poussé par l'envie sadique de les faire souffrir. Oui, peut-être était-ce ce qui lui plaisait.

— Dans toutes les histoires, les femmes abandonnent tout, dit Maris d'une voix étranglée. On est censées céder, toujours. Et ne jamais se battre. Pourquoi, à ton avis ?

Nomi pensa à la reine Vaccaro et à ses filles, trahies par leurs conseillers et effacées des pages d'histoire.

Elle pensa à la lettre cachée dans sa chambre.

Tout bas, consciente de marcher sur le fil du rasoir, elle chuchota :

— Parce qu'ils ont peur de ce qui se passerait si on le faisait.

23 - SERINA

Juste avant le déjeuner, une nouvelle fournée de prisonnières arriva au Mont Destruction.

Le camp de la Caverne était en effervescence. Qui Oracle enverrait-elle dans l'arène ?

Serina mâchonnait son pain insipide en cherchant à s'imaginer que c'était plutôt un des sablés à la cannelle de Nomi. Même avec un rationnement strict et la viande de sanglier, les réserves diminuaient.

— S'ils me choisissent, je vais mourir, susurra Jacana en fixant ses petites mains vides.

— Tu as ta rapidité pour toi, l'encouragea Serina en lui pressant l'épaule.

Sa compagne avait « acquis » le surnom de Souris, pourtant Serina se refusait à l'appeler ainsi. En dépit de sa frêle silhouette et de son regard terrifié, Jacana se révélait souvent vive et ingénieuse. Elle avait plus de potentiel qu'elle ne le croyait.

— Je ne pense pas que tu doives t'inquiéter, mais si… si Oracle te croit prête, alors il faut lui faire confiance.

Le visage jovial de Mouette revint à la mémoire de Serina.

— Ton conseil tombe à point nommé, dit Gia d'une voix tendue.

Oracle venait vers elles.

Jacana agrippa les mains de Serina. Theodora, elle, émit un sifflement. Ses longs bras dégingandés s'enroulèrent autour de ses genoux – elle se recroquevillait comme pour se rendre plus petite, plus invisible.

— Tout va bien, murmura Serina, ne vous en faites pas.

Elle ne savait pas qui elle cherchait à rassurer, ses compagnes ou elle-même. Son cœur lui remonta dans la gorge, se démenant tel un animal pris au piège.

Elle se rappela combien elle avait prié pour que l'Héritier la remarque. La choisisse. Les robes miroitantes, les dorures, la belle musique… À présent, elle aurait tout donné pour se fondre dans le décor.

Pitié, faites que ce ne soit pas Jacana, ni Gia, ni…

— Grâce, j'aimerais te parler dehors.

Oracle la dominait de toute sa hauteur. *Non !* La grotte rétrécit autour de Serina. L'espace d'un instant, elle envisagea de refuser. Mais tous les regards étaient rivés sur elle. Jacana lui lâcha les mains.

Serina se leva sur des jambes en coton. Elle suivit Oracle dans le tunnel, traversant des colonnes de soleil et de profondes tranchées d'obscurité, aussi glaciales qu'une tombe. Le temps qu'elles atteignent l'entrée, la nuque de Serina poissait de transpiration et ses mains tremblaient.

Oracle plissait les yeux à cause du soleil.

— Je ne suis pas prête, dit Serina avant que l'autre femme ait pu parler.

C'était impensable. C'était un cauchemar.

— L'équipe a besoin de nourriture et je…

Oracle l'interrompit :

— Pour le combat qui suit une victoire, on choisit toujours une jeune détenue. C'est le meilleur moment pour tester de nouvelles combattantes… le meilleur moment pour perdre.

Elle dirigea son regard vers l'océan distant.

— J'allais te choisir, tu étais notre meilleur espoir, même si je ne pensais pas que tu gagnerais.

Un cri échappa à Serina. Oracle était prête à la sacrifier ? La femme la fit taire d'un geste de la main.

— Mouette m'en a empêchée. Elle m'a convaincue qu'avec un peu plus d'entraînement tu serais capable de gagner. Elle n'avait jamais vu personne progresser aussi vite que toi.

Oracle finit par croiser le regard de Serina.

— Elle s'est portée volontaire pour te remplacer.

Le cœur de Serina se contracta.

— Je… je…

Je ne lui ai jamais demandé une chose pareille.

— Mouette voulait que je t'accorde plus de temps, et je l'ai fait, reprit Oracle. Tu es une combattante cérébrale. Certaines se fient à leur instinct, toi, tu utilises ton intelligence.

Elle soupira et, pour la première fois, Serina vit que son armure se fendillait.

— Personne ne sait comment tu te bats encore, ce qui te donnera un avantage. Si tu te montres maligne, Grâce, tu peux gagner.

Serina ne parvenait plus à respirer normalement. Elle aurait voulu supplier Oracle de réfléchir encore à sa décision. Mais qui choisirait-elle à la place ? Jacana ? Gia ? Quelqu'un de plus expérimenté, à l'instar de Mouette, qu'elle enverrait à l'abattoir à sa place ? Serina ne pouvait rien dire. Supplier pour avoir la vie sauve impliquait de sacrifier quelqu'un d'autre.

Elle avait dit à Jacana de se fier au jugement d'Oracle. Elle devait suivre son propre conseil.

Oracle semblait percevoir les tourments qui l'agitaient. Elle lui serra l'épaule.

— Prends un peu de temps seule. On ne partira pas pour l'amphithéâtre avant deux heures.

Elle disparut dans la grotte. Serina resta immobile un instant, la poitrine enserrée par un étau de peur. Puis elle se dirigea vers les falaises.

Elle ne s'arrêta que lorsque l'horizon apparut dans son champ de vision, alourdi par un banc de nuages. Elle s'était juré de s'enfuir. De sauver Nomi.

Mais elle n'avait pas eu le temps.

Elle dirigea son regard vers l'endroit où elle avait aperçu les lumières de Bellaqua, très, très loin, et hurla dans le vent mugissant.

Sa voix finit par se briser.

— Ça va mieux ?

Elle n'eut pas besoin de se retourner.

— Bonjour, Val.

Avec un petit grognement, elle s'assit et laissa ses jambes pendre dans le vide.

— Tu passes beaucoup de temps au bord des précipices. Tu es sûre que tu ne penses plus à sauter ? lui demanda-t-il.

— Pourquoi est-ce que tu débarques toujours quand je viens ici ? répliqua-t-elle en fixant l'écume blanche à ses pieds.

— J'ai fait ma ronde, dit Val en s'asseyant à côté d'elle. J'ai pour ordre d'informer les équipes qu'il y aura un combat dans deux heures.

Serina essuya ses paumes sales sur son pantalon.

— Oracle est déjà au courant.

— Comme tout le monde, je suis sûr.

Il ramassa une poignée de gravillons et les jeta au loin, dans les vagues.

— Mais les ordres sont les ordres.

Serina avait beau faire tous les efforts du monde, elle ne put empêcher des larmes de couler sur ses joues.

— C'est mon tour de me battre, murmura-t-elle, la gorge nouée.

Val se pétrifia.

— Déjà ?

Elle hocha la tête, observant les vagues sur le rivage, qui venaient se fracasser l'une après l'autre contre la falaise et étaient pulvérisées en écume.

— Tu avais raison, ajouta-t-elle, sentant sa détermination l'abandonner. Je suis une condamnée.

— Jette-toi sur la caisse, lui dit aussitôt Val, d'un ton qui exprimait une forme de désespoir.

— Pardon ?

— Le commandant va jeter des armes dans l'arène aujourd'hui. Des poignards ou des briques, il ne s'est pas encore décidé. En tout cas, le contenu ne sera pas dangereux pour vous. Pas comme le serpent ou les guêpes.

Il se tourna vers elle pour lui prendre le menton et lui relever la tête. Il ne la lâcherait pas tant qu'elle n'aurait pas croisé son regard.

— Ne t'éloigne pas de la caisse, tu m'entends ? Récupère une arme. Et frappe les autres, vite et fort. Ne pense pas à ce que tu fais. Ne t'arrête pas tant que tu ne seras pas allée jusqu'au bout.

Serina enregistra le moindre détail de son visage : les sourcils noirs, le petit amas de taches de rousseur sur sa joue gauche, la panique sur ses traits. Il semblait tenir à sa victoire. Sincèrement.

— Serina ? Tu m'écoutes ?

Il était beau, très beau. Elle l'avait déjà pensé, mais sans le scruter aussi attentivement. Son jugement reposait sur des impressions fugaces : les boucles des cheveux, la courbe des lèvres, les muscles des bras. À présent elle percevait nettement, pour la première fois, combien ses joues brunies par le soleil contrebalançaient sa large bouche expressive. Combien ses yeux brillaient d'une lueur sagace. Combien il semblait inquiet.

Serina n'avait jamais enfreint la loi auparavant. Elle était en prison pour un crime qu'elle n'avait pas commis elle-même. Elle ne s'était jamais rebellée. Elle ne s'en était jamais prise au monde dans lequel elle vivait, pas comme Nomi. Et elle s'apprêtait à prendre part à un combat. Qui se solderait sans doute par sa mort.

Pourquoi suivre encore les règles ?

Serina effleura le visage de Val, caressa la peau douce de sa joue avec sa paume rugueuse. Il se tut. Elle se pencha lentement en avant, jusqu'à ce que leurs fronts se touchent. Il ne s'écarta pas.

La chaleur de son souffle caressa les lèvres de Serina. Elle glissa les mains dans les cheveux de Val pour l'attirer encore plus près d'elle. Un courant électrique parcourait ses veines. Un picotement lui chatouillait la peau. Les battements de son cœur se réverbéraient dans sa gorge.

Leurs lèvres s'unirent et s'abandonnèrent à ce baiser.

Il tendit la main vers elle… elle le repoussa.

Il laissa retomber ses mains dans le gravier alors qu'elle se relevait maladroitement.

— Attends…

Il lui attrapa la cheville avec délicatesse, pas comme s'il avait l'intention de la retenir pour de bon. Elle se libéra sans difficulté.

— Je suis désolée.

Ce n'était pas le cas, pas vraiment. Elle s'était toujours demandé à quoi ressemblait un baiser. Elle s'était préparée aux aspects mécaniques, pas au fourmillement de son sang ni à la chaleur qui s'était diffusée dans son ventre quand la bouche de Val s'était animée contre la sienne.

— Attends ! Serina ! répéta-t-il en se relevant à son tour.

Serina avait toujours cru que son premier baiser marquerait le début de quelque chose et pas la fin. En s'élançant, elle cria par-dessus son épaule :

— On m'appelle Grâce, maintenant !

24 - NOMI

Quand Nomi monta sur le bateau, la jupe de sa robe d'un rouge étincelant se gonfla d'air marin. L'épaisse ceinture dorée qui lui enserrait la taille était assortie à ses sandales et aux longs pendants d'oreilles qu'Angeline lui avait trouvés.

Sa suivante lui avait appliqué de la poudre dorée sur les joues et du rouge sur les lèvres. C'était un style plus théâtral et plus tape-à-l'œil que celui qu'elle avait favorisé jusque-là et, pour la première fois, elle eut l'impression d'avoir trouvé le costume qui convenait à son rôle de Grâce.

Ce qui ne l'empêcherait pas de rester toujours, au fond d'elle, une rebelle.

Le message pour Renzo lui brûlait la poitrine. Elle l'avait glissé dans son corsage pendant qu'Angeline était aux toilettes. Asa avait un contact en dehors du palais à qui il le confierait. Nomi n'avait plus qu'à imaginer le moyen de se retrouver seule avec lui sur un bateau qui grouillait d'invités et d'hommes du Supérieur.

Elle se faufila vers le bastingage en fouillant la foule du regard. Elle n'avait jamais vu un navire pareil. Il était amarré dans l'océan, étant bien trop imposant pour les canaux étroits de la ville. Son immense pont était décoré de lumières et de minuscules clochettes qui tintaient. Les pavois étaient en bois poli ; des sirènes et des poissons s'y entremêlaient avec raffinement.

Au-dessus du pont supérieur, ouvert, étaient tendues des bandes de soie blanche qui battaient au vent. À la poupe, deux ascenseurs en fer forgé permettaient aux convives d'aller et venir entre les deux ponts. Des hommes en livrée blanche actionnaient les cordes et les poulies pour garantir aux usagers un trajet sans heurts. D'autres domestiques évoluaient dans la foule avec des plateaux chargés de verres cannelés et de petits-fours. Au centre du pont, un petit groupe de musiciens jouaient, et autour d'eux les Grâces du Supérieur dansaient avec des hommes qu'il avait choisi de récompenser ou auprès desquels il cherchait à se faire bien voir. La délégation de l'Azura était en bleu clair.

Nomi avait trouvé une portion de bastingage dégagée et elle s'y appuya, se focalisant sur l'océan. Le soleil venait de se coucher et des rais de lumière continuaient à s'accrocher au rebord du monde. Au-dessus, les étoiles s'éveillaient en clignotant.

Se retournant, elle remarqua Asa de l'autre côté du bateau. Il croisa aussitôt son regard. Elle rougit et la chaleur de ses joues se diffusa dans son ventre.

Un homme se faufila jusqu'à lui pour lui dire quelque chose. Asa articula une réponse sans cesser de la regarder.

Quelqu'un vint soudain se placer devant Nomi. Sa voix grave figea le sang dans les veines de la jeune fille.

— Bonsoir, Nomi.

Le Supérieur.

Elle sentit ses poumons se transformer en deux blocs de glace. Elle fit la révérence, et son ancienne gaucherie revint aussitôt en force. Elle était redevenue la suivante modeste et disgracieuse qui détonnait dans ce cadre somptueux. Avec un message perfide glissé dans son décolleté.

— Ines m'a dit que tu faisais des progrès, lui dit-il.

Il lui prit la main et la serra, ses doigts osseux pareils à des barres de fer. Il lui souleva le bras pour lui faire comprendre qu'il voulait la faire tourner. Elle exécuta un tour lent et son poignet se tordit, ce qui lui donna encore plus l'impression d'être à la merci du Supérieur. Son parfum – huile essentielle d'orange et antiseptique – la prenait à la gorge. La maladie qui le rongeait de l'intérieur avait émacié son visage et blanchi ses cheveux, mais elle n'avait pas éteint les flammes glaciales dans ses yeux.

— Je crois pouvoir comprendre ce qui fascine mon fils.

Il l'attira vers lui, l'emprisonna. La gorge de Nomi se serra. Il lui écrasait tant les doigts que ceux-ci étaient parcourus de fourmis. Il lui planta ses ongles dans la peau.

— Ta fougue demande à être domptée.

Ne pouvant plus le supporter, elle s'arracha à ses griffes. Le Supérieur écarquilla les yeux. Il glissa une main sur la taille de Nomi, qui, pour la première fois, se félicita de porter un corset, qui était comme une armure, une barrière entre eux. De son autre main, il enserra son poignet, si fort qu'elle ne put se dégager. Peu importait que Malachi rêve ou non de la dresser ; le Supérieur le voulait. Et il le ferait, lorsqu'il le déciderait.

Même si elle appartenait à son fils.

Après une brève danse pénible, le Supérieur la libéra et inclina la tête. Nomi le salua d'un mouvement frémissant. Ce n'était pas le roulis qui rendait soudain ses jambes mal assurées.

— Danse avec Signor Flavia, lui ordonna-t-il.

Une autre paire de mains l'agrippèrent. Un colosse la fit tourbillonner sur le pont. Il pressait son torse transpirant contre la poitrine de Nomi, et son haleine chargée de vin l'asphyxiait.

— Excusez-moi, les interrompit une voix grave.

L'espace d'une seconde, elle crut qu'il s'agissait d'Asa. Mais c'était son frère. Signor Flavia cessa aussitôt de faire virevolter Nomi.

— Votre Éminence, dit-il avec une courbette.

Nomi n'était qu'un objet pour ces hommes, qu'ils se passaient de main en main. L'Héritier ne dansa pas avec elle, pourtant. Il la conduisit vers le pavois, et elle sentit la brise marine sur ses joues brûlantes.

Malachi était tellement plus imposant qu'Asa. Musclé quand son frère cadet était maigre et nerveux. Sévère quand Asa était amical.

— Tu trembles. C'est le bateau qui te met dans cet état ?

Nomi redoutait de le regarder droit dans les yeux. Et s'il parvenait à lire la traîtrise dans son regard ? La haine ?

— J'ai un peu chaud d'avoir dansé, Votre Éminence.

— Tes mains sont froides, cependant.

Elle les retira de celles de Malachi, osa le regarder.

— Ah vraiment ? répliqua-t-elle d'une voix crispée.

Il venait de se faire couper les cheveux. Il portait un costume bleu marine avec de minces filaments dorés. Son visage anguleux, ses yeux sombres ne lui apprenaient rien.

La gêne de Nomi lui procurait-elle du plaisir ? Se délectait-il de la savoir à sa merci ? Il demeura silencieux si longtemps qu'elle finit par demander :

— À quoi pensez-vous ?

Elle s'attendait à ce qu'il lui rétorque que ça ne la regardait pas. Mais il inclina la tête pour la dévisager.

— Je crois que tu aurais été plus à ta place à une autre époque.

Nomi poussa un soupir :

— Qu'est-ce que je dois comprendre ?

Impertinente ! Pourquoi n'arrivait-elle donc jamais à tenir sa langue ? Les yeux de Malachi se réduisirent à deux fentes, presque comme s'il la jaugeait. Soudain, il focalisa son attention sur le bras de Nomi. Il leva sa main pour dévoiler les croissants de lune violacés sur son poignet, souvenir laissé par les ongles du Supérieur. Malachi les fixa longuement.

— C'est mon père qui t'a fait ça ? finit-il par lâcher.

— Vous êtes surpris ?

Nomi regardait le ciel, où brillaient à présent des étoiles, aussi scintillantes qu'un million de lustres en cristal, regrettant de ne pouvoir être là-haut, très loin.

— Il n'a pas à te toucher. Tu ne lui appartiens pas.

Nomi arrondit les yeux en percevant la colère qui couvait sous les paroles de Malachi. Évidemment. Tout s'expliquait : ce n'était qu'une question de propriété. Alors que la rage montait en elle, elle répliqua :

— Vous voulez dire que vous êtes le seul à pouvoir me toucher ?

Il baissa les yeux un instant. Si elle ne le connaissait pas aussi bien, elle aurait pu s'imaginer qu'il avait honte. Il releva le regard et haussa les sourcils.

— Tu as quelque chose…

Au lieu de finir sa phrase, il pointa un doigt sur sa poitrine. Nomi en eut le souffle coupé. Un coin de la lettre dépassait de son décolleté. Elle piqua un fard, son cœur s'arrêta de battre et son cerveau se mit à turbiner à toute allure. Elle cacha le morceau de papier sous sa main.

— C'est… un bout de mon corset, Votre Éminence. C'est si gênant…

Elle s'inclina et s'excusa.

Elle se précipita vers l'ascenseur, contournant le cercle de danseurs, tête baissée. Une fois dans la cabine en fer forgé, elle se retourna au moment où la porte se refermait. Elle observa les danseurs gracieux qui tourbillonnaient autour des musiciens, au centre de la piste. Un éclair vert passa devant ses yeux : Maris dans les bras d'un homme âgé et corpulent, aux lèvres rouges et au front luisant. Elle avait le regard vide, dans le vague, toutefois ses mouvements demeuraient très précis et contrôlés. Elle souriait, mais sa détresse se lisait dans chacune des parties de son corps.

Si Malachi voyait d'un aussi mauvais œil que le Supérieur touche ses Grâces, pourquoi laissait-il d'autres hommes le faire ?

Brusquement, l'ascenseur descendit vers le pont inférieur, et Nomi ne vit plus rien. Elle s'empressa de cacher le coin de la lettre qui dépassait. Comment avait-elle pu se montrer aussi imprudente ?

La petite cabine métallique s'arrêta et la porte s'ouvrit. Il y avait moins de torches à ce niveau. Et plus d'ombres. C'était plus calme, la musique et les rires du pont supérieur étaient assourdis. L'étroit corridor en panneaux de bois se refermait autour d'elle.

L'autre ascenseur descendit aussi. Ses portes s'ouvrirent sur un garde du palais, aussi grand qu'une montagne et buriné. Elle s'effaça, tête baissée, pour le laisser passer. Sur le pont inférieur, le léger roulis était plus prononcé. Elle avait mal au cœur.

Le garde ne la dépassa pas.

— Suis-moi, lui dit-il d'un ton bourru.

Elle s'était accoutumée au silence des hommes dans les quartiers des Grâces. Elle sentit aussitôt la panique la gagner. Elle lui emboîta le pas, alors même que tous ses muscles se tendaient pour l'entraîner dans la direction opposée. Son cœur battait la chamade et dictait un message dans ses veines : *Fuis, fuis, fuis…*

Ils croisèrent une domestique. Nomi entendait des éclats de rire et des bruits de pas au-dessus de sa tête, mais elle ne voyait personne d'autre. Des papillons se déchaînèrent dans son ventre lorsque le garde ouvrit une porte et lui fit signe d'entrer dans une minuscule pièce. Il la laissa, seule, dans le noir.

Nomi ravala ses larmes. Malachi avait vu la lettre et avait tout compris. Il était au courant. Et maintenant, il allait la punir.

25 - SERINA

Serina se tenait au bord de la scène avec Oracle. Quelque part derrière elle, Jacana, Gia et Theodora étaient assises ensemble, Falaise ordonnait aux nouvelles venues de ne pas pleurer et Braise se dressait près du reste de l'équipe, bras croisés. Sans oublier les gardiens, qui pariaient sur l'issue du combat. Serina se demanda si Val miserait sur elle.

Elle ne pouvait pas le chercher du regard ; elle devait se concentrer sur la scène vide devant elle. D'ici quelques minutes, la pierre pâle serait éclaboussée de sang.

— Le camp de la Jungle a choisi Venin, dit Oracle avec un coup d'œil sur leur gauche. Elles doivent être aux abois.

— Pourquoi ?

Le mot écorcha la gorge de Serina. Elle avait des fourmis dans les mains et ses tempes palpitaient. L'air était chargé de tension électrique : le calme avant la tempête.

— C'est leur meilleure combattante. Évite-la au maximum. Elle aime mordre et enduit ses dents de poison.

Personne ne sait comment elle fait pour ne pas être infectée elle-même.

Venin se rendit compte qu'elle était observée et sourit, dévoilant des dents taillées en pointe. Serina crut qu'elle allait vomir… Oracle la prit par le bras pour obtenir son attention.

— Perle représente les Falaises. Elle est forte, et elle a un vilain crochet du droit, mais ses genoux sont son point faible. C'est là qu'il faut viser.

Serina hocha la tête, la gorge nouée. Elle jeta un coup d'œil en direction de la femme. Avec ses épaules larges et ses hanches étroites, Perle dominait sa meneuse d'équipe. Elle avait beau déjà faire des efforts pour continuer à respirer, Serina ne put s'empêcher de poser la question :

— Pourquoi a-t-elle été surnommée Perle ?

Les perles étaient de petites choses délicates, non ?

— Elle vient d'une famille de pêcheurs de perles. Elle a été envoyée ici quand les autorités ont découvert qu'elle travaillait pour l'entreprise familiale alors que les femmes ne sont pas autorisées à plonger.

Oracle inclina la tête en direction d'une autre fille.

— L'équipe de la Plage ne joue pas son meilleur atout. Cette combattante avantage son côté gauche, sans doute à cause d'une blessure. Exploite cette faiblesse.

Serina essuya ses paumes moites sur ses cuisses. Elle se demanda ce que les autres meneuses disaient à son sujet. Le commandant Ricci fit son entrée sur scène, et l'adrénaline se diffusa à nouveau dans tout le corps de Serina.

— Combattantes, mettez-vous en place, annonça-t-il avant de se diriger vers l'escalier menant au balcon.

Les jambes de Serina ne semblaient plus lui répondre. La lumière du jour finissait de décliner et une pensée angoissante lui traversa l'esprit : venait-elle d'assister au coucher du soleil pour la dernière fois ?

— L'Hôtel Misère a gagné la semaine dernière, alors c'est une nouvelle qui les représentera. Surveille-la, ajouta Oracle, elle n'a pas l'air aussi terrorisée qu'elle le devrait.

Serina devina d'instinct qu'il s'agissait d'Anika, la fille rebelle du bateau, avant même que celle-ci ne prenne place sur scène. Elle était la première à le faire. Elle avait déchiré les manches de sa chemise pour exposer ses bras secs et musclés, et ses cheveux étaient coiffés en une multitude de petites tresses serrées. Anika n'avait-elle pas dit qu'elle avait été envoyée au Mont Destruction pour meurtre ?

— Je ne peux pas me battre, murmura Serina, submergée par une lame de terreur.

Elle ne craignait pas seulement pour sa vie. Elle avait peur de tuer. Elle s'était peut-être entraînée aux techniques de combat, son cœur, lui, n'était pas prêt à prendre une vie.

— Je ne peux pas, répéta-t-elle d'une petite voix misérable.

— Mouette était d'un autre avis, lui rétorqua Oracle avec fermeté. Et moi aussi. C'est comme pour la sélection des Grâces… sauf qu'ici, c'est toi qui décides qui gagne. Et tu as le droit de te mettre en colère.

Elle bouscula légèrement Serina.

— Mets-toi en colère, Grâce.

Serina avança sur scène. Et, alors qu'elle balayait du regard les autres combattantes puis les spectatrices affamées et effrayées dans les gradins, les mots d'Oracle finirent par prendre tout leur sens. Et la colère de Serina se déploya. Oracle avait raison. Le Viridia était un monde où, jusque dans ses prisons, les femmes étaient dressées les unes contre les autres, sous le regard des hommes.

— Prêtes… feu… partez ! cria le commandant Ricci en lâchant une caisse au milieu de l'arène.

Jette-toi dessus ! avait dit Val.

Serina se précipita dans la direction de la caisse, en priant pour que le gardien soit digne de confiance. Derrière elle, une des combattantes hurlait. Serina écarta les débris de bois et découvrit plusieurs couteaux. Elle en prit un et jeta les autres dans le public, au moment où quelqu'un lui plantait son genou dans les reins. Elle tomba à quatre pattes, le souffle coupé, cependant, s'il y avait une chose pour laquelle elle était douée, c'était celle-ci : se relever.

D'un bond elle fut sur pied et se jeta sur son adversaire avec son couteau. Perle esquiva l'attaque de peu, basculant son poids sur ses talons. Serina visa ses genoux. Elle frappa de toutes ses forces, et Perle vacilla en arrière. Profitant qu'elle ait perdu l'équilibre, Serina lui fit un croche-patte : son adversaire tomba en décrivant des moulinets avec les bras et se fracassa le crâne sur la première rangée de gradins en pierre. Son corps s'affaissa, inerte, et ses yeux se révulsèrent. Elle respirait encore mais ne se releva pas.

De la bile brûlait la gorge de Serina.

Elle fit volte-face juste à temps pour voir Venin éliminer la combattante de la Plage. Le visage de cette dernière avait viré au violet et il y avait de profondes plaies sanguinolentes sur son épaule. Venin recula alors que sa victime s'effondrait et croisa le regard de Serina. Puis elle sourit, découvrant ses dents pointues… et rouges. Elle fondit sur celle dont elle voulait faire sa nouvelle victime.

Chacun des muscles de Serina lui criait de prendre la fuite.

Un couteau fendit l'air et se planta dans la poitrine de Venin. Elle chancela sans tomber. Une autre lame trouva le cou de Perle, l'achevant avant qu'elle n'ait pu rouvrir les yeux. Serina retenait son souffle. Anika remonta sur scène, armée de plusieurs couteaux. Elle avait profité que les autres soient occupées à se battre pour aller s'en emparer.

Serina se prépara à être la prochaine cible, pourtant Anika se jeta sur Venin et lui trancha la gorge. Des taches dansaient devant les yeux de Serina. Un gardien poussa un cri de joie. Le reste du public suivait la scène en silence.

Trois combattantes étaient déjà tombées.

Ne pense pas à ce que tu fais. Ne t'arrête pas. La voix de Val résonna dans l'esprit de Serina. Plus qu'une adversaire. Et ce serait terminé.

Anika pivota vers elle, un couteau dans chaque main. Son expression déterminée déclencha un frisson glacé le long de la colonne vertébrale de Serina. Les torches vacillantes projetaient sur la scène des ombres grotesques qui se déplaçaient comme des fantômes.

Lorsque Anika se jeta sur elle, Serina exécuta un tour sur elle-même, esquivant les couteaux. Dans le même moment, elle déplia sa jambe. L'espace d'une seconde, elle eut l'impression qu'elle dansait. Anika tomba et le pied de Serina percuta une de ses mains. Le couteau qu'elle tenait glissa sur les pierres avec un son métallique.

Anika poussa un cri de frustration. Serina voulut piétiner son autre main, mais son adversaire était prête cette fois. Elle se souleva et ficha son épaule dans le ventre de Serina. Celle-ci recula d'un pas et dérapa sur la pierre glissante. Anika lui fit une longue entaille au bras.

Une douleur fulgurante saisit Serina au moment où le sang jaillissait. Elle étouffa un cri. Anika se jeta vers elle, tentant de profiter de son avantage. Serina fit un pas de côté au tout dernier instant, et l'autre combattante vacilla à cause de l'élan. D'une volte-face, Serina lui décocha un coup de pied à l'arrière du genou. Anika tomba violemment. Au moment où celle-ci roulait sur le côté pour tenter de ramener ses pieds sous elle, Serina la désarma. Elle craignait qu'Anika ait caché un autre couteau. Elle ne pouvait pas courir de risque. Elle se laissa donc tomber sur la poitrine d'Anika, lui pressa la lame de son couteau contre la gorge et lui immobilisa les épaules avec ses genoux.

Anika se débattit, sans réussir à se débarrasser de son assaillante. La jeune fille l'avait remarqué lors de leur rencontre : Serina n'était pas aussi maigre que les autres détenues. Son poids lui donnait la supériorité à présent.

— Rends-toi, gronda-t-elle en pressant la lame contre la gorge d'Anika, au point de faire perler du sang.

— Non ! rugit-elle en lui crachant au visage.

Le temps ralentit. Serina fixa sa rivale. Anika ne se débattait plus. Pourtant son expression demeurait rebelle, sa bouche était déformée par un rictus et ses yeux brillaient d'un éclat fiévreux.

Serina allait devoir la tuer. Il lui suffisait de presser le couteau un peu plus fort, d'y mettre tout son poids, et elle gagnerait. Elle serait en vie et son équipe aurait la nourriture dont elle avait désespérément besoin.

Rien qu'une vie. Une mort.

Un meurtre.

Serina plongea ses yeux dans ceux d'Anika. La fille haletait. Il n'y avait pas d'autre bruit, sinon le rugissement du vent et le tambourinement du sang de Serina dans ses oreilles.

Allez, Serina, tu as déjà gagné.

— Rends-toi, Anika. Je ne veux pas faire ça.

La jeune fille fronça les sourcils.

— Si tu ne le fais pas, je m'en chargerai.

Ce n'étaient pas des paroles en l'air. Elle était très sérieuse. Toutefois, son expression trahissait les tourments qui l'agitaient. Serina l'avait toujours prise pour quelqu'un de violent. Quelqu'un qui méritait sa place en prison. Elle l'avait d'ailleurs dit elle-même : elle avait tué quelqu'un. *Comme tu as « volé » quelque chose ?* songea Serina, alors que son ventre se serrait. Y avait-il une seule détenue qui méritait d'être là ? Qui méritait ça ? Sa main, celle qui tenait le couteau, se mit à trembler.

Anika tenta de profiter de ce moment d'inattention pour tendre le bras en direction de l'un des couteaux, presque à sa portée. Serina n'avait qu'une ou deux secondes devant elle avant que le combat ne reprenne.

Elle tenait enfin une occasion de choisir sa place. De prendre ses décisions. Serina avait gagné cette opportunité. Le couteau continuait à trembler. Il ne s'enfonça jamais plus profondément dans la chair d'Anika. Alors que ses oreilles résonnaient d'un cri intérieur, un cri d'effroi, Serina leva les mains :

— Je me rends.

Derrière elle, le public retint son souffle. Au-dessus, sur le balcon, il y eut un grondement de voix menaçant, auquel fit écho une vague de murmures dans les gradins. Anika en resta bouche bée. Puis elle repoussa Serina, qui ne lâcha pas son couteau. Bien que gagnée par un engourdissement général, celle-ci sentait la force de la certitude l'envahir, la porter. Elle avait pris la bonne décision.

Anika s'empara d'un couteau mais ne l'attaqua pas. Elle resta là, à dévisager Serina. Le règlement interdisait de tuer une combattante qui s'était rendue, et aucune d'elles ne savait que faire.

La voix du commandant Ricci jaillit soudain dans le silence pesant :

— Emmenez-la !

Avant que les gardiens puissent mettre l'ordre à exécution, Oracle et Braise empoignèrent Serina pour l'entraîner dans la nuit de plus en plus noire.

26 - NOMI

Nomi arpentait la minuscule pièce. Deux couchettes se faisaient face et l'unique petit hublot laissait entrer le clair de lune. Ça ressemblait déjà à une cellule.

Le mouvement constant du bateau lui soulevait le cœur. Elle fixa l'horizon argenté. L'espace d'un instant, elle crut qu'elle allait être malade.

La porte s'ouvrit et Nomi fit volte-face. Une lanterne éclairait le visage impassible du garde, et derrière lui…

Asa !

Nomi en eut le souffle coupé.

— Merci, Marcos, dit-il en congédiant le garde.

Il ferma la porte et suspendit la lanterne à un crochet au mur. Ensuite, il se tourna vers Nomi. L'espace était exigu et sa robe volumineuse occupait beaucoup de place. Elle fut si soulagée de le voir qu'elle se jeta quasiment dans ses bras.

— Votre frère a aperçu un coin de la lettre, dit-elle un peu essoufflée. Je lui ai répondu que c'était un bout de mon corset et, quand le garde m'a conduite ici, j'ai cru que Malachi voulait me punir.

Asa couvrit le peu de distance qui les séparait, son corps filiforme vibrait d'une énergie contenue.

— Tu dois être plus prudente, Nomi. Je ne veux pas que tu prennes de tels risques. S'il t'arrivait quoi que ce soit…

Il était tout près. Si près qu'il aurait pu mettre ses mains sur la taille de Nomi sans avoir à faire un pas. Elle sentit le poids de son regard sur elle. Ses propres doigts brûlaient de remonter le long de ses bras musclés, d'éprouver la caresse de sa peau.

Son désir l'effrayait.

— J'ai été bête, je sais.

Elle rougit avant de plonger ses yeux dans les siens, peuplés d'ombres.

— Mais ça en vaut la peine. Je ne peux pas… je ne peux pas être la Grâce de Malachi, Asa. Je ne peux pas passer ma vie à la merci du Supérieur. Et Serina… Ça marchera, et on sera libres. Je serai plus prudente la prochaine fois, je promets.

Il effleura sa taille, exactement comme elle l'avait espéré.

— De toute mon existence, je n'avais jamais rencontré personne d'aussi exalté.

Avant qu'elle ait pu se contenir, elle lui caressait les épaules. Les mains d'Asa lui enserrèrent la taille et ils s'embrassèrent, adossés à la porte. Des étincelles dorées explosaient derrière les paupières closes de Nomi. Elle glissa les doigts dans ses cheveux alors qu'il entrouvrait la bouche, imprimant à son baiser plus de passion encore. Le bateau qui tanguait doucement sous leurs pieds les pressait l'un contre l'autre.

Si Serina avait été là, elle aurait été horrifiée par l'attitude de Nomi. Et pourtant cette dernière ne s'arrêta pas. Elle savourait la chaleur épicée des lèvres d'Asa, le contact à la fois soyeux et rugueux de sa peau contre la sienne. Les sentiments qui se déployaient en elle repeignaient la cabine exiguë en rouge.

Avec un petit sursaut de surprise, elle s'écarta. Une lumière écarlate chassait réellement la nuit. À travers le hublot, elle aperçut les derniers vestiges d'un feu d'artifice. Une nouvelle explosion or et rouge se déploya dans le ciel nocturne.

— Regarde, dit-elle, si bouleversée qu'elle en avait oublié le vouvoiement.

Si elle savait que les feux d'artifice existaient, elle n'en avait jamais vu. Asa l'enlaça par-derrière et ensemble ils admirèrent le spectacle. Nomi poussa un petit cri en découvrant une gigantesque gerbe scintillante vert et violet, et elle soupira en suivant des yeux la traînée blanche que celle-ci laissait derrière elle.

Asa déposa dans sa nuque un baiser qui la chatouilla. La dernière fusée entraîna des filaments dorés vers l'océan. La fumée se dissipa peu à peu, permettant à nouveau aux étoiles de briller.

— Ils vont bientôt partir à notre recherche, murmura-t-il.

Nomi abandonna la tête contre son épaule. Elle ne voulait pas le quitter. Mais, s'ils étaient surpris ensemble, Serina ne serait jamais libérée.

— Tu reverras ta sœur, Nomi, murmura Asa. Je te le promets. Maintenant, file !

Après l'avoir brièvement embrassée sur la tempe, il la poussa dans le couloir.

27 - SERINA

Oracle et Braise ne lâchèrent Serina que lorsqu'elles eurent mis une distance suffisante entre l'amphithéâtre et elles. La jeune fille trébucha sur le chemin défoncé.

La lune brillait, éclairant les traits durs d'Oracle. Au loin, une étrange lumière clignotait à l'horizon. Serina ne pouvait en être certaine, mais il s'agissait sans doute d'un feu d'artifice.

Le reste de l'équipe de la Caverne les suivait. Serina ne regarda pas derrière elle, elle savait ce qu'elle aurait vu : de la déception, de la rage.

La plaie sur son bras continuait à saigner.

En silence, elles s'engouffrèrent dans la grotte. L'une des femmes raviva le feu, envoyant des étincelles vers la roche incrustée de suie. Serina s'attendait à ce qu'Oracle la prenne à part pour lui faire la leçon, pourtant celle-ci la semonça devant tout le monde.

— Tu nous as trahies, ma fleur, dit-elle d'un ton cassant qui donnait au petit nom affectueux les intonations d'une insulte. Tu avais une occasion de gagner… Mouette est morte pour te donner cette chance. Et maintenant on va connaître la faim.

— Oui, j'ai refusé d'assassiner quelqu'un ! explosa Serina.

Elle ne se laisserait pas culpabiliser parce qu'elle avait découvert qu'il y avait une limite qu'elle était incapable de franchir. Elle ne pouvait pas tuer quelqu'un de sang-froid. Même pour nourrir ses amies. Même pour sauver sa peau.

— Vous ne voyez donc pas combien c'est mal ? Les gardiens nous forcent à nous entretuer pour se divertir ! On devrait au contraire unir nos forces et faire en sorte que personne ne souffre de la faim.

Un éclair traversa le regard d'Oracle.

— Je t'ai déjà dit ce qui était arrivé le jour où on a refusé de se battre. Il y a eu bien plus de quatre morts. Je refuse de mettre nos vies en danger parce que tu as été trop faible pour faire le nécessaire.

— Ce n'est pas être faible que vouloir résister ! s'écria Serina.

Jusqu'à son arrivée sur l'île, elle n'avait jamais douté des lois du Viridia. Et même au début, elle avait accepté ces combats. Ils étaient horribles, terrifiants, inhumains… mais les choses fonctionnaient ainsi ici. C'était une réalité avec laquelle elles devaient toutes composer. Comme le statut de Grâce. Comme la justice au Viridia.

Les femmes n'avaient pas le droit de lire.

Les femmes n'avaient pas le droit de choisir leur mari, leur métier, leur avenir.

Pas le droit de plonger pour pêcher des perles ou vendre des biens au marché pour aider leur famille.

Pas le droit de se couper les cheveux à moins qu'un homme ne le leur demande.

Pas le droit d'avoir des idées.

Pas le droit de choisir.

Pourquoi, enfin ?

— Ma mère m'a toujours appris à ne jamais me fier aux autres femmes, sous prétexte que nous serions toujours en compétition les unes contre les autres. Or c'est faux ! Il suffit d'ouvrir les yeux : ici, on veille justement les unes sur les autres.

Elle chercha Frisson du regard, dans l'assemblée.

— On se guérit mutuellement.

Puis elle s'adressa à Jacana :

— On se partage la nourriture.

Elle songea ensuite à Mouette.

— On meurt pour protéger les autres.

Des larmes menaçaient de déborder de ses yeux.

— Serina… la mit en garde Oracle.

Elle ne pouvait pas se taire, pourtant. Une vague enflait dans sa poitrine et, si elle ne parlait pas, celle-ci l'engloutirait.

— Pourquoi les laisse-t-on nous faire ça ? demanda-t-elle, ne pensant pas seulement aux combats barbares. Pourquoi les laisse-t-on nous briser ? Nous affamer ? Nous punir d'être nous-mêmes ? Est-ce parce que nous nous imaginons que nous sommes des êtres fragiles, des fleurs délicates, que nous ne protestons pas ?

Sa voix était de plus en plus forte :

— Je ne crois pas que nous ayons jamais réussi à être ce qu'ils attendent de nous. C'est d'ailleurs pour cette raison que nous avons atterri ici.

Elle se souvenait de ce qu'Oracle lui avait dit à son arrivée. Tout à coup, ces mots prenaient une autre valeur, parce que Serina était convaincue de leur justesse.

— Nous ne sommes pas des fleurs, affirma-t-elle. Tu l'as dit, Oracle, nous sommes la brique et le fil barbelé. Nous sommes le fer.

Serina balaya du regard les femmes qui l'entouraient.

— Nous sommes intelligentes et dangereuses. Les gardiens le savent. Ils savent que nous avons le pouvoir de les renverser, il suffirait que nous unissions nos forces. Nous devons cesser de nous entretuer pour nous battre contre eux.

Personne ne disait rien, mais les yeux de Braise lançaient des éclairs. Deux femmes s'étaient approchées pour écouter. Serina trouva à nouveau le regard de Jacana. Elle avait les yeux écarquillés et serrait ses poings squelettiques. Si elles unissaient leurs forces, si elles…

— Va-t'en.

Les mots d'Oracle fendirent l'air comme la lame d'un couteau. Ils atteignirent Serina au plus profond de son âme.

— Oracle…

— Tu t'es rendue, gronda-t-elle. Tu t'es montrée faible et tu as trahi ton équipe. La punition est le bannissement. Tu es toute seule, maintenant, Grâce. Tu appartiens au Mont Destruction.

Pas une seule protestation ne s'éleva.

Serina, elle s'en rendit alors compte, était condamnée à mort pour la seconde fois : le Supérieur n'avait jamais envisagé qu'elle puisse survivre au Mont Destruction et, à présent, sans nourriture, sans eau, sans abri, elle en serait incapable. Pressant son bras blessé contre son ventre, elle remarqua qu'elle avait, sans le vouloir, conservé le couteau.

Après avoir jeté un dernier coup d'œil à Jacana et à Oracle, elle se tourna vers le tunnel. Les femmes s'écartèrent pour lui permettre de sortir.

Serina n'avait aucun regret. Elle savait qu'elle avait raison. Cela causerait sans doute sa mort, mais elle préférait une mort à ses propres conditions qu'une vie de meurtrière. Sa sœur serait fière d'elle.

Nomi n'était plus la seule rebelle dorénavant.

28 - NOMI

Nomi ne quittait le palais que pour la seconde fois. Le grand air aurait dû lui procurer un sentiment de liberté, au lieu de quoi il lui semblait aussi épais et poisseux que de l'huile dans ses poumons. Cassia jacassait avec excitation sur le bateau qui traversait le canal vers la place principale de Bellaqua, où l'Héritier les attendait. Maris se retenait de lui ordonner de se taire. Et Nomi, elle, ne parvenait qu'à fixer l'eau en silence, s'efforçant de conserver une expression neutre.

La lettre était, une fois de plus, cachée dans son corsage.

La description du contact d'Asa tournait en boucle dans son esprit : *Il s'appelle Trevi et porte un gilet bleu. Il tient un stand de coutellerie. Il ne pourra pas s'approcher des voitures.*

Elle ne savait toujours pas comment elle réussirait à s'échapper pour aller le trouver. S'il avait vendu des rubans ou du tissu, elle aurait pu faire mine de s'intéresser à sa marchandise. Mais des couteaux ? Quelle raison une Grâce aurait-elle de s'intéresser à un tel stand ?

Et ce n'était encore que le premier obstacle à franchir. À supposer que Luca mette l'empressement nécessaire à apporter la lettre à Renzo, ainsi qu'elle l'avait exigé, et que ce dernier arrive à Bellaqua avant l'anniversaire de l'Héritier, leur plan comportait encore plusieurs autres étapes, chacune comportant ses risques et sa part d'incertitude.

Pour commencer, il lui faudrait écrire une seconde lettre avec des instructions explicites sur ce qui devait se produire le soir du bal. Asa trouverait le moyen de transmettre cette missive. Elle dirait à Renzo de s'arranger pour que sa tentative d'assassinat inspire la crainte sans jamais faire courir un véritable danger au Supérieur. Il simulerait un combat avec Asa, qui volerait au secours de son père. Et s'arrangerait pour laisser entendre qu'il avait été embauché par Malachi. Puis il s'échapperait du palais.

Ensuite, Nomi devrait cacher une preuve incriminante dans les appartements de Malachi : une lettre de l'assassin acceptant la mission.

Et, enfin, le jour du bal masqué, Asa devrait convaincre son père de se retirer dans un petit salon pendant la fête, ce qui faciliterait la fausse attaque.

Si tout se déroulait comme prévu, Asa pourrait immédiatement accuser Malachi et, juste après, découvrir la preuve – la lettre – dans sa chambre.

Ce plan lui avait semblé risqué, compliqué, mais réalisable, quand ils l'avaient échafaudé, Asa et elle, sur la terrasse cette nuit-là. À présent pourtant, en plein jour, la lettre pressée contre son sein, il lui apparaissait totalement ridicule. Parce que tout, oui tout, reposait sur sa capacité à s'isoler assez longtemps pour entreprendre un inconnu sur un marché noir de monde. Ce n'était que la première étape, et très probablement celle qui anéantirait tous leurs espoirs.

Nomi ravala une vague de nausée.

— Tout va bien ? s'inquiéta Maris en posant une main sur son bras. Tu n'as pas l'air dans ton assiette.

Nomi tenta de faire le vide dans son esprit, pourtant son malaise ne s'atténuait pas. Des nuages noirs s'agloméraient au-dessus des bâtiments de la ville.

— J'ai une peur panique des orages, dit-elle tout bas en levant la tête vers le ciel menaçant.

C'était la vérité – et le fait qu'elle n'ait pas remarqué le ciel jusqu'à présent était le signe de la gravité de la situation. Maris lui frictionna le bras d'un geste réconfortant.

— Ce ne sont que des nuages de pluie, et encore lointains. L'horizon en est chargé depuis plusieurs jours. Il n'y aura sans doute même pas d'ondée.

Cassia se mêla à leur échange :

— Tu as peur des orages ?

Nomi serra les dents. Le gondolier les secoua légèrement au moment d'accoster près de la place. Sur celle-ci, une immense voiture noir et or les attendait. L'Héritier et son cocher étaient postés juste à côté. Les grands chevaux noirs renâclaient et agitaient leurs crinières. Tout autour de l'attelage, les petits étals pullulaient : vendeurs de fruits frais, de tissu et même de cochons entiers récemment égorgés.

Nomi fut la première à descendre de la gondole. Elle dirigea ses pas vers le marché en faisant mine d'être intéressée par les marchandises, alors que ses yeux cherchaient frénétiquement un petit homme en gilet bleu.

Elle repéra d'abord les couteaux.

Leurs lames argentées qui réfléchissaient le soleil, avec des manches en métal ouvragé incrusté de pierres précieuses. Ces armes étaient de véritables œuvres d'art. L'étal était coincé entre un vendeur de tourtes et un gantier.

— Nomi ! s'écria Malachi en l'agrippant par le bras. Les autres t'attendent.

L'Héritier l'entraîna vers le carrosse. Intérieurement, Nomi gémissait. Elle ne pouvait prendre le risque de se libérer de la poigne de Malachi, et pourtant elle aurait tant aimé le faire… Elle tenait son occasion, et il n'y en aurait sans doute pas d'autre. Elle dut baisser la tête pour se composer un masque derrière lequel cacher son désarroi.

La voiture noir et or avait un toit mais était ouverte sur les côtés, avec deux banquettes matelassées qui se faisaient face et un plancher en bois ciré. Le cocher bondit à sa place, juste derrière les deux montures.

Cassia attendait l'Héritier. Il l'aida à monter, puis fit de même avec Maris. Nomi vint en dernier. La main de Malachi était chaude et ferme. Il s'assit à côté d'elle sur la banquette. Nomi eut aussitôt conscience de la pression de sa jambe contre la sienne ; leurs genoux s'entrechoquaient à cause des cahots de la voiture sur les pavés de la place. Nomi regarda l'étal de couteaux et le petit homme en gilet bleu disparaître de son champ de vision. Elle avait envie de hurler.

Tu auras une autre occasion, s'encouragea-t-elle en tentant de repousser la vague de désespoir qui menaçait de la submerger. *Au retour. Une dernière occasion.*

— Comment te portes-tu ce matin, Nomi ? lui demanda l'Héritier.

Il portait une chemise blanche fine et un pantalon en cuir lisse. En d'autres circonstances, elle aurait pu le trouver séduisant.

— Je me porte bien, Votre Éminence, dit Nomi en s'efforçant de paraître sincère.

— Ines a parlé de la visite d'une parfumerie ? lança Cassia pour tenter de s'immiscer dans la conversation.

Elle se pencha vers l'Héritier, sa robe jaune et orange dévoilant ses formes avantageuses. Malachi hocha la tête.

— Vous avez une odeur préférée, Votre Éminence ? insista-t-elle. L'autre jour, vous avez dit que vous n'appréciiez guère celle des fleurs.

Elle étalait, devant celles qu'elle considérait comme ses adversaires, sa connaissance de Malachi. Ce que Cassia ignorait, c'était qu'elle seule désirait être là. Ni Maris ni Nomi n'auraient du mal à trouver le sommeil si l'Héritier ne les gratifiait pas de son attention. Au contraire…

Nomi sentit qu'il haussait imperceptiblement les épaules.

— Je ne sais pas. Je ne me suis jamais posé la question.

— Alors nous allons devoir nous charger de trouver la réponse pour vous ! lança-t-elle d'un ton aguicheur. Peut-être que l'une de nous découvrira la fragrance parfaite pour vous séduire.

— Peut-être, dit-il avec un sourire évasif.

Il riva son regard sur Maris, et Nomi lut brièvement la déception sur les traits de Cassia, qui se ressaisit aussitôt.

— Maris, dit-il, quel est l'aspect de la vie au palais qui te plaît le plus ?

Elle lui sourit, écarta une mèche de ses longs cheveux. Elle ressemblait à une poupée : parfaite et vide à l'intérieur.

— La possibilité de passer du temps avec vous, Votre Éminence.

Le bras de Malachi se crispa contre celui de Nomi.

— Bien sûr, répondit-il.

Quand il fut évident qu'il ne souhaitait plus discuter, Nomi se détourna pour regarder la ville défiler. La voiture progressait lentement sur des routes étroites et cahotait sur des ponts. Des fleurs grimpantes rouges s'accrochaient aux façades en pierre des maisons, et le linge était suspendu au-dessus des rues comme des voiles qu'aucun vent n'agitait. Les nuages gris foncé s'amoncelaient plus haut à l'ouest de la ville. La voiture roulait sur une longue étendue de pavés ensoleillés, puis elle prenait un virage et, soudain, surgissait un amas de nuages menaçants.

Nomi croisait les doigts pour que Maris ait vu juste et que ce soit seulement de la pluie. Les orages la terrifiaient depuis qu'elle était enfant. Elle se remémorait avec une peur viscérale ceux qui rugissaient dans la vallée, les trombes d'eau qui fouettaient les vitres et les coups de tonnerre qui faisaient trembler leur appartement. À l'époque, Serina la rejoignait dans son lit et lui chantait des berceuses, elles surmontaient cette épreuve ensemble. Et, malgré tout, Nomi continuait à trembler longtemps après la fin de la tempête.

Dans un fracas métallique, la voiture s'arrêta devant une boutique. Malachi descendit et offrit son aide à chacune des Grâces. Nomi chancela, son talon se coinçant entre deux pavés. L'Héritier l'aida à retrouver l'équilibre, l'attirant un peu trop près de lui à son goût.

Il ne possédait ni l'énergie contenue ni la grâce aisée d'Asa. Il était fort, solide et taciturne. Elle sentit qu'elle faiblissait sous son regard.

Comment pouvait-elle espérer échapper, ne serait-ce que quelques instants, à sa vigilance ? C'était impossible.

Lorsqu'ils pénétrèrent dans la parfumerie, Nomi fut assaillie par la luminosité qui y régnait, bien plus forte que celle de la matinée brumeuse, dehors. L'immense pièce était meublée de petites tables-miroirs disposées en rangées bien régulières. D'autres miroirs étaient suspendus aux murs, se répondant les uns aux autres. Cela donnait à l'espace un caractère irréel : on avait l'impression de pouvoir traverser le mur de miroirs à l'infini.

Sur chaque table se trouvait un flacon en cristal taillé, un bol de grains de café et un pot de boules de coton. Cassia observait les lieux en poussant des gloussements de plaisir, les mains pressées sur sa poitrine.

Nomi et Maris restaient près de la porte.

— Le parfum me fait éternuer, murmura la seconde.

— On pourrait s'en servir de moyen de dissuasion, lui répondit la première.

Maris émit un bruit étrange, mi-rire, mi-grognement.

Malachi leur jeta un coup d'œil. Nomi eut du mal à contenir le fou rire hystérique qui montait dans sa gorge.

Le parfumeur choisit ce moment pour sortir de son arrière-boutique et se précipiter vers l'Héritier. L'homme était petit et corpulent, avec un crâne chauve ceint d'une touffe de cheveux blancs et des lunettes rondes posées sur le bout de son nez. Il fit des courbettes exagérées.

— Votre Éminence, c'est un honneur de vous recevoir aujourd'hui.

— Merci, Signor. Je suis navré que mon père n'ait pu nous accompagner, ainsi qu'il l'aurait souhaité, répondit-il.

Malachi se tourna vers ses Grâces.

— Le Signor a aimablement accepté de nous accueillir durant quelques heures. Essayez les parfums et trouvez celui qui vous convient. Quand vous aurez fait votre sélection, prévenez-moi, je serai heureux de vous en offrir un flacon pour votre usage personnel.

Aimablement accepté… Nomi retint un éclat de rire. Comme si le Signor avait eu le choix… Elle fit malgré tout la révérence avec les autres. Elle s'apprêtait à demander à Maris par où celle-ci voulait commencer, lorsque l'Héritier se plaça devant elle. Il lui offrit une main, en vrai gentilhomme galant, et lui indiqua la table la plus proche.

— Que dirais-tu que nous cherchions ensemble la fragrance qui te conviendra le mieux ?

À contrecœur, Nomi glissa sa main dans la sienne. Elle jeta un coup d'œil par-dessus son épaule. Maris fixait les flacons disposés sur une autre table, tandis que Cassia versait un peu de parfum sur une boule de coton pour la respirer délicatement.

Malachi en approcha une des narines de Nomi.

— Qu'en dis-tu ?

Nomi se pencha légèrement et fronça aussitôt le nez.

— Ah non ! Ça sent la pêche pourrie.

L'Héritier haussa un sourcil avant de humer à son tour la boule de coton. Un muscle de sa mâchoire tressauta.

— Tu dis « pourrie », je parlerais plutôt de… pêche trop mûre.

Elle se força à rire. Il s'approcha de la table voisine et elle le suivit, agacée mais aussi déroutée. Elle ne s'était pas attendue à ce qu'il fasse cette visite avec elle. Elle pensait qu'il resterait à l'écart pour observer ses Grâces de son regard si perçant qu'il en était terrifiant.

Nomi identifia des notes d'orange, ce qui lui rappela le Supérieur. Elle en eut la chair de poule. Quand Malachi lui demanda son avis, elle se contenta de secouer la tête. Elle découvrit ensuite des arômes de frangipanier, simples et sucrés, qui n'avaient cependant pas la faveur de l'Héritier, puis d'autres plus verts et frais, qui ne dérangeaient pas Nomi sans la séduire plus que cela.

Cassia évoluait dans la boutique en gloussant et en faisant la belle pour attirer l'attention de Malachi… sans grande subtilité. Nomi, elle, se surprit à prendre la tâche au sérieux. Peut-être parce que se concentrer sur les senteurs d'épices et de santal lui permettait d'oublier la lettre cachée dans son corsage. La mission impossible dont elle continuait pourtant à espérer qu'elle réussirait à s'acquitter.

— Celui-ci est agréable, dit Malachi en lui tendant un autre morceau de coton.

Nomi ne put identifier le parfum. Il lui rappela les soirées froides et neigeuses à Lanos, avec des relents de feu de bois. Une odeur vive et tonifiante. Des larmes lui montèrent aux yeux.

— Puis-je avoir ce parfum, Votre Éminence ? demanda-t-elle tout bas.

Elle en tapota un peu sur ses poignets avant de le humer à nouveau.

— Il me rappelle ma ville natale.

Malachi inclina la tête.

— Avec plaisir.

— Merci, dit-elle avec une petite révérence. Et merci de nous avoir emmenées ici aujourd'hui, Votre Éminence. C'est très généreux de votre part.

Il balaya ses remerciements.

— Je sais ce que c'est qu'être confiné dans le palais.

— Vous voulez dire enfermé ? rétorqua Nomi sans réfléchir.

Elle porta aussitôt une main à sa bouche. Malachi se montra soudain plus attentif.

— C'est ton sentiment ?

— Non, bien sûr que non, s'empressa-t-elle de répliquer. Le palais est magnifique. Un vrai rêve. Simplement, il y avait longtemps que je n'avais pas quitté ses murs, et j'ai toujours rêvé de visiter Bellaqua. Ça a été un véritable cadeau de voir la ville aujourd'hui.

Nomi eut une illumination subite : elle avait une idée pour approcher Trevi.

— Pour tout vous dire, Votre Éminence, je… j'aimerais vous faire un cadeau moi aussi, ajouta-t-elle d'un ton timide.

Elle lui coula un regard de biais, juste à temps pour voir la surprise se peindre sur ses traits.

— Pour vous témoigner ma gratitude. Est-ce que vous m'autoriseriez à choisir quelque chose pour vous au marché ?

Elle retint son souffle. Considérerait-il qu'une babiole du marché n'était pas digne de lui ? S'interrogerait-il sur ses motivations ?

Pourvu qu'il accepte…

— Tu ne me dois rien, Nomi.

Pour une fois, sa voix ne semblait ni grave ni distante.

— Je le sais, répliqua-t-elle un peu trop vite, mais rien ne m'empêche de faire preuve de générosité à mon tour, n'est-ce pas ? Vous avez été si bon avec moi aujourd'hui…

Il se frotta le menton.

— Très bien, si c'est ton souhait.

Il s'inclina pour prendre congé et s'intéresser à Cassia, puis à Maris. Le temps qu'elles aient choisi leurs parfums, le ciel s'était assombri et le tonnerre grondait au loin.

Tandis que Malachi l'aidait à monter en voiture, Nomi luttait contre une panique croissante. Son plan ne fonctionnerait pas s'il se mettait à pleuvoir avant qu'ils n'atteignent la place.

Le trajet fut silencieux, les trois Grâces et l'Héritier se laissant ballotter par les cahots des pavés. Nomi ne quittait pas des yeux les nuages noirs et les éclairs qui les transperçaient.

Le carrosse s'arrêta quelques minutes plus tard. Quand Malachi offrit sa main à Nomi, elle ne la retira pas aussi vite que la première fois. La réussite de son projet dépendait d'elle, de sa capacité à donner l'illusion qu'elle s'était radoucie, à le convaincre qu'elle cherchait sincèrement à être gentille avec lui. Ça pourrait même lui servir pour sa seconde mission : obtenir une invitation dans ses appartements pour y dissimuler la lettre compromettante.

Elle se souvint d'une chose que sa mère avait dite à Serina, des années auparavant.

« Ta capacité à masquer tes véritables sentiments, ton âme, sera ta meilleure arme.

— J'ai besoin d'une arme ? » s'était étonnée Serina.

Sa mère lui avait soulevé le menton.

« Toutes les femmes en ont besoin. »

Pendant que Malachi secondait les autres Grâces, Nomi se dirigea vers les rangées d'étals au centre de la place. L'air était poisseux. À son grand désarroi, certains vendeurs avaient déjà remballé leur marchandise, sans doute pour éviter l'orage qui menaçait d'éclater d'un instant à l'autre. Trevi était en train de ranger ses couteaux.

Non !

Heureusement, le gantier, à côté, était encore ouvert. Elle se précipita dans cette direction. Malachi ne tarderait pas à la rejoindre, elle ne se faisait aucune illusion. Il la surveillait sans doute d'ailleurs, à cet instant.

Elle passa la main sur le cuir souple d'une paire de gants noirs, puis jeta un coup d'œil par-dessus son épaule. Malachi s'était retourné pour parler avec le cocher. S'éloignant d'un pas, Nomi sortit la lettre de son corsage. Trevi était quasiment plié en deux pour placer ses couteaux, emballés dans du velours, sur des étagères dans la partie inférieure de sa charrette.

Elle lui tendit la lettre, les doigts tremblants. Surpris, il releva la tête.

— De la part de Son Éminence Asa, murmura-t-elle. C'est urgent, autrement il vous l'aurait remise en personne.

Trevi eut tout juste le temps de lui adresser un bref signe de tête silencieux avant qu'elle n'entende des bruits de pas sur les pavés. Elle reporta son attention sur le stand du gantier et caressa une autre paire de gants, d'un brun profond. Malachi la rejoignit.

— J'aime beaucoup ceux-ci, Votre Éminence. Vous feraient-ils plaisir ?

Elle n'avait pas d'argent, mais elle espérait que le vendeur refuserait d'être payé quand il verrait à qui était destinée sa marchandise. Que c'était le choix du cadeau, et non son achat en soi, qui avait de la valeur.

Malachi adressa un signe de tête au gantier.

Nomi remit la paire de gants à l'Héritier, et leurs mains s'effleurèrent.

— Merci, lui dit-il.

À cet instant, les premières grosses gouttes de pluie tombèrent. Ils se précipitèrent vers le canal, où Maris et Cassia les attendaient dans une grande gondole noire. Dès que Nomi et l'Héritier furent à bord, le gondolier se mit à ramer avec énergie.

Nomi ne put retenir le sourire qui s'épanouissait sur son visage. Elle avait réussi. Si tout se déroulait selon son plan, elle verrait Renzo dans un peu moins de quinze jours.

Et, bientôt, Serina…

La pluie faisait tinter les perles de sa robe, obscurcissant sa teinte argentée. Elle frémit lorsqu'un éclair fendit le ciel au-dessus de leurs têtes. Le tonnerre fit trembler la gondole, si tonitruant qu'elle en eut mal aux oreilles. À présent qu'elle était libérée de l'angoisse de mener sa mission à bien, sa peur de l'orage se réveillait. Lorsque l'embarcation accosta, elle se jeta sur le quai avant que l'Héritier n'ait pu lui proposer son aide.

— Excusez-moi, Votre Éminence, murmura-t-elle d'une voix tremblante.

Derrière elle, elle entendit Cassia faire une remarque cassante au moment où une bourrasque soulevait ses cheveux et lui dégageait le visage. L'orage décocha alors ses flèches de pluie glaciale dans sa direction. Le tonnerre rugit.

Elle courait vers le palais quand une main la retint par le bras.

— Ici.

L'Héritier l'entraîna sur un chemin, à la droite de l'escalier, qui menait à un jardin labyrinthique. Des éclairs faisaient la course dans le ciel. Il l'attira sous une tonnelle qui les protégeait de l'essentiel de la pluie. Les poils de

Nomi se dressèrent sur ses bras nus. Ça lui rappelait Lanos à la fin de l'été, lorsque les tempêtes assaillaient la vallée et que l'air fraîchissait, annonçant les vents plus cinglants de l'automne.

Elle regarda autour d'elle : ils étaient seuls.

— J'ai donc trouvé une chose dont tu as peur, lui dit l'Héritier.

Nomi leva les yeux vers Malachi, à travers les cheveux que le vent rabattait sur son visage.

— Vous croyez qu'il n'y a que les orages qui me font peur ?

Un éclair se réfléchit dans les yeux sombres de l'Héritier.

— Aurais-tu peur de moi ?

Elle soutint son regard.

— N'est-ce pas ce que vous souhaitez ?

D'une voix aussi menaçante qu'un coup de tonnerre, il lui demanda :

— Pourquoi es-tu ainsi ?

— Comment cela ?

Nomi fut prise d'un vertige. La pluie redoublait, des trombes d'eau s'abattaient sur le jardin. La tonnelle ne pouvait plus grand-chose pour les protéger. Les cheveux et la robe de Nomi, trempés, étaient plaqués sur sa peau. Son cœur battait trop vite, l'invitant à fuir.

— Ainsi. Différente… Rebelle.

Malachi fit un pas vers elle, mais on aurait presque dit qu'il résistait à son instinct tant il pinçait les lèvres. Elle lisait dans son regard une tension dont elle ne comprenait pas la cause.

— Je ne sais pas si je devrais te punir ou…

— Optez pour le pire, lui dit Nomi dans un moment de folie, provoqué par l'orage. Vous avez déjà chassé ma sœur. Vous m'avez pris ma vie.

— Tu n'as jamais les réactions auxquelles je m'attends…

Il passa une main dans ses cheveux mouillés, posa les yeux sur les haies dégoulinant d'eau.

— Lorsque je t'ai choisie… je n'ai pas réfléchi. Je ne sais pas pourquoi…

— Je sais, l'interrompit-elle, alors que la pluie ruisselait sur son visage.

Elle ne pouvait pas tenir sa langue, elle ne pouvait pas jouer les timides. Pas quand elle se trouvait sous un orage, pas quand sa peur et sa colère se déchaînaient avec la même violence.

— Parce que vous vouliez me dresser, n'est-ce pas ? C'est ce que votre père m'a dit.

— Il n'a pas à s'exprimer à ma place ! s'emporta-t-il, au grand étonnement de Nomi. Je ne suis pas comme lui !

— Non, bien sûr, s'empressa-t-elle de dire en repensant aux paroles d'Asa, qui avait qualifié son frère de « versatile ». Vous êtes pire.

— Tu ne sais pas ce que tu dis.

La rage était perceptible dans sa voix. La foudre éclairait ses joues, et Nomi frémit en les découvrant rougies.

— Tu es…

Nomi fit un pas vers lui, le cœur battant la chamade.

— Quoi ? le provoqua-t-elle.

Il la dévisagea à travers les torrents de pluie :

— Dangereuse.

Les lèvres de Malachi trouvèrent les siennes avec la force d'un coup de tonnerre. Elle se pétrifia un instant avant de s'abandonner à ce baiser, grelottant sous la pluie, enfiévrée.

Il l'agrippa de toutes ses forces, son étreinte était à la fois une protection contre les éléments déchaînés… et une tempête en soi.

Avec un cri étouffé, Nomi s'arracha aux bras de Malachi. Il avait la bouche entrouverte, son torse se soulevait aussi rapidement que s'il venait de courir.

Elle tourna les talons et s'enfuit sous la pluie battante.

29 - SERINA

L'après-midi touchait à sa fin et le crépuscule approchait. Serina avait presque atteint la plage sur la côte est lorsqu'un orage s'abattit sur elle. Des vagues de pluie trempèrent ses vêtements fins en quelques secondes, et le vent se déchaîna dans ses cheveux, des mèches trempées fouettant ses joues glacées.

Serina continua de marcher, ignorant résolument les éclairs et le tonnerre qui faisait trembler le sol. Elle n'avait pas peur. La tempête avait presque un effet apaisant sur elle : Bruno et les autres gardes ne feraient pas de ronde par un temps pareil.

Elle finit par atteindre sa destination. Au lieu de se réfugier dans la petite grotte qu'elle avait découverte avec Jacana, elle s'assit sur le sable mouillé et laissa la pluie la laver. Elle recueillit de l'eau dans ses mains en coupe pour boire. En regardant la foudre fendre le ciel au-dessus des flots démontés, elle pensa à Nomi. Sa petite sœur devait être terrifiée. Serina aurait aimé être à ses côtés pour la rassurer, ainsi qu'elle l'avait si souvent fait par le passé.

La veille, après son exclusion de la Caverne, Serina s'était approchée des falaises et avait aperçu un autre feu d'artifice au-dessus de Bellaqua. Elle avait songé à sauter. Mais au matin elle ne l'avait toujours pas fait, et à présent elle continuait à chercher un moyen de rejoindre Nomi.

Tandis que l'orage s'abattait sur elle, Serina laissait un peu son esprit au repos. Son estomac vide l'élançait. Ses muscles se tétanisaient sous la pluie cinglante. Pourtant ses pensées vagabondaient, et ce moment de flottement était un cadeau.

Lorsque l'aube se leva, le ciel s'était dégagé ; Serina n'avait jamais connu de matinée aussi lumineuse. Impossible de broyer du noir dans ces conditions, pas quand le soleil émergeait de l'océan tel un phénix drapé dans un feu orange.

Après avoir bandé son bras blessé avec un morceau de tissu prélevé sur sa chemise élimée, elle étudia la plage retournée par la tempête en réfléchissant à un plan.

La nourriture était une priorité. Elle n'avait rien mangé la veille.

Elle chercha des baies et trouva celles dont Falaise lui avait parlé. En les goûtant, elle fut certaine qu'elles allaient la tuer. Ce ne fut pas le cas, et elle reprit une respiration normale.

Elle examina les arbres qui encadraient la plage et parcourut les rochers qui s'accumulaient autour de l'étroite bande de sable. Ce n'étaient pas les falaises qui l'intéressaient mais les minuscules grottes qui grêlaient leur pied. Celle qu'elle avait découverte avec Jacana était une des plus grandes, sans doute suffisamment pour y cacher un radeau.

Elle reprenait la direction des arbres dans l'espoir d'y dénicher de quoi manger, quand un bruit de pas couvrit le roulement de tambour constant des vagues.

Serina se dirigea vers le sentier. Il ne lui vint pas à l'esprit de se cacher : elle pensait que Val était venu la chercher. Peut-être même l'espérait-elle.

Sauf que ce n'était pas Val… mais Jacana.

— Que fais-tu ici ? lui demanda Serina.

Son amie lui parut encore plus timide que d'habitude, repliée sur elle-même et se cachant à demi derrière ses cheveux filasse.

Elle s'arrêta à l'endroit où les herbes ondulantes cédaient le pas au sable doré.

— Je me doutais que tu viendrais ici. Je voulais prendre de tes nouvelles. M'assurer que ça allait.

Serina alla s'asseoir à côté de Jacana et perdit son regard vers le large.

— Je ne peux pas dire que ça va… Enfin, je suis en vie, c'est déjà ça.

Jacana sortit une gourde.

— Je l'ai piquée dans les réserves. J'ai pensé que tu serais contente d'avoir un peu d'eau.

Serina lui en fut reconnaissante. Elle avala quelques petites gorgées.

— Merci.

— Je n'ai pas pu prendre de nourriture, mais tu devrais avoir assez d'eau pour un jour ou deux. Et tu pourras la remplir ensuite.

Elle jeta un coup d'œil par-dessus son épaule en direction des arbres.

— Oracle est folle de rage. Et la plupart des autres aussi.

Serina soupira :

— Je sais. Et pourtant je ne crois pas être dans le faux.

— Je ne crois pas non plus.

Elle retira ses chaussures abîmées et remua ses orteils dans le sable.

— Même si c'est dangereux… et qu'on a toutes faim.

— Et pourquoi ça, hein ? lui lança Serina alors que la colère se déchaînait, féroce, dans sa poitrine. Parce que le Supérieur ne nous envoie pas assez de nourriture ? Ou parce que le commandant Ricci garde tout pour lui ? J'ai surpris une conversation entre Oracle et Val… D'après lui, le commandant se sert dans les provisions qui nous sont destinées.

Jacana haussa les épaules.

— Mais qu'est-ce qu'on peut y faire ? On ne peut pas toutes se rendre. Oracle l'a dit, les gardiens nous tueraient.

Serina observa les vagues qui glissaient vers elle avant d'être, à nouveau, aspirées par l'océan.

— Que feraient-ils si personne n'allait à ces combats ? s'interrogea-t-elle tout haut. Si on gardait nos distances ?

Jacana se gratta le menton.

— J'imagine qu'ils viendraient nous chercher.

— Sont-ils assez nombreux ? Ils ont des pistolets, d'accord. Sauf que nous sommes plus d'une centaine, et eux une quarantaine seulement. Et nous connaissons cette île. Bien mieux qu'eux. Ils restent enfermés dans leurs tours de béton et de barbelé, ils limitent leurs rondes au minimum.

— Mais, si on ne participe pas aux combats, on n'aura plus de nourriture, protesta faiblement Jacana. Il n'y a pas assez à manger sur l'île pour tout le monde. Tu le sais bien. On mourrait de faim…

Serina se frotta les yeux.

— Tu as raison.

Elle ne pouvait pourtant pas s'empêcher de chercher une solution.

— Nous pourrions profiter de l'arrivée d'un bateau pour nous révolter, nous en emparer et nous enfuir.

— C'est vraiment plus réaliste qu'une fuite en radeau ? s'enquit Jacana d'une petite voix.

— Rien n'est réaliste, convint Serina.

Cependant, elle ne parvenait pas à baisser les bras.

— Peu importe le plan, il faut commencer par le même point : amener les différentes équipes à se parler. À trouver un terrain d'entente. Peut-être à mettre en commun les réserves de nourriture.

— Sans que les gardes se doutent de rien, souligna Jacana.

Elle regarda à nouveau derrière elle, comme si quelqu'un avait pu s'approcher pour les espionner.

— S'ils découvraient que nous conspirons ensemble, ils s'arrangeraient pour nous diviser, confirma Serina.

Elle repensait au commandant, à ses yeux que la cruauté rétrécissait. Elle n'avait pas le moindre doute sur ce point : il imaginerait mille punitions pour leur forfait.

— Alors comment amener les différentes équipes à se parler ? poursuivit Jacana en glissant ses cheveux derrière ses oreilles.

Une ecchymose jaunissante lui marquait la mâchoire, souvenir de l'entraînement. Serina, elle, avait le corps entier endolori à cause du combat.

— Il nous faut des émissaires, dit-elle.

Ce terme réveilla aussitôt des souvenirs du palais.

— Si Oracle envoyait deux filles dans chaque équipe, juste pour engager les discussions… Peut-être en leur remettant une sorte d'offrande, un peu de nourriture ou d'eau. Si la Caverne démontre qu'elle est prête à faire des sacrifices pour le bien commun…

— Les autres pourraient être tentées de nous écouter. Et même de nous accorder leur confiance, compléta Jacana.

Une petite lueur s'alluma dans ses yeux.

— Oui, approuva Serina.

Sans doute valait-il mieux se concentrer sur les premiers pas, minuscules, plutôt que sur l'objectif final.

— Malheureusement, poursuivit-elle, je ne crois pas qu'Oracle sera partante. Elle ne voudra pas faire courir de risque à son équipe.

Jacana se frotta les mains sur les cuisses avant de se lever et de glisser ses pieds pleins de sable dans ses chaussures.

— Je vais lui parler. La plupart des filles étaient en colère après toi, mais certaines étaient de ton avis. Moi, notamment. Nous sommes beaucoup à savoir que nous mourrons le jour où nous devrons aller dans l'arène. Et certaines préféreraient prendre plutôt le risque de chercher une issue. Peut-être sommes-nous assez nombreuses pour forcer la main d'Oracle…

— Elle va me détester, dit Serina en abandonnant sa tête dans ses mains.

Elle respectait son aînée, elle n'avait jamais eu l'intention de s'opposer à elle. Jacana laissa échapper un petit rire :

— Je suis désolée de te l'apprendre, mais je crois que c'est déjà le cas.

Serina se leva à son tour, la gourde serrée contre sa poitrine.

— Si elle change d'avis, si je peux faire quoi que ce soit… Tiens-moi au courant, d'accord ?

Jacana pencha la tête sur le côté.

— Et si… et si tu essayais de parler aux autres clans toi-même ? Tu crois en ce projet, tu saurais mieux les convaincre.

— Peut-être…

Serina se frictionna la nuque avant d'ajouter :

— Si les autres équipes ne me tuent pas. Elles penseront sans doute que je suis là pour leur voler de la nourriture et ne me laisseront même pas le temps de m'expliquer.

— C'est sûr. D'un autre côté, elles t'ont vue hier soir, tu as pris position. Elles pourraient avoir envie de t'écouter.

Jacana sourit, pourtant ses yeux verts étaient rougis et attristés. Elle serra brièvement Serina contre elle.

— Sois prudente. D'après Miroir, les gardiens aiment s'en prendre aux détenues qui ont été bannies. Sans coéquipières pour les protéger…

Elle n'alla pas au bout de sa phrase.

Serina serra les dents.

— Merci pour la mise en garde. Et l'eau. Sois prudente, toi aussi.

Elle la regarda disparaître dans un bosquet d'arbres hirsutes. Le soleil, de plus en plus puissant, déversait sa chaleur sur ses épaules, et elle se félicitait d'avoir de l'eau.

Elle se réfugia dans la grotte pour attendre que la température descende. Son estomac grognait sous l'effet de la faim et de la peur.

Elle finit par sombrer dans un sommeil inconfortable, dont elle fut tirée en sursaut, à plusieurs reprises, par des cauchemars : elle revivait le combat, revoyait l'expression renfrognée d'Anika. Elle rêva aussi de Nomi dans les bras de Malachi, la gorge enserrée par des chaînes dorées. *Aide-moi*, lui murmurait sa sœur sans relâche. Mais les mains de Serina étaient entravées elles aussi, et ses jambes refusaient de lui obéir. Plus elle cherchait à rejoindre sa sœur, plus son joug se resserrait.

L'homme qui tenait Nomi dans ses bras finissait par lever son visage vers Serina : ce n'était pas l'Héritier, c'était le commandant Ricci. Et il riait. Serina se réveilla, poisseuse de sueur, le visage mouillé de larmes.

Tu crois en ce projet.

La voix de Jacana dissipa lentement ces mauvais rêves. Peut-être était-ce la faim qui la faisait délirer, mais, soudain, son idée ne lui parut plus aussi insensée. Aller trouver les autres équipes… se faire l'avocate d'une révolte… Un soupçon d'espoir se diffusa en elle. Peut-être pourrait-elle les convaincre d'unir leurs forces. Même si une seule équipe acceptait de collaborer avec la Caverne, la révolte avait une chance de voir le jour.

Et Serina savait vers quelle équipe se tourner en premier.

30 - NOMI

Nomi n'arrivait pas à dormir. L'orage continuait d'assaillir le palais bien après minuit, et elle frémissait à chaque coup de tonnerre et à chaque éclair, ayant l'impression d'être sous le feu d'un ennemi. Quand le ciel finit par se dégager et que l'aube s'immisça derrière sa fenêtre, elle s'extirpa de son lit et s'assit devant sa coiffeuse. Elle scruta son reflet : elle avait l'impression d'être face à une parfaite inconnue. Ses lèvres étaient gonflées et ses joues rouges. Elle fixa ses propres traits jusqu'à ce qu'ils deviennent flous et ne forment plus un visage humain. Malgré sa robe de chambre chaude, elle frissonna.

L'Héritier l'avait embrassée.

Le souvenir de la scène lui revenait constamment en mémoire. La pluie battante, l'ardeur de la bouche de Malachi, la façon dont le corps de Nomi s'était pressé contre le sien, comme s'il le désirait. Sauf que ce n'était pas le cas.

Je ne le désire pas.

Maintenant qu'elle était à l'abri de la pluie, de sa frénésie et de sa colère, son estomac se serrait lorsqu'elle repensait à ce baiser. Le lui avait-elle donné parce qu'elle le devait ? Parce qu'elle n'avait pas le choix en présence de l'Héritier ? Elle n'aurait pu l'affirmer. Quoi qu'il en soit, elle avait le sentiment d'avoir trahi Asa. Et de s'être trahie elle-même.

Angeline pénétra en trombe dans la chambre, un morceau de tissu pressé contre la poitrine.

— Ines vient d'annoncer que l'Héritier avait demandé à petit-déjeuner sur la plage, avec ses Grâces. Ce sera agréable de passer un moment au soleil, n'est-ce pas ?

Avec l'Héritier ? L'estomac de Nomi émit un grognement de protestation.

Angeline déposa le tissu sur le lit – un costume de bain noir.

— C'est une belle journée. Le ciel est si dégagé… Difficile de croire qu'on a eu des orages hier.

— Oui, répondit Nomi sans conviction, en fixant son reflet dans le miroir.

— Tout va bien ? s'inquiéta Angeline. Vous avez l'air un peu soucieuse. La sortie d'hier a été éprouvante ?

Éprouvante ? L'Héritier l'avait jugée dangereuse… avant de l'embrasser !

Les mots réclamaient à sortir, Nomi avait envie de parler… Mais c'est à sa sœur qu'elle voulait se confier. Elle pensa à sa lettre, qui faisait route vers le nord, vers Lanos. Elle pensa à Asa, qui préparait un coup monté contre son frère.

L'Héritier a raison. Je suis dangereuse.

Après avoir enfilé son costume de bain, Nomi rejoignit les autres Grâces dans le salon. Ines leur fit traverser le palais et les conduisit à la plage. Accablée de fatigue, Nomi suivit Cassia et Maris dehors, où le soleil était éblouissant.

Une table en fer forgé avait été dressée à quelques mètres de l'eau, sur un tapis à carreaux noirs et blancs. D'épaisses tentures blanches étaient suspendues au-dessus pour donner de l'ombre. À côté de la table, une rangée de chaises longues évoquaient des soldats montant la garde au soleil.

L'Héritier était attablé, seul. Cassia se précipita pour s'approprier la place à côté de la sienne, tandis que Maris et Nomi se dirigeaient d'un pas bien plus lent vers la table. Les sandales ouvertes de Nomi épousaient mal ses pieds et se remplissaient de sable. Elle gardait la tête baissée. Son crâne menaçait d'éclater à cause du trop-plein d'émotions de la veille. Malachi s'attendait-il à revivre la même chose aujourd'hui ?

Bien sûr. Tu es sa Grâce.

Elle lui appartenait. Cette pensée envahit son esprit, elle ne pouvait y échapper. Peu importait qu'elle ait des sentiments pour Asa… Et qu'elle n'ait aucune envie que Malachi la touche.

Elle se rassura : Cassia accaparait son attention. Nomi pouvait compter sur le fait qu'il voudrait répondre aux ardeurs de la jeune femme. Mais si Malachi choisissait Nomi pour l'honorer de sa présence, dans son lit, le soir de son anniversaire ? Et si la façon dont elle s'était comportée la veille avait piqué la curiosité de l'Héritier ?

— Que vous est-il arrivé, à Malachi et toi, hier ? lui chuchota Maris. Vous avez disparu brusquement, tous les deux. Cassia était verte.

Nomi se serait volontiers confiée à Maris, dans d'autres circonstances. Pas quand Cassia et Malachi étaient aussi près. Elle se contenta donc de répondre, du ton le plus dégagé possible :

— Il m'a conduite à l'abri. Il a eu pitié de moi en voyant combien j'avais peur de l'orage.

Elle savait pourtant que ce n'était pas la pitié qui avait motivé l'Héritier. Mais sa versatilité. Après l'avoir ignorée pendant des semaines, il s'intéressait à présent à elle. Et l'avait, ainsi, embrassée au beau milieu d'une dispute… d'un orage.

— Il s'est mis à courir comme un fou pour te rattraper, observa Maris. J'aurais aimé qu'il fasse pareil avec nous. Arrivées au sommet des marches, nous étions trempées. J'étais sûre que j'allais glisser et me casser une cheville.

Nomi lui adressa un sourire triste. Elle aussi aurait préféré qu'il vole au secours des autres filles. Au lieu de l'acculer sous la tonnelle. Au lieu de lui donner un baiser… qu'elle lui avait rendu.

Le temps que les deux Grâces prennent place autour de la table, Cassia s'était déjà servi plusieurs petits sandwichs. Pour l'occasion, elle avait relevé sa chevelure brillante sur le sommet de son crâne et fixé le chignon avec un ruban d'un rose primesautier. Elle portait un costume de bain de la même couleur, au décolleté flatteur. Comme celui de Nomi, il était taillé dans un tissu élastique, se croisait sur la poitrine et formait ensuite une sorte de jupe courte.

Maris portait une épaisse tresse noire, et un peignoir doré. Quant à l'Héritier, son maillot de bain bleu marine laissait nue la peau dorée de son torse et de ses bras. Il arborait un sourire satisfait qui le faisait ressembler à son père.

— Bonjour, dit-il en fixant Nomi droit dans les yeux.

Elle baissa aussitôt les siens vers son assiette, tandis que ses joues rosissaient.

À côté d'elle, Maris mangeait un sandwich, la tête tournée vers les vagues. Nomi étala un peu de miel sur un pain plat, mais son estomac ne semblait pas en vouloir. Pas alors que l'Héritier était assis juste en face. Pas alors qu'elle se repassait en boucle la scène de la veille. Elle regrettait qu'Asa ne soit pas présent. Il distrairait son frère avant de lui décocher, à elle, un sourire entendu, lui remémorant ce pour quoi ils se battaient.

— Comment as-tu dormi, Nomi ? lui demanda-t-il, la tirant de ses pensées.

— Très bien, dit-elle d'un ton sec. Et vous ?

— Tout à fait bien aussi, répondit-il d'une voix plus grave. Les gros orages ont le mérite de clarifier les choses, n'est-ce pas ?

Maris se détourna de l'eau ; Cassia inclina la tête.

Nomi ne réussit qu'à esquisser un sourire gêné en jouant avec sa nourriture. Elle n'avait vraiment aucun appétit. Dès que les assiettes furent débarrassées, elle se leva.

— Je vous prie de m'excuser.

Elle s'éloigna en direction de l'eau. De ses mains tremblantes, elle retira ses sandales et les laissa tomber dans le sable. Elle ferma les yeux et rejeta la tête en arrière, le soleil était brûlant sur son visage.

— Vous aimez nager, Votre Éminence ?

La voix de Cassia lui parvint par-dessus le bruit des vagues.

Nomi mit les pieds dans l'eau. L'océan était froid, mais peu agité. Ici, elle n'avait plus besoin de faire semblant. Elle n'avait pas à subir l'expression satisfaite de Malachi, revendiquant son droit sur ses Grâces. Peut-être s'imaginait-il qu'en lui offrant une paire de gants Nomi s'était résignée. Il se trompait tellement…

Soudain, elle entendit un bruit d'éclaboussure derrière elle. Nomi se retourna au moment où l'Héritier la rejoignait dans l'eau.

— Très rafraîchissant, observa-t-il.

Nomi en resta bouche bée.

— Votre Éminence…

Malachi lui lança un petit sourire avant de plonger dans l'eau pour s'y immerger complètement. Lorsqu'il remonta à la surface, il s'ébroua tel un chien et l'éclaboussa.

— Tu sais nager ?

Nomi fit non de la tête. À Lanos, elle n'avait eu aucune raison d'apprendre.

Il posa les mains sur ses bras. Elle fut si surprise par son geste qu'il lui fallut quelques secondes pour se rendre compte qu'il l'attirait lentement vers le large. Elle résista ; ses orteils se plantèrent dans le sable tandis que des vaguelettes venaient lui lécher les clavicules. La peur se déployait dans sa poitrine. *L'eau était trop profonde, trop profonde.*

— Je vous en supplie, Votre Éminence.

Prenait-il plaisir à lui faire peur ? Le cœur de Nomi se mit à battre plus vite.

Malachi s'immobilisa, sans lui lâcher complètement les poignets.

— Quand j'avais cinq ans, dit-il du ton badin de la conversation, mon père m'a jeté dans l'eau. Je me suis rapidement débrouillé pour flotter.

Nomi en eut le souffle coupé. C'était horrible. Et s'il s'était noyé ? L'Héritier avait-il l'intention de lui faire subir le même sort ?

— Nous n'avons aucun endroit où nous baigner à Lanos, dit-elle d'une voix tremblante.

Elle se dressa sur la pointe des pieds alors qu'une vague plus grosse la frappait et qu'une lame de panique la balayait.

— J'ai toujours pensé que ça devait être agréable, poursuivit-elle, mais… mais c'est terrifiant.

Elle recula d'un pas vers le rivage.

Malachi lui libéra les poignets. Pourtant, au lieu de s'éloigner, il se rapprocha et l'enlaça sans la serrer contre lui, leurs deux peaux glissant l'une contre l'autre.

— C'est ce que j'essaie de te dire, reprit-il d'une voix différente, plus douce. Je ne crois pas que ça doive nécessairement être terrifiant. Tiens… passe tes bras autour de mon cou. Je vais te montrer…

Il joue avec moi…

À contrecœur, Nomi s'exécuta mais elle se contenta de poser ses mains sur les épaules de l'Héritier. Elle gardait les yeux rivés sur sa gorge où sa peau mouillée luisait.

— Regarde-moi.

Lentement, elle releva le menton. Les yeux de Malachi étaient aussi intenses que lors de leur première rencontre, dans un couloir du palais.

— Je ne te lâcherai pas, je te le promets.

Il l'attira vers lui, jusqu'à ce que leurs deux corps se touchent presque. Lentement, il s'éloigna du rivage. Le cœur au bord des lèvres, Nomi sentit le sable se dérober sous ses pieds. Par réflexe, elle resserra les bras autour du cou de Malachi. *C'était trop profond, trop profond.*

Pourtant elle flottait. Grâce à l'Héritier, elle gardait la tête bien au-dessus du niveau de l'eau, et le reste de son corps était comme en apesanteur. Elle agita légèrement les pieds, sentit un courant glisser contre eux. Elle écarquilla les yeux.

— Tu vois ? lança-t-il avec un sourire. Ça n'est pas si terrible…

Le nœud dans la poitrine de Nomi se desserra un peu.

— Je me sens si légère. Aussi légère qu'un… un nuage. Je pourrais partir à la dérive.

Si seulement ça avait été réellement possible.

— Peut-être que c'est un peu tôt pour ça, dit-il d'un air presque enjoué. L'entrée en matière a été difficile pour moi, mais j'adore nager maintenant.

Quelque chose dans son intonation, son regard attendri provoquèrent une bouffée de chaleur en Nomi. Malachi glissa les mains vers le bas de son dos et le courant les rapprocha, si bien qu'elle noua ses jambes autour de la taille de l'Héritier, presque sans le décider. Elle s'accrochait à lui de tout son corps.

Elle retint son souffle. Elle continuait à le regarder dans les yeux, quelques centimètres seulement séparaient leurs deux visages. Elle sentit son ventre se retourner. Le regard de Malachi s'assombrit : il n'avait plus rien de guilleret, il était à nouveau grave. Le monde se réduisait au contact soyeux de leurs deux peaux, à l'espace de plus en plus restreint entre leurs lèvres.

— Tu as trouvé le cadeau que je t'ai laissé ? lui susurra-t-il.

— Le cadeau ? répéta-t-elle bêtement.

Elle avait soudain beaucoup de mal à garder les idées claires. Que lui arrivait-il, enfin ?

— Le livre.

Le livre ? Le corps de Nomi se rigidifia. C'était Asa qui lui avait donné ce livre… non ?

— Pourquoi diable me donneriez-vous un livre ?

Elle s'efforçait de conserver un ton impassible, pourtant ses trémolos la trahissaient.

— Ta sœur savait lire, dit-il alors que son corps se balançait au rythme des à-coups incessants de l'océan. J'ai pensé que peut-être toi aussi. J'espérais…

Il n'alla pas au bout de sa phrase. Leur complicité fugace – l'adoucissement qu'elle avait éprouvé à son encontre – vola en éclats.

Un piège, un piège, un piège…

Nomi ne contrôlait plus son numéro d'équilibriste. Elle ne se tenait plus à la corde que d'une seule main. La question n'était plus de savoir si elle allait tomber… mais quand.

— Non, Votre Éminence, lâcha-t-elle d'une voix rauque. Je ne sais pas lire.

Le soleil donna soudain aux yeux de Malachi une teinte d'un beau brun doré. Nomi ne put s'en détourner.

— Je vois, finit-il par répondre, même si elle n'était pas certaine de l'avoir convaincu. C'était un simple cadeau. Peut-être pas entièrement innocent, néanmoins pas un piège. Si tu sais lire…

La tête de Nomi se mit à tourner et, soudain, le miracle de l'apesanteur dans l'eau lui apparut comme une malédiction. Elle ne pouvait pas échapper à Malachi, pas dans une eau si profonde. Et elle avait terriblement besoin de s'échapper.

— Je vous en prie, murmura-t-elle en s'écartant de lui. Je veux sortir.

— T'ai-je contrariée ?

Elle n'arrivait pas à savoir s'il était sincèrement inquiet ou s'il se moquait d'elle.

— C'est juste… Je ne suis plus à l'aise, bredouilla-t-elle alors que la panique enflait dans sa poitrine.

Elle s'arracha à ses bras et but la tasse. Crachant, elle sentit la terreur lui tétaniser tous les muscles. Par miracle, elle parvint néanmoins à un endroit où elle avait pied. Puis elle rejoignit la plage.

Elle claquait des dents et ses poumons étaient douloureux. Elle tomba à genoux devant une des chaises longues et s'empara de la serviette posée dessus. Il faisait chaud au soleil, pourtant elle continuait à trembler lorsqu'elle s'y emmitoufla.

Malachi la rejoignit.

— Ça va ?

Elle s'inclina d'un mouvement maladroit et hocha la tête, consciente que Cassia et Maris les observaient.

— Très bien, Votre Éminence, j'ai juste un peu froid. Puis-je retourner chercher des vêtements secs dans ma chambre ?

— Naturellement.

Il semblait vouloir ajouter quelque chose, mais elle tournait déjà les talons. Le froid qui lui glaçait les os ne la quitta pas du reste de la journée.

31 - SERINA

Il fallut trois jours à Serina pour trouver le courage de s'approcher de l'Hôtel Misère. Durant cette période, elle n'adressa la parole à personne, se terrant tout au fond de sa grotte quand les gardiens faisaient leur ronde et se nourrissant de palourdes qu'elle déterrait dans le sable et de baies qu'elle cueillait en bordure de la forêt.

Elle espérait que Jacana viendrait lui apporter des nouvelles, l'informerait qu'Oracle avait déjà commencé les négociations en vue d'une trêve.

Elle guettait Val aussi et se demandait pourquoi il n'était pas venu la voir. Avait-il oublié leur discussion au sujet des plages de l'Est ? Ou s'était-il désintéressé d'elle, maintenant qu'elle était sans doute condamnée pour de bon ?

Elle pensait à Nomi, entre les griffes d'hommes cruels. L'Héritier avait-il déjà fêté son anniversaire ? Serina savait pertinemment ce qui se passerait ce soir-là, et combien Nomi souffrirait.

Elle tenta d'imaginer Renzo. Elle ferma les yeux et le vit déambuler sur le marché principal de Lanos. Il longeait des étals de viande fraîche, de lapins dépouillés et de poulets suspendus par les pattes, prêts à rôtir. Le primeur, avec ses paniers de cerises grenat, ses fraises carmin et ses pêches juteuses. À côté, le vendeur de fruits secs : ananas sucré, chips de banane croustillantes, tranches de pomme élastiques relevées à la noix de muscade fraîchement moulue. Dans la vision de Serina, Renzo s'arrêtait chez leur boulanger préféré, Alonso, avec ses corbeilles de miches de pain chaudes. Renzo achetait un croissant et un chausson de pâte feuilletée fourré à la crème de noisettes. Il arborait son sourire de petit garçon et rejetait en arrière ses cheveux noirs. En l'absence de Nomi, qui lui coupait les cheveux ?

Serina dut se concentrer pour focaliser à nouveau ses pensées sur le Mont Destruction. Des larmes sinuaient sur ses joues. Elle se leva. L'heure était venue.

Avant de quitter sa petite crique, elle ramassa tous les coquillages qu'elle trouva et les enferma dans un pan de sa chemise. Elle avala une gorgée d'eau puis passa la lanière de la gourde sur son épaule, en bandoulière. Son couteau, celui qu'elle avait gardé après le combat, était accroché à la ceinture de son pantalon – elle y avait fait un trou.

Elle longea la côte vers le sud pendant une heure avant de prendre la direction du centre de l'île. Celle-ci n'était pas grande – il aurait sans doute fallu une journée entière pour la traverser du nord au sud – et il était assez facile de s'y repérer. Des sentiers sillonnaient les prairies et la forêt, quant aux champs de lave ils étaient dégagés, aucun obstacle ne gênait la vue. Serina se servait des tours de guet pour évaluer sa progression, même si elle veillait à passer très au large. Elle croisa un petit ruisseau où elle put remplir sa gourde. Elle restait à l'affût des sangliers, et n'en vit aucune trace.

Elle finit par atteindre l'amphithéâtre. Rempli de femmes et de mortes, il était terrifiant, mais désert, comme à cet instant, il devenait inquiétant. Trop silencieux. L'atmosphère se fit plus pesante et, l'espace d'un instant, Serina imagina que les âmes de toutes les femmes tombées ici l'observaient. Elle secoua la tête pour chasser cette image.

Le temps qu'elle atteigne l'Hôtel Misère, l'après-midi touchait à sa fin. Elle venait de tourner à l'angle du bâtiment en ruine quand une grande femme se plaça en travers de son chemin. Elle portait deux longues tresses qui lui tombaient sur la poitrine, et une épaisse cicatrice lui barrait un côté du cou. Elle croisa les bras d'un air menaçant.

— On n'adopte pas les animaux errants.

Serina dénoua les pans de sa chemise pour montrer les palourdes, le cœur battant la chamade.

— Considérez ça comme une offrande. Je ne vous demande pas de me recueillir, je veux juste parler à Balafre.

La femme la dévisagea longuement. Sa posture sévère finit par se détendre.

— Suis-moi.

Serina lui emboîta le pas sur le chemin caillouteux menant à l'hôtel. Son entrée était marquée par d'immenses colonnes qui se dressaient, de guingois, vers le ciel, prisonnières à tout jamais d'une coulée de lave refroidie. Le plafond du hall, avec son treillis sculpté, s'était effondré, et on apercevait des morceaux de dalles en marbre blanc dans les zones épargnées par la lave. Il y avait d'immenses vases en céramique, cassés et à moitié fondus. Leurs bleus et rouges éclatants avaient été roussis par l'éruption. Des parois déchiquetées et carbonisées en bambou s'entrechoquaient de façon menaçante à chaque coup de vent.

Serina frissonna. La grotte d'Oracle lui avait paru déprimante, mais cet endroit était aussi misérable que son nom le suggérait. On imaginait si facilement les clients de l'hôtel courant pour sauver leurs vies. Et leurs fantômes.

Après avoir traversé le hall détruit, la femme prit à gauche, empruntant une passerelle ouverte, coincée entre, d'un côté, la carcasse en pierre et en acier d'un bâtiment et, de l'autre, un canal à l'eau saumâtre et nauséabonde. Au-delà du petit canal se dressait un bâtiment semblable au premier. Tous deux s'élevaient sur trois niveaux et possédaient des terrasses ; il y avait des trous noirs à l'endroit où les portes avaient dû se trouver. À l'extrémité du canal, une immense tour ronde reliait les deux bâtisses. La plupart de celle-ci avait brûlé, mais son squelette en fer et ses contreforts en béton demeuraient. À sa base se trouvait un escalier en marbre. Sur la cinquième de ses larges marches, Balafre trônait dans un fauteuil rouillé. Elle aiguisait des morceaux de métal pour en faire des couteaux.

Elle redressa la tête en entendant des bruits de pas. Ses cheveux noirs, coiffés en pétard, encadraient son visage anguleux strié de cicatrices fines, causées par des lames de couteau.

— C'est quoi, ça ?

— Elle a dit qu'elle voulait te parler, répondit la guetteuse.

Balafre lui jeta un bref coup d'œil.

— Et ?

Serina fit un pas en avant et présenta à nouveau ses palourdes, les déposant aux pieds de Balafre. Elle résista à l'envie inexplicable de faire la révérence.

— Je ne veux rien d'autre que parler.

Balafre haussa un sourcil.

— Je ne cause pas aux traîtresses.

— Mais tu peux écouter celle qui a épargné ta combattante, lança Serina d'un ton assuré qui ne reflétait pas la réalité de ses sentiments, car elle devait déjà rassembler tout son courage pour soutenir le regard de la femme.

Balafre se carra dans son siège et fit tourner le couteau dans sa main. Serina sentait qu'elle ne disposait que de quelques secondes avant qu'il ne fende l'air et ne vienne se ficher dans sa poitrine.

— Les équipes devraient unir leurs forces pour prendre l'île, dit-elle en mangeant la moitié de ses mots, tant elle se dépêchait de parler avant d'être attaquée. Les gardiens ont des pistolets, mais ils sont moins nombreux et nous connaissons l'île. Si nous étions soudées, nous pourrions partager nos réserves. Nous pourrions être libres.

Le couteau s'immobilisa.

— Et Oracle, elle en dit quoi ? Je suppose que tu lui as fait part de ton idée en premier.

Serina avait du mal à soutenir le regard de Balafre. Elle avait la bouche aussi sèche que si elle était remplie de sable.

— J'ai trahi mon équipe en me rendant. Oracle s'est sentie obligée de me bannir. Et c'est exactement ce que le commandant Ricci attend. Du moment que nous nous battons entre nous, nous ne remettrons jamais en cause le fonctionnement des choses ici.

— Pourquoi le remettre en cause ? C'est la réalité de notre monde.

Balafre testa la pointe de sa lame.

— Rien ne nous oblige à vivre ainsi, argua Serina. Le commandant Ricci a réuni des centaines de femmes sur une île. Il les laisse quasiment sans surveillance et leur dit d'apprendre à se battre. Il nous a fourni toutes les armes dont nous avons besoin pour le renverser.

Balafre se releva lentement et descendit les quelques marches pour se retrouver à la hauteur de Serina. Celle-ci retint son souffle.

— Il n'y a pas si longtemps que tu es arrivée, et tu n'as plus d'équipe. Tu ne sais rien de la vie ici, finit par lâcher la femme en jouant avec la lame entre ses mains.

Étranglée par la déception, Serina se prépara à repartir.

— Merci de m'avoir écoutée.

La voix de Balafre résonna soudain dans son dos :

— Tu as parlé aux autres équipes ?

Serina jeta un coup d'œil par-dessus son épaule.

— Rien qu'à Oracle et à toi pour le moment. J'ai commencé par les plus fortes.

Balafre l'observa à travers ses paupières plissées.

— Si tu réussis à convaincre celles qui sont à la tête des autres équipes, je reconsidérerai la question. Mais seulement s'il y a un plan. Et un bon.

Serina se détendit aussitôt sous l'effet du soulagement. Ce n'était peut-être pas grand-chose, et pourtant elle pouvait se raccrocher à cet espoir, même faible.

— Merci.

Balafre la congédia d'un signe de tête. La femme qui avait guidé Serina à l'aller la raccompagna. Dans le hall de l'hôtel en ruine, au moment de sortir, Serina croisa Anika, qui se pétrifia. Elles se dévisagèrent un long moment, puis Serina poursuivit sa route et s'éloigna dans la lumière déclinante du jour. La guetteuse la laissa sur le chemin principal et disparut dans la forêt.

Serina avala une gorgée d'eau à sa gourde, fit la sourde oreille à son estomac qui gargouillait et entama la longue marche pour regagner la plage de l'Est, portée par un espoir mesuré. Le lendemain, elle irait voir Brindille. Et peut-être Jacana ferait-elle des progrès avec Oracle…

Serina atteignit sa plage au moment où le soleil couchant envoyait la nuit à sa rencontre dans le ciel. Elle s'approcha du bord de l'eau pour regarder les étoiles apparaître.

Un sifflement s'éleva soudain dans son dos. Serina fit volte-face, tirant le couteau de son pantalon d'un geste si brutal qu'elle agrandit l'accroc à sa ceinture.

Bruno se trouvait à quelques mètres d'elle.

— Je me demandais où tu te terrais, lança-t-il.

L'obscurité dissimulait les traits de son visage et transformait son corps vêtu de noir en ombre.

— Va-t'en ! lui cria Serina.

Ses doigts se crispèrent sur le manche du couteau. Elle n'était plus la fille docile qu'elle était la première fois qu'ils s'étaient croisés, ce qui ne l'empêchait pas d'éprouver toujours de la terreur.

Il s'approcha. Elle résista à la tentation de faire un pas en arrière.

— Pourquoi je t'obéirais ? lui rétorqua-t-il d'un ton égal. Tu n'as plus d'équipe pour te protéger. Je peux faire ce que je veux.

— Tu peux essayer, grogna-t-elle avant de se jeter sur lui.

Elle comptait sur le fait qu'il n'avait pas, à cause de la pénombre, remarqué qu'elle était armée. Elle n'avait pas l'intention de le laisser attaquer en premier. Elle l'atteignit au ventre, mais ne réussit qu'à lui causer une blessure superficielle.

Il rugit et la gifla sans hésitation. Assez fort pour la faire tomber sur le sable rêche. Elle n'avait pas lâché son couteau pour autant, cependant à présent il était poisseux de sang. Au moment où elle se relevait, il lui décocha un coup de pied dans le flanc, la renvoyant à terre.

— Rends-toi, marmonna-t-il.

Il se dressait au-dessus d'elle, les pieds de part et d'autre de la taille de Serina. Elle crocheta l'une de ses jambes et, simultanément, se jeta sur sa blessure au ventre. Elle réussit à le faire tomber et l'atteignit au côté. Elle était debout, et presque hors d'atteinte, lorsqu'il l'agrippa par la cheville. Elle chuta à nouveau, et sa bouche se remplit de sable. Elle cracha et hurla, dévorée par la panique et la rage.

Bruno planta les doigts dans sa peau, l'enchaînant à lui. Il se redressa lentement et la traîna vers lui. Elle ne contrôlait plus l'affolement qui se déchaînait en elle. Elle donnait des coups de pied et se démenait comme une folle, la terreur décuplant ses forces. Son bras rencontra sa gourde. Elle chercha à s'en emparer pour la lui lancer, mais celle-ci lui échappa. Son pied finit par frapper Bruno au genou. Il relâcha sa prise à peine une seconde et elle se libéra.

Le souffle laborieux de Serina produisait un hurlement dans sa gorge. Elle se démenait pour se relever et s'éloigner de lui. L'obscurité la déboussolait, donnait au visage de Bruno l'aspect d'un masque funèbre, funeste. Comme un serpent hypnotisant sa proie, il soutenait son regard. Elle s'immobilisa un quart de seconde à peine… mais il en profita. Il pointa son pistolet.

Elle lança son couteau de toutes ses forces. Par miracle, celui-ci se planta jusqu'à la garde dans le torse de Bruno. Ce qui n'empêcha pas ce dernier de tirer.

Une douleur fulgurante se diffusa dans le bras de Serina alors que la puissance de la balle la projetait sur le sable. Sa tête heurta quelque chose de dur et elle fut plongée dans un noir encore plus impénétrable que la nuit.

32 - NOMI

Des femmes élégamment vêtues étaient placées, à intervalles réguliers, dans la petite salle de bal du quartier des Grâces. Elles prenaient toute la même pose, les bras en l'air, le visage levé vers le plafond, les traits exprimant la même sérénité. À l'exception de Maris, au regard terni par le chagrin. Et de Nomi, dont la colère était manifeste.

Jamais elle ne maîtriserait l'art de se transformer en statue vivante, parce qu'elle n'y aspirait pas. Elle n'était pas faite d'argile. Ses os, son souffle et son sang avaient été conçus pour être en mouvement.

À l'extrémité de la pièce, Ines adopta avec élégance une nouvelle posture. En silence, les autres Grâces l'imitèrent à la perfection.

Les muscles de Nomi protestèrent.

Depuis une semaine, elle n'avait pas fait grand-chose d'autre que se rendre à des essayages, des cours de danse et autres innombrables leçons pour devenir une Grâce digne de ce nom. Le reste du temps, elle avait arpenté sa chambre, au point de rendre Angeline folle. Asa n'avait pas envoyé un seul message, et ils n'avaient pas eu une seule fois l'occasion de se parler pendant les cours de danse. Malachi y avait assisté à plusieurs reprises, ce qui avait perturbé les trois jeunes filles. Il n'avait, en revanche, sollicité aucun tête-à-tête.

Nomi ne cessait de repenser à ce qui s'était produit dans la mer. La peau de Malachi glissant contre la sienne, la façon dont il l'avait tenue dans l'eau, la faisant se sentir à la fois en sécurité... et à sa merci. Sans oublier que c'était lui qui avait caché le livre dans sa chambre. Elle savait qu'il s'agissait d'un piège. Forcément. Pourtant, il avait parlé de cadeau, et l'expression de son regard avait presque réussi à convaincre Nomi de sa sincérité. Comment était-ce possible ?

Et pourquoi pensait-elle autant à lui alors que tous ses espoirs reposaient sur Asa ? C'était celui des deux qu'elle désirait. Celui à qui elle faisait confiance et auquel elle tenait. Celui qu'elle brûlait d'envie de voir.

Maris avait tenté de lui parler, Cassia jasait en gloussant dans son dos. Et la brume dans laquelle Nomi évoluait ne semblait pas vouloir se dissiper. À chaque journée passée sans nouvelles de Renzo, elle avait un peu plus de mal à se concentrer sur sa vie dans les appartements des Grâces.

Son frère avait-il compris son message ? Et s'il décidait de ne pas venir ? Et si Trevi avait trahi Asa, Renzo était peut-être en train d'attendre le jugement du Supérieur.

L'esprit de Nomi s'enfonçait de plus en plus dans les ténèbres. Et au cœur de celles-ci se trouvait Serina, enfermée dans sa cellule, convaincue d'y croupir jusqu'à la fin des temps. Ignorant combien Nomi se démenait pour tenter de la sauver. Combien elle était impatiente de revoir sa sœur saine et sauve.

Si Renzo ne recevait pas cette lettre… Si Renzo ne venait pas…

Lorsque Inès leur montra la pose suivante, Nomi avait les muscles en feu.

— Pourquoi fait-on ça ? grommela-t-elle entre ses dents en laissant retomber ses bras pour que le sang circule à nouveau dans ses doigts.

— Nomi ! s'écria Ines. Les mains au-dessus de la tête. Il n'y a pas d'excuse qui tienne.

Avec un grognement à peine contenu, Nomi força ses membres tremblants à reprendre la position imposée.

— C'est un grand honneur d'être choisie pour servir de statue vivante lors d'une fête donnée par le Supérieur, l'informa Cassia, qui tenait la pose alambiquée comme si elle était faite de pierre.

Pas une seule secousse ne l'agitait.

Le bras de Nomi retomba, ses doigts n'étant plus seulement parcourus de fourmis mais à présent franchement engourdis. Tandis qu'elle secouait sa main pour que le sang y circule à nouveau, elle remarqua que le garde posté sur le seuil de la salle disparaissait dans le couloir. Quelques secondes plus tard, Marcos, et sa silhouette trapue, le remplaçait.

Les yeux de Nomi s'arrondirent. Le regard calme de Marcos était focalisé sur elle. Voulait-il lui parler ? Le moment qu'elle attendait tant était-il arrivé ?

Elle s'efforça de faire taire le frisson d'excitation qui remontait le long de sa colonne vertébrale. Elle avait vu Marcos une demi-douzaine de fois au cours de la semaine écoulée. Sa présence pouvait tout aussi bien ne rien signifier.

Et pourtant, le cœur de Nomi fit un bond lorsque Ines annonça, enfin, qu'elles en avaient terminé pour la journée.

Un bruissement de tissus et un murmure de voix emplirent progressivement la pièce. Maris remuait les doigts. Cassia exécuta plusieurs assouplissements en inclinant la taille avant de mettre de l'ordre dans sa chevelure blonde et soyeuse. Si certaines Grâces trahissaient leur fatigue, le corps entier de Cassia vibrait d'énergie.

Nomi frictionna sa nuque endolorie avec des doigts qui continuaient à l'élancer. Elle quitta la salle de bal avec tout le monde et, aussi discret qu'une ombre, Marcos lui emboîta le pas. Il attendit qu'ils soient seuls dans un couloir désert menant aux chambres puis lui glissa un objet dans la main. Une lettre.

Nomi en eut le souffle coupé. *Pour N., aux bons soins de Trevi*, avait écrit Renzo. Des larmes lui brûlèrent aussitôt les yeux. Renzo…

— Son Éminence vous demande de la retrouver sur la terrasse ce soir, lui indiqua Marcos à voix basse.

Elle acquiesça d'un mouvement de tête, et il s'inclina avant de s'esquiver.

Nomi se précipita dans sa chambre. Elle ignorait combien de temps Angeline mettrait à la rejoindre. Retournant l'enveloppe, elle constata que le cachet n'était pas intact. Asa avait-il pris connaissance de la lettre ?

Un frisson d'appréhension la parcourut, mais elle le congédia. Elle ne lui avait pas demandé de ne pas lire cette correspondance, et elle était certaine que Renzo avait suivi son exemple et dissimulé son identité. Elle ouvrit l'enveloppe en frémissant.

Renzo s'était inspiré de la légende de la lune tombée amoureuse d'un homme. Il avait modifié certains détails. Elle réussit à décoder le message, même si le tremblement de ses mains l'empêchait presque de lire les mots.

Il était arrivé à Bellaqua. Il l'aiderait. Elle n'avait qu'à lui donner ses instructions. Et il avait signé d'un simple *R*.

Nomi se laissa tomber sur le lit et, la lettre chiffonnée contre sa poitrine, elle s'abandonna aux larmes. Des larmes de soulagement, et de terreur.

L'Héritier fêterait son anniversaire deux jours plus tard.

****

Asa l'attendait quand elle se faufila sur la terrasse. Ils n'échangèrent aucun mot au départ. Ils n'étaient que mains impatientes et bouches avides, que chaleur et silence. Nomi s'agrippait à lui comme si, quelque part, il pouvait repousser le souvenir de son frère.

C'est toi que je choisis, songea-t-elle alors qu'il déposait des baisers aussi légers que des plumes le long de sa mâchoire. *C'est ce que je veux*, songea-t-elle encore alors qu'il la serrait plus fort par la taille.

Et malgré tout, Malachi refusait de quitter ses pensées. Asa s'écarta.

— Nomi ?

L'espace d'un instant, elle s'abandonna contre son torse, les bras passés autour de son cou, et respira. Lorsqu'elle se sentit assez forte, elle mit une légère distance entre eux.

— Tu as vu le message de mon cousin. Il loge au Fiore. Je vais lui écrire pour lui expliquer ce qu'il doit…

Asa l'interrompit d'un mouvement de tête :

— Père m'envoie faire des commissions aux quatre coins de la ville pour l'anniversaire de Malachi. Je peux aller le trouver moi-même et lui expliquer notre plan.

La perspective d'un tête-à-tête entre Asa et Renzo la rendit étonnamment nerveuse.

— Redis-moi le plan, demanda-t-elle.

Elle se l'était repassé dans son esprit un millier de fois, mais elle voulait l'entendre de sa bouche à lui. Elle voulait s'assurer qu'elle n'avait rien oublié.

Asa lui caressa les bras à travers sa robe de chambre – la fine soie qui la constituait était la seule barrière entre leurs deux peaux.

— Après la cérémonie, mon père quittera la fête pour aller se reposer dans un salon. C'est une pièce calme, à laquelle on peut facilement accéder depuis la salle de bal quand on sait par où passer. La fausse attaque devra avoir lieu là-bas. Nous ne voulons surtout pas qu'un garde aperçoive notre homme et intervienne trop tôt. Nous avons tous deux promis à ton cousin qu'il sortirait indemne de cette histoire, et nous tiendrons parole.

— Comment quittera-t-il les lieux ? insista Nomi.

Elle aurait souhaité pouvoir accompagner Asa à Bellaqua, et voir Renzo en personne. Savoir son frère si près, juste de l'autre côté du canal, la rendait folle. Il lui manquait tellement…

Asa désigna la balustrade d'un mouvement de la main.

— La salle de bal donne sur un patio. Il pourra disparaître facilement sans être vu, dans la nuit. Personne ne saura qu'il était là.

— Et le masque ? Et… l'arme ?

Nomi s'inquiétait déjà à l'idée que son frère pénètre dans le palais armé, même si, pour que leur tour de passe-passe fonctionne, il fallait qu'il paraisse réellement menaçant.

Asa hocha la tête.

— Je veillerai à ce qu'il ait le nécessaire. J'ai aussi une invitation à lui remettre. Ainsi, il pourra entrer sans encombre.

Il déposa un baiser sur le sommet du crâne de Nomi.

— Et toi, ma fleur, es-tu prête pour ta prochaine mission ?

— J'ai préparé la lettre, mais Malachi ne m'a pas encore convoquée dans ses appartements. Je ne sais pas…

— Il le fera, l'interrompit Asa, un sourire aux lèvres. Il voudra voir chacune de ses Grâces avant le grand jour. Je vais lui suggérer de te convier à une partie de cartes. Il te suffira de cacher la lettre dans ses appartements.

Elle opina du chef et s'abandonna dans ses bras. Elle était si lasse… Elle avait l'impression de ne pas avoir passé une vraie nuit de sommeil depuis son arrivée au palais.

— Je suis désolé que tu aies à te mettre en péril, continua Asa. Si mon écriture était moins caractéristique, je pourrais m'en charger.

Nomi se redressa pour voir son expression.

— C'est notre plan. Nous devons en partager les risques.

— Et le jeu en vaudra la chandelle, répondit-il, les yeux animés d'une lueur espiègle. Nous allons transformer ce pays.

— Et sauver Serina.

— Et sauver Serina.

Il lui caressa la joue, puis poursuivit :

— Tu seras libre, toi aussi. De mon frère, et de toutes les obligations auxquelles il te soumettait.

Nomi se répéta que c'était une bonne chose, qu'il n'y avait rien à ajouter. Et pourtant, elle ne pouvait pas entièrement faire taire les minuscules doutes qui l'assaillaient.

— Asa, ton frère a caché un livre dans ma chambre. Il voulait vérifier que je savais lire.

Le jeune homme se pétrifia, son corps entier se tendit.

— Tu lui as dit que c'était le cas ?

— Non, bien sûr que non.

— Bien.

La tension ne retombait pas.

— J'ai cru que c'était toi qui me l'avais laissé. Il parlait de l'histoire du Viridia… de ses reines.

Quand il posa les yeux sur elle, Nomi perçut, au clair de lune, l'intensité de son regard. Cette expression le rendait semblable à son frère.

— Malachi te manipule, Nomi. Il espère que tu te confieras à lui pour pouvoir ensuite utiliser ce qu'il aura appris contre toi.

Le souffle de Nomi se figea dans sa gorge.

— Ne te fie surtout pas à lui, insista Asa. Il te punira, comme Père a puni Serina. Il l'a déjà fait, Nomi.

— Qu'est-ce que tu…

— N'avoue ton secret à personne, l'interrompit-il. Il ne sera pas bien gardé.

Elle pressa son visage contre le torse d'Asa. La honte se diffusait dans ses veines. Elle avait commencé à douter, à se demander si elle se trompait au sujet de Malachi. Voilà qui confirmait son opinion initiale. Et scellait le destin de l'Héritier.

Le souffle tiède d'Asa caressa l'oreille de Nomi lorsqu'il lui murmura :

— Imagine-toi… Bientôt, ça n'aura plus aucune importance que tu saches lire. Nous pourrons même faire en sorte que toutes les femmes partagent ce don. Il n'y aura plus de Grâces. Vous serez toutes libres de vos propres choix.

Ses mots avaient l'effet d'un charme sur elle, Nomi se sentait liée à lui par cette vision d'un avenir qu'elle voulait voir se réaliser coûte que coûte.

— C'est ce dont je rêve, dit-il en l'embrassant à nouveau sur le sommet du crâne. De ça, et de t'avoir comme reine à mes côtés.

33 - SERINA

Serina était ballottée par les vagues.

Parfois, elles étaient en feu, et Serina brûlait.

Une main fraîche sur son front. La chaleur du soleil sur sa joue.

De l'eau qui gouttait sur ses lèvres.

Une nuit veloutée et le visage de Nomi... Non. Elle avait perdu sa sœur à tout jamais.

Quand le feu déclina et que le monde reprit sens, Serina découvrit Val.

— Qu'est-ce... qu'est-ce que tu...

Les mots lui écorchaient la gorge. Elle cligna des yeux pour en chasser la brume, l'obscurité la pressait de toutes parts. Il approcha de sa bouche le goulot frais d'une gourde.

— Bonjour, toi, chuchota-t-il. Tu as tout fait pour me prouver que tu étais condamnée... Et je suis soulagé que tu n'aies pas réussi.

Serina humecta ses lèvres desséchées.

— Qu'est-ce qui s'est passé ?

Elle se souvenait d'un combat, d'un bannissement. D'un visage plongé dans le noir. D'une détonation.

— Bruno a failli te tuer.

Les joues habituellement lisses de Val étaient recouvertes d'une barbe de trois jours, et ses cheveux bouclés étaient aplatis d'un côté, comme s'il avait récemment dormi sur le flanc. Sauf qu'il n'avait pas la mine très reposée. Trop pâle, avec des cernes trop prononcés sous les yeux.

— La balle n'a fait que t'effleurer, mais tu t'es cogné la tête en tombant. Tu as navigué entre conscience et inconscience pendant plusieurs jours. Je ne savais pas trop… Bref. Je n'ai pas beaucoup d'expérience en matière de traumatisme crânien… Enfin, la plaie par balle cicatrise bien.

Serina remua et grimaça, plaquant une main contre son flanc.

— Ça n'est pas l'impression que j'ai.

Val lui sourit.

— Je ne suis pas surpris. Mais tu es en vie.

— Merci, chuchota-t-elle. Tu as veillé sur moi.

À la lueur du feu, il rougit.

À mesure que son esprit s'éclaircissait, Serina remarqua son environnement : des parois en pierre, un petit feu, le bruit distant des vagues. Sa grotte sur la plage. Elle était allongée sur une paillasse peu épaisse et la veste de l'uniforme de Val lui servait de couverture. Il était assis sur une autre paillasse, à côté d'elle.

Il remarqua qu'elle regardait autour d'elle.

— Je t'ai d'abord cherchée du côté des falaises, puis je me suis rappelé notre conversation sur la plage de l'Est.

Mes rondes se cantonnent au versant ouest de l'île, alors je ne pouvais pas venir immédiatement sans risquer d'éveiller les soupçons. Je suis désolé d'avoir mis aussi longtemps.

Elle secoua la tête et grimaça à nouveau. Une douleur sourde lui enserrait le crâne et, à chaque mouvement, une gerbe d'étincelles jaillissait dans son cerveau. Il était venu, c'était suffisant. C'était plus que suffisant.

Elle serait sans doute morte, sinon.

Il approcha à nouveau la gourde de ses lèvres et l'aida à avaler plusieurs gorgées.

— Dès que tu te sentiras prête, j'ai du pain. Il est rassis.

Elle l'observa, et son esprit embrumé s'émerveilla.

— Tu as tout prévu.

Il haussa les épaules.

— Je ne savais pas dans quel état je te trouverais. Des paillasses, une trousse de secours, de la nourriture et de l'eau… C'est le minimum.

— Tu es là depuis la nuit où… où Bruno…

Une boule s'était formée dans sa gorge. Il hocha la tête.

— J'avais décidé que je ne pouvais plus attendre pour partir à ta recherche quand j'ai entendu Bruno parler de la plage de l'Est. Je l'ai suivi de loin, pour qu'il ne remarque rien. Mais je lui ai laissé trop d'avance… et je suis arrivé trop tard.

Une ombre passa sur ses traits.

— Et Bruno, où est-il ?

Val pressa le dos de sa main contre le front de Serina ; il parut satisfait de ce qu'il sentit. Il ne répondit pas.

— Je l'ai tué, comprit-elle en le fixant.

— Tu as fait ce que tu avais à faire. Il n'aurait pas hésité, Serina.

— Il est… toujours dehors ?

Sur la plage, en train de pourrir au soleil, compléta sa voix intérieure. Val secoua la tête.

— Il est parti nager. Ce sont les requins qui ont été contents.

— Tu es là depuis plusieurs jours… Et le commandant Ricci ? Il n'a pas envoyé quelqu'un pour te retrouver ? Tu ne peux pas abandonner ton poste sur un coup de tête… Il ne va pas te punir ?

Val haussa les épaules.

— C'était un travail horrible. Je suis bien content d'en être débarrassé. Et il ne peut pas me punir s'il ne me trouve pas.

— Val !

Elle n'en revenait pas.

— Je n'allais pas te laisser mourir, dit-il en la regardant comme s'il ne voyait pas ce qu'elle trouvait de surprenant à la situation.

Pourtant c'était invraisemblable. Il avait risqué sa vie et déserté son poste pour elle ? Elle ouvrit la bouche mais ne sut que dire. Il s'empressa de combler le silence :

— Le commandant nous a chargés de te retrouver. Je me suis débrouillé pour empêcher les autres de venir ici, le plus longtemps possible.

Un froid humide la pénétra jusqu'aux os.

— Je croyais que tout le monde se fichait des détenues esseulées.

— Je crois qu'il veut que tu serves d'exemple. Ricci était furieux lorsque tu t'es rendue. Il a convoqué les meneuses des différentes équipes et les a menacées. Il ne veut plus que ça se reproduise.

Il l'aida à s'asseoir et lui tendit un petit pain rond, sorti de son sac.

— Il est temps de manger un peu. Tu trembles, Serina.

Elle mordit prudemment dans l'aliment. Quand elle vit qu'il descendait dans son ventre sans incident, elle se mit à dévorer les morceaux de viande séchée que Val lui remettait. Pendant qu'elle mangeait, ses tremblements s'atténuèrent en partie.

Elle se demanda à quel moment le commandant Ricci avait parlé aux cheffes d'équipe, si c'était avant ou après sa rencontre avec Balafre.

Val ajouta une branche de bois dans le feu. Le mouvement retint l'attention de Serina. Elle l'observa quelques instants, cherchant à le comprendre.

— Pourquoi fais-tu ça ? Pourquoi es-tu resté ?

Sans la regarder, il répondit :

— Je t'ai déjà expliqué. Je ne voulais pas que tu meures.

Serina n'était guère convaincue.

— Au point de risquer ta propre vie ? Tu as déserté ton poste. Aidé une prisonnière. Ils vont te traquer. Ils ne fermeront pas les yeux, Val. C'est comme si tu avais punaisé une cible sur ton dos. Pourquoi ?

Plus elle y pensait, moins son attitude avait de sens. Val délaissa le feu pour s'agenouiller devant elle. Il lui prit les mains.

— Ta vie mérite que je prenne ces risques, Serina. Tu n'en es peut-être pas convaincue, mais c'est la vérité. J'ai pensé…

Pour la première fois, elle lut de l'indécision dans ses yeux.

— J'ai cru qu'il se passait quelque chose entre nous, quelque chose qui pouvait justifier qu'on se batte l'un pour l'autre…

Le baiser. Celui qu'elle lui avait donné parce qu'elle savait qu'elle risquait de mourir…

Serina avait appris les réactions à adopter en présence d'un homme qui la désirait : obéissance, soumission, docilité. Et elle avait passé, ici, des semaines à désapprendre tout ce qu'elle croyait savoir sur le monde. Oracle lui avait dit que la force était la seule monnaie en cours sur l'île. Serina voulait croire qu'elle avait trouvé la sienne.

— Je te suis reconnaissante d'avoir volé à mon secours, murmura-t-elle en se forçant à croiser son regard. Mais je ne sais pas ce qu'il y a entre nous, à supposer qu'il y ait quelque chose. Et j'ai… j'ai besoin de temps pour y réfléchir.

Elle s'attendit à de la colère. Elle s'attendit à ce qu'il lui rétorque qu'elle avait une dette envers lui. Se demanda même s'il n'allait pas exiger par la force une récompense pour son sacrifice. Or il se contenta de serrer ses mains entre les siennes.

— Je comprends.

Le feu éclairait son visage et, sur ses traits bien visibles, elle ne décela ni irritation ni déception. Il la lâcha pour retourner s'occuper du feu et elle éprouva un désir irrationnel de le suivre, de l'enlacer et de se perdre en lui quoi qu'il arrive. Elle résista pourtant à la tentation.

— Tu es si différent, observa-t-elle.

— Des autres hommes ? lança-t-il en lui jetant un coup d'œil par-dessus son épaule.

— Oui.

Des langues de feu léchaient le petit tas de bois et de feuilles, qu'il fixait avec intensité.

— Mon père était membre d'une délégation commerciale partie en Azura juste avant ma naissance. Il racontait que ça lui avait ouvert les yeux sur la réalité du Viridia, sur sa société retardée et oppressive. Ma mère et lui ont cherché à y remédier, à leur échelle. Ils ont monté une école secrète pour filles, dans le sous-sol de notre maison. Je crois… Je suis sans doute différent à cause d'eux. De leur éducation.

Avant que Serina puisse dire quoi que ce soit, il se leva pour aller chercher son sac et revint s'asseoir devant elle.

— Il faut que je refasse ton pansement, dit-il en sortant sa trousse de secours.

Timidement, Serina fit glisser sa chemise sur son épaule. En silence, Val mit une bande propre sur la blessure par balle avant d'appliquer une pommade antiseptique sur l'estafilade qu'elle avait au bras.

— Ils ont été arrêtés ? chuchota Serina.

— Ma mère a été la première…

Il ne quittait pas son bras des yeux alors qu'il avait terminé d'administrer ses soins.

— Le père d'une des élèves a découvert que sa fille apprenait à lire. Il a dénoncé mes parents et sa propre femme. Mon père a tenté d'empêcher les autorités d'emmener ma mère, mais elles l'ont frappé. Des hommes l'ont assommé sous mes yeux.

Le cœur de Serina se serra. L'histoire de Val était insoutenable, et il la relatait d'un ton factuel, même si son corps entier se crispait.

— Deux jours plus tard, ils sont revenus chercher mon père. Je ne l'ai jamais revu. Il a sans doute été tué.

— Quel âge avais-tu ?

— Quatorze ans.

Val reporta son attention sur le feu.

— Il m'a fallu deux années pour découvrir l'endroit où ma mère avait été emmenée, une autre pour trouver de quoi payer ma nouvelle identité. Six mois de plus pour décrocher ce boulot. Le temps que j'arrive, elle était partie. Ça remonte à trois ans.

Serina n'arrivait presque plus à respirer.

— C'est ta mère qui était sur la falaise… C'est elle qui a sauté.

Val hocha la tête. Elle souffrait pour lui.

— Comment as-tu su ce qu'elle était devenue ?

Cette question le fit sourire.

— Par Oracle. Elle se souvenait d'elle. Ma mère était trop vieille pour se battre quand elle a débarqué sur l'île. Elle comptait apprendre à lire aux détenues de la Caverne. Elles n'avaient ni papier ni livre, bien sûr, mais ma mère pouvait accomplir des miracles avec un morceau de charbon et une pierre. Elle comptait apporter sa contribution à l'équipe. Seulement, après avoir assisté à deux combats, elle… elle n'a plus eu envie de rester.

Serina enlaça ses genoux et les plaqua contre sa poitrine, perdant son regard dans le feu.

— Je suis navrée, Val.

Il se frictionna la nuque.

— Aucun des gardiens n'est au courant. Ils pensent que, si je suis volontaire pour apporter des provisions aux équipes, c'est parce que je cherche à faire mes preuves, étant le plus jeune. Je me force à être aussi balourd et cruel que les autres dès que je suis avec eux. Ils n'ont jamais rien soupçonné. J'ai payé très cher pour effacer toutes les traces de mes liens avec mes parents et leur… scandale.

— Pourquoi es-tu resté après avoir découvert ce qui était arrivé à ta mère ? demanda-t-elle avec douceur. Tu aurais pu retourner sur le continent. Trouver un autre travail, une femme…

Val fit rebondir l'extrémité d'une branche sur le sol.

— Je n'arrêtais pas de penser aux familles que ces femmes avaient abandonnées. J'ai commencé à faire des rondes, et j'ai convaincu plusieurs détenues de ne pas sauter.

Il prit une profonde inspiration, son ton devint hésitant :

— C'est dur de voir autant de monde mourir. Chaque fois qu'un bateau accoste, je me dis : *Cette fois, je m'en vais, je tourne la page.* Mais apparemment j'en suis incapable. Il y a toujours une autre détenue qui risque d'être tentée de sauter dans le vide, comme ma mère l'a fait. Une nouvelle prisonnière si terrifiée qu'elle a du mal à respirer.

Il leva les yeux vers Serina et, l'espace d'un instant, le silence ne fut troublé que par le crépitement du feu.

— Je suis contente que tu aies pensé que je méritais d'être sauvée, murmura Serina.

— Je pense que toutes les femmes le méritent. Tu avais juste particulièrement besoin de soutien, ajouta-t-il avec un sourire taquin.

Serina cogna son genou avec le sien – elle avait l'habitude de faire ce geste avec Renzo quand il se moquait d'elle. La chaleur qui se diffusa dans son ventre lorsqu'elle regarda Val était inhabituelle, en revanche. Il lança des brindilles dans les flammes, et des étincelles jaillirent.

Serina serra les poings. Elle n'aurait pas dû avoir besoin de protection. Toutes les femmes devraient pouvoir se débrouiller seules.

— Le commandant Ricci sait combien le système repose sur un équilibre fragile. C'est pour ça qu'il veut se servir de moi pour donner l'exemple. Si nous unissions toutes nos forces, si nous lui tenions tête…

— Beaucoup d'entre vous trouveraient la mort.

— Pas assez pour nous arrêter, riposta Serina.

Elle ne se serait jamais crue capable, avant sa venue sur l'île, d'avoir des pensées sanguinaires. Des pensées révolutionnaires.

— Pas assez pour vous arrêter, répéta Val.

Elle le considéra avec surprise.

— Tu es de mon avis ?

Il soutint son regard ; le feu baignait sa peau d'un éclat doré.

— Je crois que les femmes de cette prison, de ce pays, finiront par se soulever. Mon père répétait souvent que l'oppression n'est pas un état définitif. C'est un poids que l'on porte jusqu'à ce qu'il devienne trop lourd… et qu'on s'en déleste. Cela ne se fait pas sans peine ni douleur, mais il était convaincu que ce poids serait toujours, toujours, combattu et renversé au bout du compte. Il n'était pas le seul à rêver de changer le monde.

Serina songea à Nomi et Renzo, qui s'insurgeaient constamment contre les diktats régissant leurs vies. Elle prit une profonde inspiration :

— Ma sœur, Nomi, sait lire.

Elle ne l'avait encore jamais dit à personne. Val se pencha vers elle.

— Nomi a convaincu notre frère de lui apprendre. Ils l'ont fait en cachette de nos parents, j'étais la seule au courant. Nomi me lisait tout le temps des histoires. Ils ont proposé de m'enseigner aussi, mais j'ai refusé.

Elle avait la gorge serrée quand elle repensait à cette époque, aux secrets qu'ils partageaient.

— Je regrette aujourd'hui, ajouta-t-elle.

— Pourquoi as-tu refusé ?

Val jeta une nouvelle branche dans le feu.

— Je m'entraînais pour devenir une Grâce, j'avais déjà tant de choses à retenir. Et puis… et puis ça me faisait peur. Mon devoir consistait à faire respecter l'image de la femme parfaite, telle que la concevait le Supérieur. Apprendre à lire entrait en contradiction directe avec cette idée.

Serina baissa les yeux vers ses mains égratignées et sa peau bronzée. Elle reconnaissait à peine celle qu'elle était devenue.

— J'ai vu ton dossier d'admission, lui dit Val. J'ai cru que tu étais déjà une Grâce. Et le crime dont tu es accusée est justement la lecture. Comment est-ce possible ?

— C'était une erreur. Nomi avait un livre…

Même aujourd'hui, elle n'arrivait pas à avouer que sa sœur l'avait volé.

— … un livre qu'on adorait, enfants. Je le tenais à la main et je récitais le conte de mémoire, quand la Première Grâce est entrée dans notre chambre. Elle a cru que je lisais, et ensuite tout s'est déroulé très vite.

Elle n'avait encore raconté son histoire à personne. Pas même à Jacana. Oracle savait que Nomi avait été choisie, mais elle n'avait jamais demandé à Serina pourquoi elle avait été envoyée au Mont Destruction. Des larmes coulaient sur ses joues à présent, et un sanglot l'étrangla.

— Je ne sais pas si je l'ai sauvée. Je voulais l'aider, et en réalité je l'ai abandonnée au palais, seule, entre le Supérieur et son fils… Je lui ai peut-être bien offert un avenir pire que le mien.

Val lui frotta le dos d'une main hésitante. Cette caresse réconfortante abattit toutes les défenses de Serina. Elle se pencha vers lui et il se rapprocha pour l'enlacer. S'abandonnant contre son torse, elle pleura. Il la calma comme si elle était une enfant. Les dernières semaines écoulées défilaient devant les yeux de Serina, cette succession de cauchemars trop terrifiants pour être réels.

Elle finit par se calmer. Elle avait les yeux irrités et gonflés, sa tête continuait à l'élancer. Dehors, l'aube s'infiltrait dans le ciel. Serina avait mal partout, jusque dans ses os.

Comment se faisait-il que le mal du pays soit plus douloureux qu'une blessure par balle ?

34 - NOMI

— Je n'arrive pas à croire que l'anniversaire de l'Héritier a lieu demain, dit Maris.

Elle se promenait avec Nomi dans le petit jardin près du *palazzo*. Ines les avait autorisées à prendre un peu l'air. Elles étaient toutes les deux irritables et nerveuses.

— J'espère que Cassia verra son vœu exaucé.

Nomi partageait le même souhait. La journée du lendemain pouvait avoir deux issues : soit Asa accéderait au rang d'Héritier, soit elle se retrouverait à la merci de Malachi. L'avenir de Serina dépendait de cette issue.

Notre plan va fonctionner, se rassura-t-elle pour la énième fois. Elle aurait aimé pouvoir revoir Asa avant de tout mettre en branle. Mais il était à Bellaqua aujourd'hui. Peut-être en train de parler à Renzo à cet instant précis…

Et elle attendait toujours d'être convoquée par Malachi. Que se passerait-il s'il ne sollicitait pas sa présence avant le lendemain ? Asa semblait n'avoir aucun doute sur le fait qu'il le ferait. Si Nomi n'était pas capable de cacher la lettre dans ses appartements, tout serait remis en cause. Car cette preuve était essentielle pour lier Malachi à la fausse conjuration. Sans elle, personne ne pourrait établir le rôle de l'Héritier dans ce coup d'État. Et dans ce cas, le Supérieur se mettrait à chercher d'autres suspects.

Le ventre de Nomi se serra.

— Nous survivrons, dit Maris, qui avait mal interprété l'expression préoccupée de sa compagne. À mesure que les années passeront et qu'il sélectionnera d'autres Grâces, nous le verrons moins. Nous serons un peu plus libres.

Le chagrin de Maris était un collier en fer autour de son cou, toujours présent, il pesait constamment sur ses épaules. Elle avait dit à Nomi qu'elle se sentait responsable de ce qui avait pu arriver à Helena – et le fait de ne pas savoir la rongeait quotidiennement.

Nomi lui prit le bras.

— Peut-être qu'un jour nos existences ne se résumeront pas à survivre.

C'était pour cette raison précise qu'elle prenait autant de risques. Parce que Serina ne méritait pas de croupir en prison… et elles non plus.

— Nous ne sommes pas des êtres inférieurs, Maris, poursuivit-elle avec des trémolos dans la voix. Un jour, les choses changeront, je le sais. Je vais tout faire pour que ce soit le cas.

Maris lui tapota la main :

— J'ai cessé de m'autoriser ce genre de rêves. Mon père a exercé sa cruauté avec beaucoup d'adresse.

Soudain, son regard se fit plus perçant, se focalisant sur un trait précis du visage de Nomi qui exprimait la force de conviction de celle-ci.

— Tu parles bien de rêves, là ?

— Bien sûr, répondit Nomi en détournant le regard. Ce n'est rien d'autre qu'une hypothèse.

Maris la força à faire halte et se plaça face à elle.

— Qu'est-ce que tu mijotes ?

— Rien.

Nomi n'avait jamais été très douée pour le mensonge. C'est Serina qui était passée maîtresse dans l'art de porter des masques, pas elle.

— Personne ici n'est digne de confiance, reprit doucement Maris. Les Grâces du Supérieur parlent… Il y a des espions partout, les gens n'en perdent pas une miette… Il ne faut surtout pas se fier aux apparences, Nomi.

— Ce que je pense, c'est qu'on mérite mieux que ça, murmura-t-elle. Qu'on mérite d'être libres.

Maris la dévisagea longuement, le défaitisme dans ses yeux cédant peu à peu le pas à un espoir triste. Elle secoua la tête, comme pour chasser un rêve.

— Sois prudente. Promets-moi d'être prudente…

— Pourquoi prudente ? les interrompit une voix effrontée.

Nomi sursauta : la culpabilité se lisait sur ses traits. Se retournant, elle avisa Cassia qui approchait à grandes enjambées, entre deux immenses haies vertes. Qu'avait-elle entendu exactement ? Elle fit passer sa longue chevelure sur son épaule.

— Pourquoi prudente ? répéta-t-elle, un sourcil haussé.

Maris fut la première à se ressaisir :

— On parlait de l'Héritier, bien sûr. De demain soir.

Cassia s'humecta les lèvres :

— Vous ne pensez pas réellement qu'il choisira de passer la nuit avec l'une d'entre vous, si ? C'est moi qui serai la Première Grâce, vous allez voir.

— Qu'est-ce que tu veux ? lui lança Nomi en résistant à la tentation de lever les yeux au ciel.

Cassia haussa les épaules, et sa robe lavande ondula autour d'elle.

— L'Héritier a demandé à nous voir toutes les trois aujourd'hui. J'en reviens. C'est ton tour, Nomi.

Le moment était venu de mettre la dernière pièce du puzzle en place.

— Merci, dit-elle à Cassia, alors qu'un frisson de nervosité la parcourait.

Elle jeta un dernier coup d'œil à Maris pour l'encourager à avoir foi. Elle prit ensuite la direction du palais, en s'efforçant de se convaincre de la même chose.

****

L'émissaire de l'Héritier guida Nomi dans le long couloir dallé, puis ouvrit la porte sculptée. Après avoir exécuté une petite révérence, elle pénétra dans la pièce tandis que des papillons se déchaînaient dans son ventre. Elle serrait un petit sac contre sa poitrine.

Malachi l'attendait sur la terrasse. Elle s'approcha de la balustrade, et se plaça à côté de lui – sans le toucher. Elle observa les gens qui évoluaient sur la place, naviguant entre les étals du marché. Elle pensa à Renzo et ne put s'empêcher de chercher sa tignasse sombre, sa démarche dégingandée.

— Tu es très belle, lui dit Malachi.

Nomi répondit au compliment par une révérence, et sa robe d'un gris scintillant émit un bruissement.

— Merci, Votre Éminence.

Elle s'enjoignit d'être aimable, de garder sa colère pour elle. Elle ne pouvait pas prendre le risque que Malachi la congédie avant qu'elle n'ait caché la lettre. Elle ne devait surtout pas éveiller ses soupçons.

Malachi se retourna et indiqua la porte close juste en face de sa chambre.

— Suis-moi, je te prie.

Nomi retint un cri de surprise quand il ouvrit la porte. Il possédait sa propre bibliothèque, aux murs tapissés de rayonnages, du sol au plafond. Les fenêtres donnaient sur Bellaqua, et il y avait plusieurs fauteuils en cuir profonds. Sur une table basse en bois ciré se trouvaient un jeu de cartes, deux verres de jus d'orange très frais et une assiette de biscuits en forme d'étoiles, avec un glaçage jaune pâle.

Nomi fut attirée par l'étagère la plus proche. Elle était pleine d'ouvrages en cuir, aux titres tels que *Le Festival des cadavres* ou *Les Marottes de Finnigan Hawk*.

— Que dirais-tu d'une partie de saints et marins ? lui proposa Malachi.

Elle fit volte-face vers lui, les joues rouges.

— Avec grand plaisir, Votre Éminence.

Il éclata de rire.

— Rien ne t'a jamais fait aussi peu plaisir !

Nomi se mordilla la lèvre. Elle l'entendait rire pour la première fois. Ce sentiment adoucissait les traits sévères de son visage et l'éclat sombre de son regard. Il paraissait plus jeune lorsqu'il riait.

— Si je n'avais pas eu de doutes avant, j'en aurais maintenant, reprit-il presque avec tendresse. Ne laisse jamais personne te voir en présence de livres. Ton désir te trahit.

Nomi prit une profonde inspiration, la panique se déployait dans sa poitrine.

— Je ne sais pas de quoi vous parlez…

Le sourire de Malachi s'estompa :

— Ne me mens pas.

— Je suis désolée, je… je…

La mise en garde d'Asa résonnait en écho à ses oreilles. L'Héritier s'approcha d'elle :

— Tu mens parce que tu as peur. Je ne te punirai pas si tu me dis la vérité.

— Contrairement à ma sœur ? cingla-t-elle, un feu s'allumant dans sa poitrine.

— Elle n'était pas ma Grâce. Et c'était une décision de mon père. Je n'ai pas eu mon mot à dire.

— Mais n'auriez-vous pas fait de même ?

Nomi sentait ses tempes palpiter. Elle avait envie de le mettre en pièces.

— Vous avez laissé ce livre pour me tendre un piège. Vous vouliez…

— C'était un test, pas un piège.

Elle ne parvenait pas à déchiffrer l'expression de son regard. Elle était incapable de se détourner, d'empêcher les mots de se bousculer sur ses lèvres :

— Vous m'avez donné un livre évoquant les femmes qui ont gouverné ce pays, évoquant une histoire qui n'est jamais enseignée à aucun de nous. Quelle était votre intention ?

— Ah, lâcha-t-il alors que les traits de son visage se détendaient. Je me doutais que ça te forcerait à sortir de ta réserve.

Le désespoir la consumait. Elle avait mordu à l'hameçon ! Maintenant il savait qu'elle avait lu l'ouvrage. Elle se prépara à affronter son courroux. Elle ne s'attendait pas à ce qu'il lui décoche un sourire.

— Pourquoi ? Pourquoi voudriez-vous que je sache lire ?

Il se radoucit.

— Je pensais que le fait que tu saches lire m'apporterait la confirmation de ce que je soupçonnais à ton sujet.

— Quoi ?

Le cœur de Nomi battait à tout rompre.

— Je te pensais audacieuse. Obstinée. Et aujourd'hui j'ai la preuve que j'avais raison. Tu ne me croiras peut-être pas, mais j'admire ton culot.

Nomi rougit, traversée par un courant d'incrédulité. Asa lui avait dit que son attitude bravache mettait Malachi hors de lui, pas qu'elle le séduisait.

— Vous allez en parler à votre père ?

— Bien sûr que non. Mais moi je sais à présent, et ce savoir me procure un immense plaisir.

Nomi était à court de mots. Il tendit le menton vers le sac qu'elle serrait contre elle.

— Un autre cadeau ?

Elle secoua la tête :

— Votre livre.

— Tu aurais pu le confier à la Première Grâce. C'est elle qui l'a déposé dans ta chambre.

— Ines ? Votre mère ?

La femme qui avait alerté Nomi sur l'importance de suivre les règles ? Celle qui avait dénoncé Serina parce qu'elle la croyait capable de lire ? À la perspective d'aller trouver Ines avec le livre, Nomi faillit avoir un rire d'incrédulité.

Malachi détourna le regard.

— Ma… mère, oui.

Son hésitation n'échappa pas à la jeune fille. Elle repensa à ce que Cassia avait dit, au fait que les Grâces n'élevaient pas leurs propres enfants.

— Vous ne la considérez pas ainsi ?

— Comme ma mère ?

Malachi serra les poings brièvement avant de détendre ses mains.

— Non, pas vraiment. Mais… mais je lui fais confiance. Elle ne parlera jamais du livre à mon père.

Le livre que Nomi serrait toujours contre elle. Le cœur au bord des lèvres, elle demanda :

— Puis-je le ranger dans votre bibliothèque ?

Il accepta d'un léger signe de tête puis s'affala dans un fauteuil près de la table, lui tournant le dos. Un instant, elle fixa son regard sur lui, plus perplexe que jamais. Il venait d'obtenir la preuve qu'elle savait lire et… il en restait là ? N'avait-il vraiment pas l'intention d'appeler ses gardes ?

Reprenant ses esprits, Nomi saisit sa chance et sortit le livre, ainsi que la lettre, de son sac. Elle plaça le livre sur une étagère et, sur celle du dessus, glissa la lettre entre deux ouvrages, la laissant dépasser de quelques millimètres. Pas assez pour que Malachi puisse remarquer sa présence, mais, elle l'espérait, assez pour qu'Asa la voie quand il viendrait fouiller les appartements de Malachi avec les gardes.

Nomi prit à nouveau une profonde inspiration avant de s'éloigner des rayonnages. Mission accomplie.

Malachi battait les cartes.

— Alors, une partie ?

— Évidemment, dit-elle en se forçant à se détendre, alors qu'elle aurait souhaité plus que tout avoir un prétexte pour partir, maintenant qu'elle avait fait ce pour quoi elle était venue.

Elle s'assit face à lui pendant qu'il distribuait les cartes. Le jeu comportait plusieurs figures : marins au nez crochu et orné d'une verrue, sirènes aux lèvres rouges, soldats en uniforme et saints à l'expression sereine. Il y avait aussi deux cartes où toutes les figures étaient entrelacées de façon lascive. Lorsqu'on posait l'une de celles-ci, il fallait recommencer la partie du début. Cassia les surnommait les cartes « orgiaques ». L'objectif était de finir avec une main constituée exclusivement de saints ou de marins – les saints l'emportant sur les marins.

Nomi prit connaissance de ses cartes. Elle n'avait jamais vu des illustrations aussi réussies. Celles du jeu de Renzo étaient plus simples et grossières. Ici, les images étaient merveilleusement détaillées, le regard de la sirène était dangereusement séducteur et l'expression du saint parfaitement béate, avec les yeux levés vers le ciel. Il ne donnait pas le sentiment de connaître toutes les réponses. Au contraire, il paraissait en chercher encore certaines.

Nomi jetait des coups d'œil à l'Héritier. Il avait mis en œuvre un stratagème complexe pour obtenir la confirmation qu'elle savait lire… Dans quel but ? Satisfaire sa curiosité ? Ou alors était-ce une façon de la manipuler ?

Elle se trouvait dans une situation des plus périlleuses. Il y avait tant de paramètres qu'elle ne comprenait pas.

— Je veux t'apprendre à monter, lui dit-il soudain, la prenant une fois de plus au dépourvu.

Il posa une sirène sur la table, sans un regard pour Nomi – il cherchait à cacher son rougissement.

— Je ne sais pas, Votre Éminence, répondit-elle d'une voix hésitante. Les chevaux qui participaient à cette course étaient si imposants… Je les ai trouvés très terrifiants.

Un petit tic nerveux agita sa lèvre supérieure.

— Il y a un gouffre entre monter un poney dans les jardins du palais et participer à la course du Premio Belaria.

— Bien sûr, murmura-t-elle en jouant à son tour une sirène.

— Je t'ai vue parler avec mon frère, ce jour-là.

Nomi redressa aussitôt la tête ; Malachi était concentré sur son jeu.

— Te régalait-il avec le récit de sa victoire miraculeuse ?

— Il l'a mentionnée, s'autorisa-t-elle à dire.

Il posa un soldat et tira une nouvelle carte.

— Il aime être l'objet de l'attention. De n'importe quelle attention. Je crois d'ailleurs que c'est pour cette raison qu'il s'est porté volontaire pour les leçons de danse.

Il lui jeta un bref coup d'œil avant de se concentrer à nouveau sur ses cartes.

— Il n'est jamais aussi épanoui que lorsqu'il peut jouer le héros chevaleresque.

— Il s'est porté volontaire ? Il m'a dit que votre père l'avait forcé à assister à ces cours, dit Nomi en détachant bien chaque mot.

— Vraiment ? s'étonna Malachi en levant un sourcil.

— Vous suggérez qu'il a inventé cette histoire ? lui lança-t-elle, soudain à cran.

Il ne lui répondit pas.

— Vous êtes peut-être jaloux de l'attention qu'il obtient, Votre Éminence ? lui rétorqua Nomi avec un peu plus de mordant qu'elle ne l'avait voulu.

— Jaloux ? demanda-t-il en relevant la tête, surpris. Non. Pas de ça.

Il s'interrompit et elle patienta, curieuse.

— D'avoir participé au Premio Belaria, oui. Je l'ai envié. Je voulais concourir, moi aussi, mais mon père me l'a interdit.

— Et il a gagné.

— Ce n'est pas la victoire d'Asa que je lui jalouse.

— Comment cela ? lui demanda-t-elle.

Elle tira un saint. Elle ne prêtait pas grande attention à la partie, de toute façon. La tension qui lui nouait les épaules dévala le long de sa colonne vertébrale. Elle n'était pas certaine de vouloir connaître la réponse à cette question.

Malachi crispa les doigts sur ses cartes.

— Le jour de la course, je suis allé dans l'écurie pour souhaiter bonne chance à mon frère, et je l'ai entendu ordonner à un palefrenier de saboter les selles des autres cavaliers. Cette année-là, il y a eu plus de morts que de coutume… Beaucoup sont tombés.

Nomi retint son souffle. Asa ne pouvait pas avoir commis une telle chose… Malachi avait dû se tromper. Ses joues rouges prirent une teinte encore plus sombre.

— Après coup, Asa a accusé le palefrenier… Je ne sais plus de quoi exactement. Il l'a fait condamner à mort. Je crois qu'il ne voulait pas que quiconque puisse remettre en cause sa victoire.

Un frisson parcourut Nomi, et les poils de ses bras se dressèrent.

— C'est terrible, murmura-t-elle.

Elle avait bien du mal à concevoir que le jeune homme qu'elle avait appris à connaître était capable de ce dont Malachi l'accusait. C'était impossible. L'Héritier mentait-il ? Avait-il compris que Nomi nourrissait des sentiments pour son frère et cherchait-il à faire pencher son cœur dans le sens inverse ?

— Je suis désolé, dit-il en lui décochant un sourire en coin. Je ne l'ai encore jamais raconté à personne.

— Pourquoi ne vous en êtes-vous pas ouvert à votre père ? Peut-être… Votre frère aurait dû être puni, non ?

Malachi haussa les épaules.

— J'aurais sans doute dû. Seulement c'est mon frère. Je… Eh bien, je ne l'ai pas fait. C'est aussi simple que ça.

— Êtes-vous très proches, avec Asa ?

Nomi fixait si intensément ses cartes qu'elles se brouillèrent sous ses yeux.

— Non, rétorqua sèchement Malachi avant de jouer une carte orgiaque. C'était le cas autrefois, mais, depuis que j'ai été témoin de son comportement, j'ai beaucoup de mal à le respecter.

Une onde de fièvre parcourut Nomi, précipitant le flux de son sang dans ses veines et lui faisant tourner la tête.

— Je n'arrive pas à imaginer que je pourrais éprouver ce genre de sentiment à l'encontre de ma sœur. Je suis perdue sans elle.

Nomi déposa sa suite de saints sur la table : elle avait gagné la partie. Les larmes qui lui brûlaient les yeux menaçaient de déborder. Tout ce qu'elle avait fait, le complot qu'elle avait ourdi avec Asa, avait pour unique but de sauver Serina. Si Malachi disait la vérité, son frère avait utilisé ce pauvre palefrenier avant de se débarrasser de lui sans le moindre remords. Elle n'arrivait pas à croire ce qu'elle avait entendu. Si c'était réellement arrivé… Comment pouvait-elle remettre la vie de Renzo entre ses mains ? Et si elle ne pouvait pas se fier à Asa, comment réussirait-elle à sauver la vie de Serina ?

Nomi ne supportait plus la présence de l'Héritier. Ses yeux nébuleux, son visage anguleux, l'étrange fascination qu'il éprouvait pour elle, le trouble qu'elle ressentait lorsqu'elle croisait son regard. Les choses qu'il disait sur Asa, sur elle… C'était trop.

— Je suis désolée, Votre Éminence, s'excusa-t-elle avec un trémolo. Je ne me sens pas bien. Puis-je me retirer dans ma chambre ?

— Naturellement.

Il se leva à son tour et tendit la main vers elle. Elle recula.

— Je suis désolé de t'avoir contrariée, dit-il avant d'ajouter d'autres paroles qu'elle n'entendit pas.

Elle était déjà dans le couloir.

35 - SERINA

Serina émergea d'un cauchemar, les poings serrés et les oreilles pleines des battements de son cœur. Quelqu'un lui avait agrippé le bras.

— Ce n'est que moi, la rassura Val en la lâchant. On doit partir.

Elle reprit lentement conscience de l'endroit où elle se trouvait. Le soleil était haut dans le ciel. Elle avait dormi toute la matinée, recroquevillée à l'ombre de leur petite grotte. Il avait déjà passé la bandoulière de son sac en travers de son épaule.

— Pour aller où ?

En écartant ses cheveux sales et emmêlés sur son front, elle grimaça, à cause de son épaule qui l'élançait. Val tourna les yeux vers la plage.

— Les gardiens ne vont pas tarder à nous retrouver, et je crois que tu es assez rétablie pour partir maintenant. Je t'emmène loin de cette île.

Elle le dévisagea, la mâchoire décrochée.
— Quoi ?
— Je t'ai raconté que je comptais sauver ma mère. Tu ne penses quand même pas que je suis venu ici sans plan ?
Son sourire frémissait aux commissures et ne contaminait pas entièrement ses yeux. Serina se leva lentement sur ses jambes encore faibles. Elle ne parvenait pas à croire ce qu'elle entendait.
— Pourquoi n'as-tu rien dit hier soir ?
— Le bateau est caché à marée haute, et…
Il lui effleura la joue.
— Et tu avais besoin de te reposer encore un peu, de reprendre des forces. Je savais que si je t'en parlais tu voudrais partir sans attendre.
Un bateau ? Ils avaient donc réellement un moyen de quitter cette île ? Le pouls de Serina s'emballa. Après toute l'énergie qu'elle avait déployée pour trouver une solution – radeau, rébellion –, ce serait donc aussi simple ? Nomi…
— Si tu m'avais expliqué qu'il fallait attendre la marée basse, je l'aurais compris, lui reprocha-t-elle.
— Mais tu aurais dormi ? lui répondit-il sur le même ton.
— Sans doute pas, concéda-t-elle.
Difficile de nier l'électricité qui pulsait dans ses veines, ainsi que ce besoin soudain de se mettre en mouvement. Elle aurait passé la journée sur des charbons ardents.
— On a deux heures avant que la grotte soit accessible, lui expliqua Val. C'est à peu près le temps qu'il nous faut pour nous y rendre.
Il lui tendit la main.
— Et où as-tu l'intention d'aller ? lui demanda-t-elle sans bouger.

Lui jetant un coup d'œil par-dessus son épaule, il répondit :

— Je pensais aller à Bellaqua. On pourrait tenter de sauver ta sœur ?

Serina ne savait que dire. Elle avait la tête qui tournait soudain, si vite que celle-ci aurait pu se détacher de son cou et s'envoler vers l'océan.

— C'est un piège ?

Val lui sourit avec tendresse :

— Pas un piège, une solution pour fuir.

Serina lui prit la main. Il serra ses doigts, et elle sentit ses muscles fondre comme de la cire de bougie. Val lui offrait un radeau et une révolution en même temps. Peut-être plus. Son sourire semblait déborder de promesses. Mais elle ne pouvait pourtant pas se résoudre à bouger.

Jacana avait défié Oracle pour apporter de l'eau à Serina. Elle l'avait aidée pendant plusieurs heures à peaufiner son projet de fuite. Elle avait promis de tenter de convaincre leur meneuse qu'un soulèvement était une bonne idée.

Jacana, si petite et si timide. Quand elle serait envoyée dans l'arène, elle perdrait. Serina savait qu'elle ne pouvait pas sauver tout le monde. Pour autant, elle ne pouvait pas abandonner Jacana.

— On doit faire un détour, dit-elle. J'ai promis à une amie que je ne quitterais pas l'île sans elle. Il faut qu'on l'emmène.

Val fronça les sourcils.

— Hors de question. Tu ne dois surtout pas t'approcher de la Caverne, c'est trop dangereux.

Serina lui lâcha la main. Elle ne voulait pas provoquer sa colère ni mettre en danger sa propre évasion… Mais elle ne pouvait pas trahir Jacana après tout ce qu'elles avaient traversé.

— C'est l'île tout entière qui est dangereuse. Jacana ne survivra jamais à un combat. Si on ne l'emmène pas avec nous, on la condamne à mort.

Il leva les deux paumes, de plus en plus désemparé.

— On ne peut pas, Serina. Je suis navré. On doit y aller. Tout de suite. On a déjà attendu trop longtemps.

La moindre parcelle de son corps aspirait à le suivre.

— Je ne peux pas l'abandonner, insista-t-elle pourtant, tant elle espérait réussir à lui faire comprendre son point de vue. C'est la seule à m'avoir aidée. Elle m'a apporté de l'eau…

— C'est moi qui t'ai aidée ! l'interrompit-il en haussant la voix. Pendant une semaine, j'ai veillé sur toi. Je t'ai donné la becquée, terrifié à l'idée que tu ne te réveillerais jamais. J'ai cru…

Il tendit à nouveau la main vers elle.

— Tu n'es pas la seule que le commandant Ricci veut tuer, tu te souviens ? On doit y aller.

Serina libéra son bras, d'un geste plus brusque qu'elle n'en avait l'intention. Déséquilibré, il vacilla. Elle le regarda avec des yeux arrondis par l'incrédulité… Elle ne pouvait pas reculer maintenant.

— J'ai envie de t'accompagner, dit-elle d'une voix douce bien qu'exprimant une détermination d'acier. Tellement envie que ça me fait mal d'y résister. Et néanmoins je ne peux pas laisser Jacana. J'ai veillé sur elle depuis notre arrivée, je ne peux pas l'abandonner maintenant. Essaie de me comprendre, par pitié.

Ne voyait-il donc pas combien elle était au supplice ? Elle aurait donné n'importe quoi pour oublier Jacana et disparaître. Mais si Nomi avait été envoyée sur cette île à la place de Serina, si quelqu'un avait promis de la sauver avant de…

Val la dévisagea longuement.

— Prends le premier sentier vers la plage du Nord, puis dirige-toi vers les falaises. Je vais sortir le bateau et t'attendre là-bas. Ne t'approche pas de l'équipe de la Plage, elles ne doivent surtout pas te voir.

Il changea la position de son sac sur son épaule.

— Si tu n'es pas là dans trois heures, je devrai partir. Les autres gardiens sont à ma recherche.

— Je comprends. Je serai là, je te le promets.

Il lui jeta un dernier regard, comme pour mémoriser les traits de son visage. Comme s'il était convaincu de ne jamais la revoir. Ensuite, il tourna les talons et s'éloigna vers le nord sans un mot de plus.

Serina ramassa sa gourde. Et fourra une poignée de sable dans sa poche. Jacana était soit en train de s'entraîner, soit en train de faire la cueillette, à cette heure de la journée. Serina devrait réussir à capter son attention et à l'attirer à l'écart. Le sable pourrait lui servir.

Le plus difficile serait de la trouver et de rester cachée. Oracle postait parfois des guetteuses, mais généralement pas en pleine journée. Il aurait fallu n'avoir aucune vergogne pour s'essayer à leur voler leurs réserves de nourriture ou à enlever une des combattantes avec ce que l'équipe traversait.

Serina quitta la plage. Elle ne mit pas longtemps à atteindre la portion de jungle qui bordait la grotte. Elle accueillit l'ombre avec bonheur. Les températures grimpaient rapidement.

Au détour d'un virage sans visibilité à cause de la végétation dense qui bordait le chemin, elle stoppa net.

— Jacana !

Son amie était là, au beau milieu du sentier. Jacana écarquilla les yeux dès qu'elle la vit.

— Serina ! Va-t'en !

Avant qu'elle n'ait pu bouger, deux gardiens jaillirent des fourrés épais et se jetèrent sur elle. Elle eut à peine le temps de se retourner. L'un d'eux l'empoigna et la plaqua à terre avec un cri. L'épaule de Serina l'élança vivement, et un gémissement lui échappa. L'espace d'un instant, elle tenta de se débattre, mais le gardien utilisait tout son poids pour la maintenir au sol.

— Ne bouge pas !

Le second gardien lui passa des menottes aux poignets, et celles-ci se refermèrent avec un clic sinistre.

— C'était facile, dit-il en la relevant.

Il la poussa vers Jacana, toujours clouée au milieu du chemin, livide, les yeux arrondis.

— Qu'est-ce qui se passe ? demanda Serina en tirant sur ses menottes.

— Ils te guettent depuis plusieurs jours, lui expliqua Jacana alors que des larmes coulaient sur ses joues sales. Ils se sont servis de Gia et de moi comme appâts. Le commandant pensait sans doute que tu aurais faim et chercherais à contacter tes amies.

Ses épaules s'affaissèrent lorsque les gardiens la menottèrent à son tour.

— Je suis désolée, Serina…

— Tu n'y es pour rien.

Elle réussit à ne pas baisser le menton. Le désespoir s'infiltra en elle, aussi insidieux que du venin. Combien de temps lui restait-il avant que Val ne largue les amarres ? Deux heures s'étaient-elles déjà écoulées ? Trois ?

Les gardiens traînèrent Serina et Jacana vers la grotte. Oracle se trouvait dans la clairière quand ils atteignirent celle-ci. Le gardien qui tenait Serina lui cria :

— Tout le monde à l'amphithéâtre, immédiatement !

Oracle hocha la tête en silence.

Serina ne pouvait se résoudre à la regarder. Elle ne chercha pas à desserrer l'étau des doigts du gardien sur son bras, même s'il lui faisait mal. Elle s'efforça de garder la tête haute lorsqu'elle s'engagea sur le chemin qui conduisait à la côte, les mains entravées dans son dos. Le sol, irrégulier, les ralentissait parfois, et elle tomba à deux reprises. L'un des gardiens la releva, et chaque fois sa blessure à l'épaule s'embrasa. Elle ne put étouffer un gémissement de douleur. Cela le fit rire.

Le crépuscule tombait quand ils atteignirent l'arène. Elle en avait la certitude à présent. Plus de trois heures s'étaient écoulées. Val était parti. Et elle allait mourir.

36 – NOMI

Nomi n'arrêtait pas de penser à ce que lui avait dit Malachi. Il avait sans doute cherché à se faire passer pour le grand frère responsable, désabusé mais toujours protecteur de son cadet. Si elle le croyait sur parole, il était un rebelle, à son instar. Il avait défié la volonté de son père en la choisissant, séduit par le fait qu'elle sache lire. Admirant son culot.

Asa lui avait bien dit que Malachi était un manipulateur. Un menteur. Il avait parlé de son tempérament capricieux et versatile.

Lequel des deux frères mentait ? Et s'ils le faisaient tous les deux ? Nomi voulait se fier à Asa. Elle avait placé tous ses espoirs en lui. La libération de Serina en dépendait. Elle lui avait confié son cœur. Chaque fois qu'elle tentait de convoquer l'image du garçon tendre et malicieux qui voulait faire d'elle sa reine, c'était celle du jeune homme hilare pendant la course qui surgissait dans son esprit, et elle le revoyait se vanter d'avoir remporté la coupe en or.

Elle ne pouvait pas laisser Renzo se mettre en danger, pas quand elle ignorait à qui faire confiance. Cependant, si elle renonçait à son projet, Serina serait condamnée à finir ses jours au Mont Destruction. La seule solution était de parler à son frère. Ensemble, ils pourraient évaluer les risques et décider de la suite.

— Restez tranquille, lui dit Angeline.

Elle coiffait Nomi, qui ne cessait de bouger la tête.

— Je suis désolée, j'essaie pourtant de faire un effort.

En réalité, Nomi ne rêvait que de bondir de son tabouret pour fuir cette chambre, ce palais. De frapper à toutes les portes de Bellaqua jusqu'à ce qu'elle débusque Renzo.

Mais elle était coincée ici, dans ce salon où elle se préparait avec Maris et Cassia. Si Nomi se fiait à leurs expressions, elles étaient nerveuses, elles aussi. Maris fixait son reflet dans le miroir d'un œil morne, pendant que sa suivante la coiffait. Quant à Cassia, elle s'opposait à la sienne sur le choix des boucles d'oreilles.

Maris se leva brusquement, les tubes et pots sur sa coiffeuse s'entrechoquèrent. Ses longs cheveux noirs, lisses et brillants, lui tombaient dans le dos. Seules deux minuscules tresses sur les côtés lui permettaient d'avoir le visage dégagé. Ses joues étaient roses, ses yeux bordés de fard à paupières argenté. Elle resserra les pans de sa robe de chambre au moment de quitter la pièce.

Quelques minutes plus tard, Angeline s'écarta. Elle avait relevé les cheveux de Nomi pour former une torsade sophistiquée au sommet de son crâne. Le maquillage, discret, comportait quelques touches dorées pour rappeler sa robe et le masque brillant qu'Ines lui avait donné.

— C'est terminé ? demanda Nomi.

Elle jeta un coup d'œil dehors, vers l'horizon, estimant l'heure à la position du soleil déclinant dans le ciel. Angeline répondit d'un hochement de tête guilleret.

— Il est l'heure de vous habiller.

Elles retournèrent dans la chambre. Angeline l'aida à enfiler sa robe, avec son immense jupe brodée de lourdes perles dorées, sa taille marquée et son corsage suffisamment serré pour donner des formes à Nomi. Un vêtement dans lequel Serina aurait ressemblé à une reine. Nomi ressentait plus que jamais l'absence de sa sœur. Peu importait ce qui arriverait ce soir, elle aurait le sentiment de la trahir.

Il fallut une vingtaine de minutes à Angeline pour boutonner la robe dans le dos de sa maîtresse. Celle-ci pouvait à peine bouger, sans parler de respirer, mais, quand elle observa son reflet dans le miroir, elle constata qu'il était aussi beau et éclatant que la flamme d'une bougie.

Le jour était enfin venu. D'ici quelques heures, les destins de Serina, de Renzo et de Nomi seraient scellés.

****

Au-dessus de la cour dallée, des millions de minuscules lumières scintillantes étaient suspendues sur une multitude de fils qui se rejoignaient au sommet d'un immense mât en acajou sculpté, au centre. Au-delà, la pelouse dévalait vers l'océan. Seule l'écume blanche des vagues était visible dans le noir. La lune s'était levée, luisante.

Près des arcades qui menaient au palais, le Supérieur et l'Héritier étaient assis dans d'immenses fauteuils décorés de liserés d'or. Si le premier n'avait pas daigné porter un masque, celui de Malachi était sophistiqué – torsades d'or semées de pierres lie-de-vin assorties à son pardessus en velours bordeaux. Asa se trouvait sur le côté et ne semblait pas tenir en place avec sa veste bleu nuit et son masque argenté. Lorsque Ines, avec un masque noir, pénétra dans la cour, suivie des Grâces du Supérieur, il se redressa.

Nomi, Cassia et Maris patientaient avec leurs suivantes sous l'une des arcades. La robe de Nomi, avec toutes ses perles brodées, produisait un discret tintement ; elle ne parvenait pas à rester immobile. Le Supérieur les annoncerait et l'assemblée aurait tout le loisir de les jauger, et de les admirer, avant le début du bal. Lors de tous les événements qui avaient précédé celui-ci, les Grâces de l'Héritier s'étaient mêlées aux convives. Elles étaient là pour se fondre dans la foule, pour apprendre comment se comporter. Pour la première fois, elles étaient véritablement exhibées.

Nomi ne détachait pas ses yeux du brocart perlé dans lequel sa robe était taillée. Renzo était là, quelque part. Elle aurait donné n'importe quoi pour le trouver… Cependant, si elle l'apercevait à cet instant précis, elle craignait qu'un cri ne lui échappe. Elle devait attendre la fin de la cérémonie. Endurer les secondes, l'une après l'autre. Puis elle pourrait partir à sa recherche et l'entraîner à l'écart.

Le Supérieur se leva, son corps squelettique se mouvant lentement mais avec précision. Il ne bronchait pas, ne faisait aucune halte. La douce mélodie interprétée à la harpe par les Grâces s'interrompit.

— Bonsoir, illustres convives, commença-t-il en écartant largement ses mains osseuses. Je suis très honoré de vous recevoir ce soir, pour une occasion spéciale, le vingtième anniversaire de mon fils et héritier.

Nomi jeta un coup d'œil à Asa. Son masque argenté cachait son expression. Le Supérieur poursuivit :

— Malachi s'est déjà distingué par son intelligence et son sérieux, c'est un jeune homme qui a le talent et la rigueur nécessaires pour prendre, un jour, ma succession. En attendant, je me félicite de savoir qu'il va jouer un rôle plus important dans le gouvernement de ce pays. Je crois que sa perspicacité servira le Viridia.

À côté de Nomi, Cassia s'agitait. Maris, elle, était aussi immobile qu'une statue.

— Et maintenant, ajouta le Supérieur en levant un bras vers les arcades, mon fils va accueillir officiellement ses Grâces, les premières.

Cassia ouvrit la marche. Nomi la suivit, puis Maris. Elles s'arrêtèrent face à la piste de danse. Nomi retint un cri de surprise : il y avait tant de monde… Grâces, courtisans et dignitaires. Des domestiques, chargés de plateaux avec des monceaux de nourriture, évoluaient parmi la foule. Comment pouvait-elle espérer retrouver Renzo ?

Nomi fit la révérence avec les deux autres Grâces, et l'assistance applaudit. Le mouvement fit scintiller les robes. Nomi en fut presque aveuglée. Qu'allait-elle faire ?

Malachi salua l'assemblée, avant, à la grande surprise de Nomi, de lui tendre la main. Il la choisissait pour sa première danse. Cassia se décomposa.

La musique reprit. Malachi conduisit Nomi sur la piste de danse. Il ne remarqua pas combien elle était raide entre ses bras. Pendant qu'ils exécutaient les premiers pas, elle observa vraiment son visage. Son masque cachait ses joues et son nez, cependant sa mâchoire bien dessinée, ses yeux noirs et sa bouche charnue restaient visibles.

Il avait obtenu la preuve qu'elle savait lire, et pourtant il ne l'avait pas dénoncée. Il ne l'avait embrassée qu'une seule fois, il ne l'avait jamais punie d'avoir pris la fuite… ni de lui avoir adressé toutes ces provocations.

Elle cherchait sans cesse à voir en lui le monstre sous les traits duquel Asa le peignait, elle s'attendait à être brisée. Mais avait-il seulement tenté de le faire ? Il regarda Nomi avec une intensité telle qu'elle sentit son cœur se nouer. Elle aperçut Asa qui lui souriait. Un frisson s'immisça le long de sa colonne.

Où était Renzo ?

Malachi la fit tourner. Sa robe lui dénudait les épaules, son corset lui enserrait les côtes.

— Nomi, lui murmura-t-il, tu as l'air au supplice.

Elle reporta son attention sur lui.

— Je suis confuse, Votre Éminence, dit-elle en s'efforçant de contrôler son expression. Je suis juste nerveuse.

Il rougit à partir de la base du cou.

— Non, c'est moi qui suis désolé. Après ton départ, hier, je n'ai pas cessé de penser à ce que tu m'avais dit.

Elle ouvrit de grands yeux. Qu'avait-elle dit, déjà ? Elle ne s'en souvenait pas. Il poursuivit encore plus bas, pour qu'elle soit la seule à pouvoir l'entendre :

— C'est bien naturel que tu te sentes perdue ici, surtout sans ta sœur. Et je suis le seul responsable. Je t'ai choisie sans penser aux conséquences. J'aurais dû faire mon devoir. Ta sœur s'était préparée, elle. Elle voulait être Grâce. Ça n'a jamais été ton rêve, et je t'ai imposé cette vie.

Nomi se surprit à répéter « Je suis confuse », comme si elle était à blâmer pour son manque d'enthousiasme. C'était toujours mieux que de dire : *Oui, vous auriez dû choisir ma sœur, imbécile.* Elle était si perdue, si tourneboulée. Pourquoi lui disait-il cela ? Pourquoi s'excusait-il ?

Et où était Renzo ?

Elle ne cessait de regarder par-dessus l'épaule de Malachi pendant qu'ils tourbillonnaient, mais les autres danseurs n'étaient que des taches de couleur et de lumière. Pas de visages, de traits identifiables derrière les masques.

— Je ne veux pas d'une Grâce présente ici contre son gré, reprit-il, si bas qu'elle faillit ne pas l'entendre. Je ne te forcerai pas davantage la main.

Elle ouvrit la bouche, et aucun son n'en sortit. Soudain, ses inquiétudes au sujet d'Asa, de Renzo et de Serina disparurent.

— Que dites-vous ?

— Je dis que je vais te libérer de tes obligations.

L'émotion qui assombrit ses yeux ressemblait à de la tristesse.

— Tu pourras partir si tu le souhaites.

Les paroles de Malachi la laissèrent sans voix. Il entrouvrit les lèvres et le rouge de ses joues monta jusqu'à la racine de ses cheveux.

— Mais j'espère que tu resteras.

À cet instant, quelque chose retint l'attention de Nomi. Derrière Malachi, dans la foule… un convive en pantalon noir, veste rouge et masque assorti, la tête inclinée dans sa direction. Elle sut à la seconde qui il était à sa taille, à sa posture. Renzo.

Malachi lui fit décrire une nouvelle pirouette et le frère de Nomi disparut à nouveau dans la masse. À l'autre bout de la cour, le Supérieur se levait. Accompagné d'Asa, il quittait la fête. La panique se déchaîna dans la poitrine de Nomi.

— Votre Éminence, je ne sais comment répondre à tant d'honneur. Puis-je vous demander le temps de réfléchir à votre proposition ? s'enquit-elle en s'écartant déjà, son attention focalisée sur l'endroit où elle avait aperçu son frère.

— Bien sûr, dit-il en la retenant légèrement, comme s'il répugnait à la laisser partir.

Elle s'interrogea : la décision qu'il avait prise lui avait-elle beaucoup coûté ? À cet instant, alors que le morceau se terminait sur une envolée, Malachi la fit basculer en arrière. Un instant, leurs bouches ne furent qu'à quelques millimètres l'une de l'autre. Puis il la redressa.

— Merci pour cette danse, Nomi.

Elle fit la révérence, hors d'haleine, avant de se frayer un chemin à travers la foule, tout en cherchant frénétiquement autour d'elle Renzo. Elle dévisageait tous ceux qu'elle croisait, ballottée par la cohue des corps… Son frère n'était nulle part en vue.

Elle aperçut en revanche Maris, qui se trouvait toujours près de l'entrée de la cour et attendait que Malachi l'invite à danser. Le corps de sa robe était constitué de volutes rouges et argent, complété par des manches en résille argent. Son masque était rouge, comme celui de Renzo. Nomi l'agrippa par le bras et l'attira dans un coin.

— Quoi ?

— J'ai besoin de ton aide, lui murmura-t-elle, paniquée. Il y a un jeune homme ici, il porte un masque et une veste rouges. Il s'appelle Renzo. Il traîne sans doute dans un couloir ou une antichambre. Je dois lui faire passer un message. Tu veux bien me donner un coup de main ?

Maris hocha la tête, les yeux débordant d'interrogations.

— Si tu le vois… poursuivit Nomi, le cœur battant.

Les paroles de Malachi résonnaient dans son crâne. Elle comptait trouver Renzo pour qu'ils analysent la situation ensemble… Malheureusement, elle n'avait pas assez de temps.

— Dis-lui de quitter le palais. Dis-lui qu'il doit prendre la fuite.

Elle abandonna Maris, éberluée, et s'éloigna dans la même direction que le Supérieur. Asa était avec lui. Si Renzo arrivait avant que Nomi n'ait pu intervenir, elle ne pourrait plus rien faire. Son frère ferait accuser Malachi… Et elle n'était plus certaine qu'Asa ne trahirait pas Renzo.

Elle scruta à nouveau l'assemblée en quête du masque rouge, mais ne le vit pas. Elle se dirigea vers les arcades, les pieds endoloris et le cœur battant si vite qu'il menaçait de sortir de sa poitrine. Des larmes lui brûlaient les yeux… Soudain, là, près d'une plante, juste en bordure de la cour !

— Renzo ! souffla-t-elle.

Il se pétrifia. Elle l'aurait rejoint en courant si elle n'avait pas été ralentie par le poids de sa robe, dans laquelle elle se sentait comme embourbée.

— Nomi !

Sa voix lui parvint, si familière, si rassurante.

— Tu ne devrais pas être là, ajouta-t-il. Asa m'a donné les instructions. Je ne veux pas que tu prennes de risques.

— Non, protesta-t-elle, les joues mouillées de larmes.

Ils ne disposaient que de quelques secondes tout au plus.

— Tu dois partir, Renzo. J'ai eu tort, j'ai commis une grave erreur.

Il écarquilla ses yeux d'un brun chaleureux derrière son masque.

— Comment ça ?

— Je ne crois pas… Je ne crois pas qu'on puisse faire confiance à Asa en réalité.

Le cœur de Nomi se craquela, et chacune des fissures la blessa profondément.

— Mais… et Serina ? demanda-t-il d'un ton paniqué.

— Si on suit les instructions d'Asa, il ne tiendra pas sa promesse. On va devoir trouver un autre moyen de la sauver.

Elle ne pouvait pas le serrer dans ses bras en présence d'un si grand nombre de témoins potentiels, elle se contenta donc de tendre le bras pour lui serrer la main. L'expression de Renzo était indéchiffrable derrière son masque.

— Pour l'heure, je m'inquiète surtout pour toi, ajouta-t-elle, au désespoir. Va-t'en, s'il te plaît. J'ai besoin de te savoir en sécurité.

Il l'observa longuement, la perplexité attirant une grimace sur son visage. Les larmes coulaient toujours sur les joues de Nomi. Elle le poussa vers la sortie, puis elle se détourna. Elle ne pouvait pas le regarder partir une nouvelle fois.

Asa l'avait prédit, elle n'eut aucun mal à trouver le salon.

Elle s'avança sur le seuil de la pièce. Le Supérieur était assis dans un fauteuil confortable au centre du petit espace aux murs lambrissés, sur lesquels des tapisseries avaient été suspendues. Asa avait pris place sur une chaise près de son père. Il releva la tête dès qu'il aperçut l'ombre de Nomi… et haussa un sourcil. De toute évidence, il se demandait où était Renzo. Le compte à rebours avait commencé : le Supérieur ne tarderait pas à vouloir regagner le bal costumé.

Nomi secoua lentement la tête. Les yeux d'Asa exprimèrent un sentiment qu'elle ne sut interpréter : souffrance ? trahison ?

— Où est ton cousin ? lui demanda-t-il sans détour.

À présent, elle lisait quelque chose de très laid dans son regard.

— Qu'as-tu fait ?

— Ce qu'il fallait, répondit-elle sans baisser la tête.

En réalité, elle avait fait ce qu'elle espérait être juste. À présent, elle en avait la certitude.

— Il ne viendra pas.

Il ne fera pas semblant de tenter d'assassiner ton père pour que tu puisses le sauver, avait-elle envie de hurler. *Il ne dénoncera pas Malachi. Il ne t'aidera pas !*

— Asa, que se passe-t-il ? lança le Supérieur d'une voix glaciale.

Il agrippa les accoudoirs de ses longs doigts décharnés pour se relever. Derrière Nomi, des bruits de pas résonnèrent soudain sur le marbre du couloir.

— Père, vous êtes prêt ? demanda Malachi en pénétrant dans la pièce.

Nomi ne quitta jamais Asa du regard. Elle vit la tempête se déchaîner en lui. Elle le vit se métamorphoser en quelqu'un d'autre. Elle le vit sortir, sans un mot, le poignard rangé dans le fourreau qu'il portait à la hanche et trancher la gorge de son père.

37 - SERINA

Les gardiens conduisirent Serina et Jacana sur scène. Les gradins de l'amphithéâtre se remplirent lentement. Les femmes qui arrivaient étaient ahuries, et il ne régnait pas le même silence que de coutume. Oracle, Braise et Falaise s'installèrent au premier rang. La première aurait presque pu jubiler : il se produisait malheureusement ce qu'elle avait prédit.

Les autres cheffes d'équipe se tenaient près de la scène. Serina croisa le regard de Balafre, qui le lui rendit. *Si j'avais eu plus de temps…* Il n'y aurait jamais de rébellion maintenant.

Quand tout le monde fut arrivé, le commandant Ricci monta sur la scène en béton. Les autres gardiens se retirèrent au balcon, à l'exception de ceux qui avaient accompagné Serina et Jacana.

— Bonsoir à toutes ! cria Ricci en écartant les bras dans un geste de bienvenue.

Son rôle de monsieur Loyal semblait le mettre en joie.

— J'ai un spectacle exceptionnel à vous offrir !

Serina ne parvenait pas à détacher ses yeux de l'arme qu'il portait à la hanche. Elle en vint presque à souhaiter qu'il coupe court à ses simagrées pour en finir au plus vite. Pourtant, elle chérissait chacune des bouffées d'oxygène qui pénétraient dans ses poumons, même précipitées. Son pouls palpitait dans ses tempes.

— Lors du dernier combat, la candidate de la Caverne a pris la mauvaise décision de se rendre au lieu de remporter les rations que son équipe méritait. En réalité, elle vous a même toutes privées de provisions, puisqu'en l'absence de gagnante personne n'en a eu. Elle a changé les règles du jeu alors que, nous le savons tous, les règles ne peuvent pas changer.

Sa voix se tendit, perdant de son ampleur. Un léger frémissement parcourut les bras de Serina.

— Elle n'a pas chômé depuis, poursuivit-il sans jamais jeter un coup d'œil dans sa direction, adressant ses paroles au public. Elle a tenté de provoquer une révolte. Elle a tué un gardien. Et elle le paiera, sans le moindre doute, de sa vie.

Serina se tenait si droite que c'en était douloureux. Elle ignorait comment il avait eu vent de tous ces détails, et cependant elle n'était pas surprise que ce soit le cas. Elle demeurait impassible. Au Viridia, toutes les femmes portaient des masques.

Elle se prépara à ce que le commandant la tienne en joue.

— À nous deux, dit-il en pivotant enfin vers elle. Tu vas te battre à nouveau. Maintenant.

— Me b… battre ? bredouilla-t-elle, perplexe.

— Oh, tu mourras quelle que soit l'issue du combat, asséna-t-il sèchement, son visage ridé crispé par la dureté. Mais je vais t'offrir d'abord une occasion de te venger. Qui choisis-tu ?

Il balaya du regard l'assemblée dans les gradins.

— Veux-tu retenter ta chance contre ton adversaire de la semaine dernière ? Je crois qu'elle est impatiente de remettre ça, elle.

Serina se décomposa.

— Ou alors tu préfères peut-être Oracle ? Après tout, c'est elle qui t'a bannie.

Avec une moue grotesque, il reporta ensuite son attention sur Jacana.

— À moins que tu ne veuilles affronter notre petit lapin. Elle a été un appât idéal, semblerait-il. Elle, tu as de vraies chances de la tuer. Puis ce sera à moi de t'achever, ce qui me procurera bien sûr un immense plaisir.

Jacana baissa la tête, les épaules agitées de sanglots. Le gardien près d'elle lui retira ses menottes pour qu'elle puisse se battre.

— L'heure est venue, lança le commandant d'un ton menaçant. Qui vas-tu affronter ?

Serina jeta un coup d'œil à Jacana. Elle était justement revenue la chercher pour que son amie n'ait pas à se battre.

Son regard glissa vers Oracle. Oui, la cheffe de la Caverne l'avait exilée. Mais surtout, elle était l'une des combattantes les plus aguerries, ici. Elle pourrait tuer Serina rapidement et priver Ricci d'une partie de son spectacle. Le priver d'une occasion de tuer Serina de ses propres mains.

Anika l'éliminerait rapidement, elle aussi. Serina savait qu'elle n'avait pas l'énergie nécessaire pour prendre le dessus sur elle une seconde fois. Pas avec ses blessures.

— Oh, ajouta le commandant, tu ne peux pas te rendre, cette fois. Enfin, je suis convaincu que tu le sais.

Il fit signe au gardien qui se tenait derrière elle, et soudain, avec un bruit sec, elle sentit le poids de ses chaînes disparaître. Serina ferma les yeux, rien qu'un instant. Elle avait pris position. Elle avait refusé de tuer une femme. Elle pensait chacun des mots qu'elle avait prononcés devant son équipe, sur leur force. Sur la nécessité d'œuvrer de concert. D'être de fer. Si elle choisissait d'affronter une autre prisonnière maintenant, ses paroles seraient vidées de leur sens. Rien ne changerait.

Serina releva la tête et regarda le commandant droit dans les yeux pour qu'il puisse percevoir la rage qui l'animait.

— Je ne le ferai pas ! hurla-t-elle, parce que c'était le seul moyen de dissimuler le trémolo dans sa voix. Je ne jouerai pas à votre jeu.

Il s'empourpra. Serina se rappela qu'elle était condamnée de toute façon. Val était parti. Nomi aussi. Et, avec eux, l'espoir. Mais peut-être réussirait-elle à laisser le souvenir d'un petit vent de rébellion.

— Si vous tenez à ce que je me batte, alors c'est vous que je choisis, hurla-t-elle. Tuez-moi maintenant, avec votre pistolet ou avec vos poings. Je ne lèverai pas la main sur mes sœurs.

Le commandant laissa échapper un rugissement. Le gardien se rapprocha de Serina, et Ricci lui fit signe de s'arrêter.

— Non, personne ne bouge. Elle est à moi.

Il redressa les épaules. Frappa le plat de sa main gauche avec son énorme poing droit. Écarta les jambes et la toisa.

— Tu veux m'affronter ? Très bien. Nous allons nous battre, dans ce cas.

Alors qu'elle lisait la mort sur ce visage buriné et terrifiant, Serina s'attendait à ce qu'un sentiment de paix l'envahisse, ou un engourdissement. Mais elle n'était plus animée que par une seule émotion, qui la dévorait de l'intérieur : la rage.

Il se jeta sur elle, aussi rapide qu'un serpent. Elle saisit dans sa poche le sable qu'elle avait ramassé dans l'espoir d'attirer l'attention de Jacana et le lui lança au visage. Il s'immobilisa pour se frotter les yeux. L'attaque ne le ralentit pas longtemps.

Elle réussit à esquiver le premier crochet, en revanche le second l'atteignit en plein ventre et lui coupa le souffle. Puis il la frappa au visage, l'envoyant au tapis.

Serina récita une prière pour sa sœur. Il était trop tard pour elle.

Ricci se dressait au-dessus d'elle, sa carrure massive était terrifiante. Il lui donna un coup de pied dans les flancs. Elle hurla lorsqu'il lui brisa une côte : une douleur fulgurante la transperça. En larmes, cherchant désespérément à reprendre son souffle, elle réussit à se hisser sur ses genoux et recula. Du sang gouttait de sa bouche. Il s'approcha d'un pas lent. Il prenait son temps. Il lui suffisait de lui décocher un coup de pied dans la tête ou de se pencher pour lui rompre le cou, et c'en serait terminé.

Il le savait. Elle le savait. Et pourtant il jouait avec elle, pour lui laisser le temps de regretter son attitude de défi. Il se baissa pour l'empoigner par le bras, celui qu'Anika avait entaillé, et enfonça les doigts dans la plaie encore à vif, faisant couler le sang.

Elle tenta de le frapper au ventre, mais elle eut l'impression que son poing rencontrait un mur. Il ne frémit même pas. Il la souleva de terre et l'approcha jusqu'à ce que leurs deux nez ne soient plus qu'à quelques millimètres l'un de l'autre.

— Les femmes se croient fortes quand elles se battent contre d'autres femmes, gronda-t-il, son haleine moite et fétide s'accrochant aux narines de Serina. Dès qu'un homme les affronte, elles comprennent la vérité. Vous êtes faibles. Toutes. Et vous le serez toujours.

Il la lâcha. Serina s'effondra, incapable de tenir debout. Ricci venait de délivrer son discours de victoire : il avait fini de jouer. Avec ses dernières forces, Serina se releva sur des jambes tremblantes, baissa la tête, prit une inspiration et fonça dans sa direction.

C'était comme vouloir déplacer une montagne, et pourtant il recula, un peu. De quelques pas. Il ne s'attendait pas à cette attaque. Il ancra ses pieds dans le sol et attrapa Serina sous les bras pour la lancer à l'autre bout de la scène. Elle heurta violemment le béton et se tordit la cheville dans sa chute.

Il fondit sur elle, le regard allumé d'une lueur meurtrière.

Un rugissement monta dans les gradins. Serina eut le temps de constater que les spectatrices ne se réjouissaient pas. Elles hurlaient. Puis, avec un cri terrifiant, Oracle et Braise bondirent sur scène.

La première se jeta sur le commandant : elle sauta sur son dos et lui passa un bras autour du cou, tout en serrant les jambes autour de sa taille pour l'empêcher de dégainer son arme. Il se tortilla en toussant, cherchant à se débarrasser d'elle. Quelqu'un sur le balcon tira, mais le commandant agita un bras.

— C'est mon combat… C'est à moi de les tuer, tonna-t-il.

Il se pencha brusquement en avant, et Oracle faillit basculer par-dessus sa tête. Pendant ce temps, Braise se faufila derrière lui et lui planta dans le ventre une lame de sa fabrication. Ricci voulut l'attraper et elle s'échappa en sautillant. Oracle continuait à l'étrangler, et personne ne bougeait.

La réalité de la situation se diffusait en Serina par vagues successives. Oracle et Braise avaient volé à son secours. Elles s'étaient révoltées. Les femmes tout près de la scène hurlaient, leurs voix de sirènes noyaient les cris étouffés du commandant. Du coin de l'œil, Serina identifia un mouvement. Balafre contournait la scène avec son équipe.

Oracle poussa un nouveau cri. Hallali ! Le visage de Ricci prenait une teinte de plus en plus inquiétante tandis qu'il se démenait contre le bras d'Oracle. Braise récupéra sa lame. Il tomba à genoux dans une flaque de son propre sang. Il griffait le bras d'Oracle, y laissant de profonds sillons. Pour autant, elle ne le lâcha jamais.

Serina prit une inspiration tremblante et douloureuse au moment où les yeux du commandant se révulsaient. Son corps s'affala sur le flanc. Oracle lui tordit le cou jusqu'à ce qu'un craquement résonne, histoire de ne laisser aucune place au doute.

Elle se releva et croisa le regard ébahi de Serina. Un sourire lui chatouillait les commissures des lèvres. Alors, une balle l'atteignit en plein milieu du front et sa tête fut projetée en arrière. Son œil marron devint aussi aveugle que le blanc.

Serina hurla. Le chaos se déchaîna.

Une marée de femmes déferla sur la scène. Des détonations éclatèrent, ponctuant la cacophonie. Serina se redressa à grand-peine, sa côte cassée envoyant des ondes de douleur dans tout son corps. Des gardiens tombèrent du balcon sur le plateau de béton. Il lui fallut un moment pour comprendre pourquoi : l'équipe de Balafre s'était engagée, sans bruit, dans l'escalier et attaquait les hommes par-derrière.

Mais les coups de feu ne faiblissaient pas pour autant, et les femmes continuaient à tomber comme des mouches.

Puisque Oracle et Braise avaient attaqué le commandant, Serina pouvait trouver en elle la force de continuer à se battre. Elle récupéra un couteau dans la main d'une coéquipière de Balafre qui gisait sans vie et s'engagea dans l'escalier, où retentissaient de façon sinistre les cris et détonations. Elle évita un corps qui dévalait les marches.

Le temps qu'elle atteigne le balcon, les gardiens s'étaient retournés contre leurs assaillantes. Les détenues sur scène ne pouvaient pas faire grand-chose qu'attendre que d'autres gardes tombent. Si la chute ne les tuait pas, elles s'en chargeraient.

Avant que Serina n'ait eu le temps de s'interposer, un gardien rougeaud tira sur Balafre. Serina se jeta sur lui et récupéra son pistolet lorsqu'il perdit l'équilibre. Elle batailla un instant avec l'arme pour tenter de comprendre comment s'en servir. Un bras puissant se referma sur sa gorge. Elle planta son coude dans le torse de son agresseur, qui poussa un grognement sans desserrer sa prise pour autant.

— Tout ça, c'est ta faute, rugit-il.

Il la frappa au niveau du rein tout en continuant à l'étrangler. Elle n'avait plus assez d'air pour gémir. Elle s'affala, des points noirs dansaient devant ses yeux. Elle tenta de lui donner un nouveau coup de coude, mais elle était trop faible. Sa force la désertait, ses poumons étaient au supplice.

Soudain, à travers le brouillard qui l'enveloppait, elle vit les gardes les plus proches de la balustrade s'écrouler. Personne ne les avait touchés : ils avaient reçu une balle.

La pression autour de son cou se fit, un instant, moins forte. Elle se retourna et se laissa peser de tout son poids pour échapper à son agresseur. Puis elle lui planta son couteau dans le ventre. Deux autres gardiens furent abattus. Il n'en restait plus qu'une poignée à présent, et les femmes qui les affrontaient semblaient prendre le dessus.

Serina jeta un coup d'œil par-dessus la balustrade endommagée.

En bas, au centre d'un cercle de détenues mal à l'aise, Val baissa son pistolet.

38 - NOMI

Nomi n'avait jamais vu personne mourir auparavant. Ce n'était ni paisible ni silencieux. Le Supérieur porta, en vain, ses mains à sa gorge alors qu'il s'étouffait avec son propre sang. Malachi se précipita vers lui pour tenter d'arrêter l'hémorragie. Il y avait tellement de sang… Un ruisseau rouge qui coulait sur ses mains et son pardessus en velours. On ne pouvait pas voir la tache s'étendre : la veste était de la même couleur que le sang du Supérieur.

Nomi se rendit alors compte qu'elle hurlait.

Asa hocha la tête d'un air approbateur en observant Malachi.

— Plus tu auras de sang sur les mains, plus ce sera crédible.

Il se tourna alors vers Nomi :

— Et maintenant, ma fleur, il va falloir te faire taire.

Il se jeta sur elle avec son poignard. Le hurlement de Nomi se transforma en cri étranglé. La pointe de la lame s'enfonça dans la robe perlée, pourtant le tissu épais et les baleines de son corset constituèrent une armure inattendue, qui repoussa l'attaque. Elle recula en vacillant.

Malachi plaqua Asa au sol. Celui-ci se débattit. L'Héritier était plus grand, mais Asa était armé. Il blessa son frère au bras. Nomi suivait la scène, horrifiée, ne sachant comment réagir.

Asa se démenait et crachait. Il était devenu un étranger soudain, quelqu'un qu'elle avait l'impression de ne pas connaître, de ne pas comprendre. Tout ce qu'elle avait cru, tous les sentiments qu'elle avait entretenus étaient réduits en poussière. Il l'avait manipulée.

Il lui avait menti. Il l'avait utilisée. Il s'était servi de son caractère révolté, de la souffrance qu'elle éprouvait à cause de l'absence de Serina. Tout était si limpide à présent.

Asa rêvait d'être l'Héritier. Il voulait le pouvoir, l'adulation, l'attention. Il voulait tout ce que son frère avait, et Nomi ne put s'empêcher d'en éprouver de la haine. La rage qui montait en elle était aussi bouillante que de la lave. Il l'avait trahie.

Il avait tenté de la tuer.

Malachi frappa Asa au visage, faisant tomber son masque argenté. Les yeux d'Asa roulèrent dans leurs orbites et il perdit connaissance. Malachi voulut se relever… mais c'était un piège. Asa bondit, son poignard à la main. Il atteignit Malachi au ventre. Celui-ci s'effondra.

Nomi se laissa tomber à genoux près de lui. Il ne portait pas de corset pour le protéger. Elle pressa les deux mains sur la plaie. Il gémit. Derrière eux, Asa se redressait en chancelant.

— Tout va bien, vous allez vous en sortir, murmura-t-elle, en larmes.

Elle connaissait la vérité, pourtant. Rien n'irait bien. Le sang coulait entre ses doigts. Asa se dressait au-dessus d'eux.

— Nomi, tu n'aurais pas dû parler à ton cousin, lui dit-il d'un ton chargé de reproches. Enfin, au fond, ça ne change rien. Pourquoi se contenter d'une tentative d'assassinat quand on peut en avoir un vrai ? Merci d'avoir caché ce message dans la chambre de mon frère. Tu as rempli ton rôle à merveille.

Le cœur de Nomi se tordit de douleur. Elle lui avait accordé sa confiance. Les promesses qu'il lui avait faites n'étaient que des mensonges. Tous les baisers, toutes les caresses échangés se transformaient en poison. Elle ravala la bile qui montait dans sa gorge.

Des bruits de pas leur parvinrent alors du couloir. Nomi releva la tête.

Les yeux écarquillés, Maris se pétrifia. Elle fixa, bouche bée, le cadavre ensanglanté du Supérieur, toujours affalé dans son fauteuil.

— Je… je cherchais Nomi. Qu'est-ce que…

— Marcos ! appela Asa. Si tu veux bien venir…

Le garde colossal surgit de l'embrasure d'une porte plongée dans le noir, à l'autre bout du petit salon, suivi de plusieurs compagnons. Asa désigna Maris.

— On ne peut pas laisser des témoins en liberté, n'est-ce pas ?

— Fuis ! hurla Nomi.

Maris tourna les talons, mais elle ne fit que quelques pas avant d'être rattrapée par les gardes. Marcos releva Nomi. Dans le couloir, le brouhaha de la fête s'intensifiait, se rapprochait. Nomi pria pour qu'il s'agisse d'une délégation venue s'inquiéter de l'absence du Supérieur : elle pourrait témoigner du crime d'Asa. Malachi poussa un gémissement et elle voulut se baisser vers lui. Marcos l'en empêcha.

— Vous ne pouvez pas tous nous tuer, dit Nomi en se débattant pour se libérer de la poigne de fer du garde.

— Bien sûr que je peux, rétorqua Asa en brandissant son poignard.

Les voix distantes étaient de plus en plus fortes.

— Asa a tué le Supérieur ! hurla-t-elle de toutes ses forces. Le Supérieur est mort !

Les pas se précipitaient. Asa hésita à peine une seconde.

— Bien, se reprit-il en adressant un signe de tête à Marcos. Je t'ai promis que tu reverrais ta sœur, non ?

Nomi plongea le regard au fond du sien en se demandant comment elle avait pu se tromper à ce point.

— Relève-le, ordonna-t-il en parlant de Malachi. Embarque-le sur le bateau avec les filles. Quand il sera mort, jette-le par-dessus bord.

L'Héritier avait les yeux clos, sa respiration était saccadée. Nomi poussa un cri en voyant un des gardes d'Asa le hisser sur son épaule. La tête de Malachi ballait dans le vide.

Maris était transformée en statue, elle observait la scène avec des yeux si ronds que Nomi voyait le blanc tout autour de ses iris. Sa poitrine se soulevait de plus en plus vite.

Marcos poussa violemment Nomi devant lui. Les autres gardes se chargèrent de Maris. Au moment où les hommes de main d'Asa les conduisaient, de force, vers la porte au fond de la pièce, Nomi l'entendit s'époumoner :

— À l'aide ! Mon père !

La porte claqua derrière elle alors que plusieurs personnes s'engouffraient dans la pièce.

39 - SERINA

Serina aida les femmes sur le balcon à attacher la poignée de gardiens survivants avec les menottes qu'ils portaient sur eux. L'un d'eux se jeta sur elles en hurlant.

Anika lui tira une balle au beau milieu du front.

Aussitôt, les autres se tinrent à carreau.

— On devrait tous les tuer, dit-elle.

Elle avait une joue et un bras en sang, une contusion sur la tempe.

— On ne peut pas, rétorqua Serina en s'interposant entre le pistolet et le gardien qu'Anika visait. On pourrait avoir besoin d'eux pour négocier. Ils utilisent peut-être des codes pour communiquer avec le continent, les rations sont peut-être enfermées quelque part. Mieux vaut attendre.

Anika baissa l'arme, un peu trop lentement au goût de Serina : celle-ci était pointée sur son ventre maintenant.

— Très bien, lâcha la fille. Je vais attendre… pour le moment.

Ce qui ne l'empêcha pas de cracher sur un gardien quand elle le poussa, avec les autres, dans l'escalier.

Serina récupéra tous les pistolets et les déposa en pile dans un coin au fond du balcon. Elle demanderait à Val s'il y avait un endroit sécurisé pour les entreposer dans le bâtiment principal. Elle priait pour que celui-ci soit vide et pour que tous les gardiens aient assisté au combat. Elle n'avait aucune envie de voir cette guerre se prolonger…

Elle contempla ensuite le carnage. Balafre gisait, sans vie, sur le corps d'un homme. Ses yeux ne voyaient plus. Serina s'agenouilla à côté d'elle et lui posa une main sur l'épaule. Aujourd'hui, c'était elle qui était victorieuse.

Serina aida les autres femmes à descendre tous les corps dans les escaliers. Elles les déposèrent délicatement sur la scène en pierre, poisseuse de sang.

Trente-deux gardiens étaient morts, en comptant le commandant Ricci.

Le bilan était plus sévère parmi les détenues. Le cadavre d'Oracle était étendu parmi celui de quarante autres femmes au moins. Assise dans une flaque de sang, Braise lui tenait la main en sanglotant. Elle, si redoutable de coutume, si maîtresse de ses émotions.

Val se tenait en retrait. Il restait immobile. Peut-être ne voulait-il pas attirer l'attention sur lui, maintenant qu'il était le seul des gardiens à n'être ni mort ni menotté. Les femmes semblaient savoir qu'il était dans leur camp, mais Serina remarqua, de loin, qu'il gardait une main sur son pistolet.

Serina découvrit le corps de Jacana au bord de la scène. Elle était recroquevillée sur elle-même et paraissait plus petite encore, maintenant qu'elle avait perdu la vie. Des larmes coulèrent sur les joues de Serina. Son amie avait tellement peur des combats, elle était si convaincue qu'elle mourrait sur cette île… Serina n'avait pas réussi à la sauver.

Val la rejoignit. Le corps de Jacana se trouvait entre eux deux, et Serina se demanda s'ils réussiraient un jour à franchir cet obstacle.

— J'aurais dû… commença-t-elle.

— Je n'ai pas pu partir…

Ils s'interrompirent.

— Ils l'ont utilisée comme appât, expliqua Serina, la gorge toujours aussi nouée. Pour m'attraper.

La mâchoire de Val se crispa :

— Je n'aurais pas dû te dire quoi faire. J'aurais dû respecter tes décisions.

Serina contourna Jacana pour rejoindre Val.

— Tu n'es pas parti sans moi.

Il soutint son regard.

— Et tu as lancé une révolte.

Elle ne savait pas très bien quels étaient ses sentiments à ce sujet. Avait-elle sauvé des vies en renversant le système ? Ou au contraire causé plus de morts ? Qu'arriverait-il lorsque le Supérieur découvrirait ce qui s'était passé et enverrait ses hommes reprendre le pouvoir sur l'île ?

Elle regarda autour d'elle. Plusieurs femmes erraient sans but dans l'amphithéâtre. D'autres enveloppaient les corps dans des draps provenant de l'Hôtel Misère. Il n'était plus question d'équipes adverses.

— Il faut récupérer les rations que le commandant Ricci gardait dans ses réserves et les distribuer, dit-elle en observant les visages émaciés. Et trouver un endroit pour enfermer les gardiens. Sans oublier un plan pour le jour où un bateau arrivera avec de nouvelles détenues et des gardiens.

Peut-être réussiraient-elles à se débrouiller pour cacher la vérité au Supérieur. Au moins jusqu'à ce qu'elles soient prêtes à se défendre.

— Je peux vous montrer où sont les rations, et il y a plusieurs cellules dans le bâtiment principal, lui dit Val. Quant au bateau… Eh bien, on a sans doute une semaine, plus ou moins, avant l'arrivée du prochain. On trouvera une solution.

Il lui pressa brièvement la main :

— Le pire est derrière nous.

Serina le dévisagea sans lui répondre. Le pire était peut-être derrière elle au Mont Destruction. Elle n'avait pas l'intention de s'arrêter ici. Elle le conduisit à l'autre bout de l'amphithéâtre, où Anika et plusieurs autres filles de l'Hôtel Misère tenaient en joue les gardiens captifs.

— Anika, je te présente Val, lui dit Serina. Il va te montrer où enfermer les gardiens. Il sait aussi où est entreposée la nourriture. Rapporte-la ici, on la partagera équitablement entre les différentes équipes.

Elle s'attendait à ce qu'Anika discute ou lui décoche un sourire menaçant. Et pourtant, celle-ci se contenta d'un bref signe de tête très sérieux.

— Traître ! gronda l'un des gardiens en foudroyant Val du regard.

Anika lui asséna un coup de coude dans le nez. Il poussa un gémissement. Les autres gardiens gardaient les yeux rivés sur le canon de leurs armes, toujours braquées sur eux.

— C'est bon pour toi ? demanda Serina en se tournant vers Val.

Serait-il en sécurité avec ces femmes, si désireuses de tuer les hommes qui les avaient opprimées ?

— C'est tout bon, lui répondit-il d'une voix assurée en passant une main dans ses cheveux emmêlés.

Anika hocha à nouveau la tête. Au moment où Serina tournait les talons, celle-ci lui lança :

— Je te croyais faible. Mais tu avais un plan depuis le début, en fait, c'est ça ? Il ne t'a fallu que quelques semaines pour les renverser.

Serina n'aurait jamais imaginé qu'un jour Anika la respecterait. Et elle était suffisamment aguerrie pour ne pas la détromper – elle n'avait aucun plan, sinon celui d'amener les équipes à se parler entre elles. Et elle n'avait évidemment aucun plan maintenant.

— Au Mont Destruction, on désapprend la faiblesse, lui répondit-elle à la place.

Anika lui fit un petit sourire. Elles étaient toutes les deux des combattantes à présent.

Après avoir jeté un dernier coup d'œil à Val, Serina retourna sur scène. Elle trouva Falaise sur un banc, à quelques mètres des cadavres. Elle se tordait les mains et, sur son large visage grossier, triomphe et peur se livraient une lutte.

— Falaise… Tu connais des femmes d'autres équipes ?

Elle acquiesça avant de reporter son attention sur les cadavres.

— Pourrais-tu former un groupe pour transporter les gardiens morts jusqu'aux falaises et les jeter à la mer ?

Falaise se leva brusquement.

— Oui, ça, je peux.

Serina lui tapota l'épaule. Puis elle partit trouver Braise.

****

L'ascension de la montagne fut plus difficile, cette nuit-là, avec le poids d'Oracle sur ses épaules. Étrangement, Serina se sentait plus légère aussi. Les étoiles trouaient le ciel et les flammes grasses des torches formaient une ligne dans le noir. Il y avait beaucoup de sœurs à honorer ce soir. Mais Oracle était la première d'entre elles.

Feu, respire
Eau, brûle
Terreur, reflue
Ton règne est fini
Feu, respire
Eau, brûle
Étoiles, montrez la voie
Votre sœur est là

Serina chanta ces paroles pour Oracle et Jacana. Elles étaient aussi destinées à la mère de Val, à Mouette et à Balafre, à toutes les femmes qui s'étaient battues et avaient trouvé la mort ici. Sans oublier les vivantes.

Lorsque le dernier corps eut produit sa dernière gerbe d'étincelles, une voix, enrouée par les chants, demanda :

— Et maintenant ?

À la lueur rougeoyante du volcan, Serina vit tous les visages se tourner vers elle. Elle prit une profonde inspiration. Elle avait survécu au Mont Destruction en rassemblant ces femmes. Et maintenant il restait encore tant à faire…

Un jour, quand elle reverrait Nomi – parce qu'à présent la question n'était plus « si » mais « quand », elle en avait la conviction –, elle lui présenterait des excuses. Elle avait toujours cru qu'il était inutile de se défendre, que ça ne servait à rien.

Nomi avait eu raison de se rebeller. Ça en valait la peine. En rendant les coups, on pouvait changer le monde. Non. On changerait le monde. Serina y veillerait.

40 - NOMI

Les gardes d'Asa ne prononcèrent pas un mot pendant qu'ils traînaient Nomi, Malachi et Maris dans les couloirs du palais. La respiration laborieuse de l'Héritier résonnait dans le silence, et il perdait du sang sur les dalles de marbre.

— Par pitié, il va mourir, aidez-le !

Marcos ignora la supplique de Nomi.

— Que s'est-il passé ? demanda Maris, ses yeux faisant deux trous noirs dans son visage que la terreur rendait livide. Le Supérieur…

Nomi ravala un sanglot.

— Asa l'a tué. Il… il a mis en scène un faux coup d'État. Il s'est servi de moi… de Malachi…

Elle n'arrivait pas à parler. Il était si évident, à présent, qu'elle avait été profondément manipulée par lui. Peut-être n'avait-il pas décidé dès le début que le Supérieur perdrait la vie. Mais elle avait la certitude, à présent, qu'Asa n'aurait jamais laissé Renzo prendre la fuite après leur mascarade. Il aurait convaincu tout le monde que celui-ci était de mèche avec Malachi. Il aurait peut-être impliqué Nomi aussi. Il aurait fait condamner Renzo à mort, comme ce palefrenier. Et il n'aurait pas eu le moindre remords.

Asa avait profité du chagrin de Nomi, de son désespoir, de son *culot*. Il avait profité de la situation de bout en bout, y compris de la défection de Renzo, qu'il avait fait tourner à son avantage. Il ne se contenterait pas d'être l'Héritier ; il allait devenir le Supérieur.

— Que vont-ils nous faire ? gémit Maris, qui n'arrivait pas à tenir la cadence rapide et ne cessait de trébucher.

Nomi voyait bien qu'elle avait envie de s'effondrer par terre… Le garde l'en empêchait et la secouait chaque fois qu'il la relevait.

— Je ne sais pas, répondit Nomi, pour ne pas effrayer davantage sa compagne.

Je t'ai promis que tu reverrais ta sœur, non ? avait dit Asa.

Marcos conduisait leur petit groupe dans une partie du palais où Nomi n'avait jamais mis les pieds et qui ouvrait sur un débarcadère. Plusieurs grands bateaux dansaient sur l'eau noire. Le clair de lune éclairait la pâleur de plus en plus inquiétante de Malachi.

— Va chercher les chaînes, ordonna Marcos à l'un des gardes, qui disparut dans la nuit.

Le ventre de Nomi se souleva. Maris s'échappa soudain : le garde ne s'attendait pas à ce qu'elle tente quoi que ce soit. Elle put faire quelques pas, mais il ne tarda pas à la rattraper, l'empoignant violemment par les cheveux. Elle poussa un cri.

— Je suis désolée, sanglota Nomi, les joues trempées de larmes. Je n'aurais pas dû te demander ton aide… Je suis désolée.

— L'homme que tu cherchais, lui dit Maris en grimaçant alors que le garde continuait à la tirer par les cheveux pour la faire monter sur un bateau. Qui était-il ?

Nomi trébucha lorsque Marcos la poussa à son tour sur le bateau. C'était un immense chalutier avec un plat-bord métallique et un pont taché. Les marins qui s'en occupaient descendirent au pont inférieur pour lancer la chaudière.

— Quelqu'un de très important pour moi, dit-elle.

Asa allait-il traquer Renzo ? S'en prendrait-il à sa famille ?

— Je voulais le protéger, et c'est toi que j'ai mise en danger.

Les gardes enchaînèrent les filles au plat-bord. Maris se laissa tomber à genoux, les mains au-dessus de la tête. Le rouge de sa robe évoquait du sang.

— Je suis désolée, répéta Nomi. Il avait promis de libérer ma sœur… Je lui faisais confiance.

Le garde qui portait Malachi le laissa tomber sur le pont comme un sac de grain. Marcos apostropha un des marins :

— Toi, là ! Quand il aura cessé de respirer, jette-le par-dessus bord.

Puis il bondit sur le quai, détacha les lourdes amarres et repoussa l'embarcation.

La chaudière crachait de la fumée. Bientôt, Nomi ne put plus entendre le clapotis de l'eau tant le vacarme des pistons était fort. Ils s'éloignèrent lentement de la terre ferme, vers le grand large ténébreux.

Les fers aux poignets de Nomi s'entrechoquaient contre la rambarde à chaque vague. Elle fixait du regard le reflet de la lune qui ondulait à la surface : si elle avait baissé les yeux, elle aurait vu les taches de sang couleur rouille sur sa robe dorée abîmée.

Le corps de Maris suivait le roulis du bateau, la tête pressée contre les parois en métal.

— Je suis vraiment désolée, répéta Nomi, qui récitait désormais ces mots comme un mantra, une prière de délivrance.

Le vent marin écarta soudain le rideau de cheveux noirs du visage de Maris.

— Ce n'est pas ta faute, Nomi.

Nomi avait un goût amer au fond de la gorge. Elle était responsable, bien sûr. Le Supérieur était mort, Asa avait machiné son accession au pouvoir, et Malachi…

Elle posa les yeux sur la masse de tissu imbibé de sang, immobile à la proue du bateau. Ce léger mouvement de son torse était-il dû à sa respiration ou à la houle ?

L'un des gardes s'approcha de lui.

— Il respire ! hurla-t-elle. Il respire !

À son soulagement, l'homme recula. Pour le moment… Malachi n'avait pas ouvert les yeux depuis qu'ils avaient quitté le palais. Des larmes brûlantes coulèrent sur les joues de Nomi. Il allait mourir. Sans doute très bientôt. Elle était coupable, aussi sûrement que si elle avait enfoncé ce couteau dans son ventre. Et Renzo… Oh, Renzo ! Elle l'avait condamné à une vie de fugitif. Elle pria pour qu'il se cache.

Nomi se recroquevilla contre ses chaînes, au supplice. En cherchant à sauver Serina, et à se sauver elle-même, elle avait détruit tous ces gens.

La nuit s'étirait à l'infini, l'océan les propulsant dans l'obscurité avec une cruauté inconsciente. L'estomac de

Nomi protesta. Maris chantait une berceuse tout bas, la voix éraillée par les pleurs.

Le torse de Malachi se soulevait de moins en moins souvent, avec de moins en moins d'amplitude.

Et puis, enfin, alors que l'aube se répandait à l'horizon, le Mont Destruction émergea lentement de la brume, noir et terrifiant.

Nomi prit une inspiration frémissante.

Serina, je suis là.

REMERCIEMENTS

Ça a été un honneur absolu de travailler avec les incroyables équipes de mon agent Alloy et de mon éditeur LYBR pour amener Serina et Nomi à la vie. J'envoie de gigantesques gâteaux saupoudrés de gros câlins à mes éditrices, Pam Gruber, Lanie Davis et Eliza Swift, et à mes gourous de la narration, Romy Golan, Matt Bloomgarden, sans oublier le reste de l'équipe d'Alloy : merci pour tout ce que vous avez fait afin de me soutenir, moi et mon livre. Un grand merci à Megan Tingley, Alvina Ling, Emilie Polster, Katharine McAnarney, Carol Scatorchio et à la merveilleuse équipe de LYBR, pour avoir parié sur mes sœurs, et avec autant d'enthousiasme ! Je pense aussi aux formidables graphistes qui leur ont donné un si beau visage (et réussi une très belle couverture en général) : Karina Granda, Mallory Grigg et Liz Dresner, merci !

J'éprouve la gratitude la plus sincère pour Kirsten Wolf de l'Emerald City Literary Agency, qui m'a aidée à négocier mon contrat, et à Linda Epstein, qui trouve toujours, par je ne sais quel miracle, la bonne parole (je t'assure, c'est toi, la star !). Je me sens si chanceuse de faire partie de ton écurie d'auteurs, Linda, que je ne sais comment te remercier. Et évidemment, une mention spéciale à Mandy Hubbard, pour avoir poussé Linda à consulter ses mails.

Je n'oublie pas ma chère amie Michelle Nebiolo – merci de m'avoir aidée pour l'italien et d'avoir suggéré le prénom de Serina, celui de ta grand-mère, pour la première des deux sœurs. Serina ne serait pas Serina sans toi, littéralement ! *Grazie, amica mia !*

Dr Jody Escaravage, Aimee L. Salter, Morgan Tucker, Rachel Hamm et Natasha Fisher : je vous serre de toutes mes forces dans mes bras, jusqu'à vous écraser, pour vous remercier d'avoir été des premières lectrices aussi sagaces, et des amies formidables. L'écriture de ce roman aurait été tellement plus difficile sans vos encouragements, vos remarques et votre soutien émotionnel.

Merci aussi à mes amis auteurs et éditeurs, qui ont écouté mes angoisses, qui se sont réjouis pour moi et qui m'ont envoyé des gifs hilarants : Jax Abbey, Paige Nguyen, J. D. Robinson, les Wonder Writers, Crystal Watanabe et Morgan Michael. J'ai un gros gâteau au chocolat noir pour chacun d'entre vous !

Ma gratitude va aussi à ma famille, pour son soutien et ses encouragements. Ça a été si exaltant de partager cette expérience avec vous !

Ollie, j'adore que tu inventes déjà des histoires. Ma préférée est celle avec le « Pupperniss » aventureux. Ne l'oublie pas. Tu tiens quelque chose !

Merci aussi à mon mari, Andy, sans qui rien de tout ceci n'aurait été possible. Merci de m'avoir fait rire, de m'avoir réconfortée quand j'étais stressée par les délais. Et merci d'être toujours, toujours là (enfin sauf, bien sûr, quand l'armée a besoin de toi ailleurs, ha ha ha !). Tu es un mari et un père exceptionnel, et un homme remarquable. Tu m'inspires au quotidien. Non seulement j'espère qu'Ollie te ressemblera en grandissant… mais j'espère qu'un jour, moi aussi, je te ressemblerai. Je t'aime.

Et enfin, cher lecteur, chère lectrice, je suis si touchée que vous ayez consacré de votre temps très précieux à Serina et Nomi. Vous êtes magiques et merveilleux, je vous aime tous ! Si je pouvais, je vous préparerais à chacun des gâteaux. Merci !

hachette s'engage pour l'environnement en réduisant l'empreinte carbone de ses livres. Celle de cet exemplaire est de :
500 g éq. CO_2
Rendez-vous sur www.hachette-durable.fr

PAPIER À BASE DE FIBRES CERTIFIÉES

« Pour l'éditeur, le principe est d'utiliser des papiers composés de fibres naturelles, renouvelables, recyclables et fabriquées à partir de bois issus de forêts qui adoptent un système d'aménagement durable. En outre, l'éditeur attend de ses fournisseurs de papier qu'ils s'inscrivent dans une démarche de certification environnementale reconnue. »

Édité par la Librairie Générale Française – LPJ
(58, rue Jean-Bleuzen, 92170 Vanves)

Composition : Nord Compo
Achevé d'imprimer en Espagne par Liberdúplex
Dépôt légal 1re publication : juin 2024
95-6416-1 – ISBN : 978-2-01-724416-5
Loi n° 49-956 du 16 juillet 1949 sur les publications destinées à la jeunesse
Dépôt légal : juin 2024